ENFRENTANDO
O FOGO

Nora Roberts

Romances

A Pousada do Fim do Rio
O Testamento
Traições Legítimas
Três Destinos
Lua de Sangue
Doce Vingança
Segredos
O Amuleto
Santuário
Resgatado pelo Amor
A Villa
Tesouro Secreto
Pecados Sagrados
Virtude Indecente
Bellíssima
Mentiras Genuínas
Riquezas Ocultas
Escândalos Privados
Ilusões Honestas
A Testemunha
A Casa da Praia
A Mentira
O Colecionador

Trilogia do Sonho

Um Sonho de Amor
Um Sonho de Vida
Um Sonho de Esperança

Trilogia do Coração

Diamantes do Sol
Lágrimas da Lua
Coração do Mar

Trilogia da Magia

Dançando no Ar
Entre o Céu e a Terra
Enfrentando o Fogo

Trilogia da Gratidão

Arrebatado pelo Mar
Movido pela Maré
Protegido pelo Porto

Trilogia da Fraternidade

Laços de Fogo
Laços de Gelo
Laços de Pecado

Trilogia do Círculo

A Cruz de Morrigan
O Baile dos Deuses
O Vale do Silêncio

Trilogia das Flores

Dália Azul
Rosa Negra
Lírio Vermelho

NORA ROBERTS

ENFRENTANDO O FOGO

Tradução
Renato Motta

9ª edição

BERTRAND BRASIL
Rio de Janeiro | 2017

Copyright © 2002 by Nora Roberts

Título original: *Face the Fire*

Texto revisado segundo o novo
Acordo Ortográfico da Língua Portuguesa

2017
Impresso no Brasil
Printed in Brazil

CIP-BRASIL. CATALOGAÇÃO NA FONTE
SINDICATO NACIONAL DOS EDITORES DE LIVROS, RJ.

Roberts, Nora, 1950-

R549e   Enfrentando o fogo / Nora Roberts; tradução de Renato Motta. –
9ª ed.   9ª ed. – Rio de Janeiro: Bertrand Brasil, 2017.
364p. – (Trilogia da magia; v. 3)

Tradução de: Face the fire
ISBN 978-85-286-1047-5

1. Feiticeiras – Ficção. 2. Romance americano. I. Motta, Renato.
II. Título. III. Série.

                                 CDD-813
03-2367   CDU- 821.111 (73)-3

Todos os direitos reservados pela:
EDITORA BERTRAND BRASIL LTDA.
Rua Argentina, 171 – 2º andar – São Cristóvão
20921-380 – Rio de Janeiro – RJ
Tel.: (021) 2585-2000 – Fax: (021) 2585-2084

Não é permitida a reprodução total ou parcial desta obra, por quaisquer meios, sem a
prévia autorização por escrito da Editora.

Atendimento e venda direta ao leitor:
mdireto@record.com.br ou (21) 2585-2002.

Aos amantes,
antigos e novos

Ó amor! Ó fogo! Da mesma forma que tu
Com meros lábios e um longo beijo
Toda a minha alma extirpaste,
Também o Sol, no seu ensejo,
Todo o orvalho secou.

— Lord Tennyson

Prólogo

Ilha das Três Irmãs
Setembro de 1702

O coração dela estava despedaçado.

Cacos pontiagudos apunhalavam-lhe a alma até que cada hora, cada momento de sua vida havia se transformado em sofrimento. Nem mesmo as crianças, tanto as que carregara no ventre quanto as que criara para as irmãs que perdera, lhe serviam de conforto.

E nem ela servia mais de conforto para as crianças, para sua imensa vergonha.

Ela as abandonara da mesma forma que o pai havia feito. O seu marido, seu amante e coração, havia voltado para o mar, e, nela, o que era esperança, amor e magia tinha morrido naquele dia.

Agora mesmo, naquele momento, ele nem se lembraria dos anos que compartilharam e da alegria que usufruíram. Não se lembraria de seus filhos, de suas filhas nem da vida que eles haviam construído na ilha.

Assim era a natureza dele. E assim seria o destino dela.

E também o destino de suas irmãs, lembrou-se, à beira dos penhascos que ela amava, acima do mar que borbulhava e se distorcia. Também elas haviam sido destinadas a amar e a perder. A que se chamava Ar se apaixonara por um rosto lindo que lhe dissera palavras belas, mas ocultava uma fera. Fera que derramara o sangue dela. Que a havia assassinado pelo que ela era, e ela não usara o seu poder para impedi-lo.

A seguir, a que se chamava Terra havia se enraivecido e se torturado de tanto pesar, a tal ponto que construíra, pedra por pedra, uma muralha que ninguém conseguia derrubar. Usara seus poderes para buscar vingança, ao mesmo tempo em que renegara a Arte e abraçara a escuridão.

Agora, a escuridão a abraçava, e ela, a que se chamava Fogo, ficara sozinha com sua dor. Já não conseguia mais lutar contra aquilo; não encontrava propósito algum na própria vida.

O breu lhe sussurrava mentiras no ouvido, durante as noites, com uma voz dissimulada e vil. E, mesmo sabendo o que eram, estava cedendo pouco a pouco à tentação daquelas mentiras.

Seu círculo estava despedaçado, e ela não poderia, não tentaria resistir sozinha.

Sentiu a presença do Mal que se aproximava, rastejando sobre o solo em uma névoa suja e escura. Ele tinha fome. A morte dela iria fortalecê-lo, e mesmo assim ela já não conseguia enfrentar a vida.

Levantou os braços bem alto, de modo que as chamas dos seus cabelos ruivos chicoteassem o vento que ela invocara com um suspiro profundo. Havia tantos poderes dentro de si. O mar uivou em resposta, fazendo o solo estremecer sob seus pés.

Ar e Terra e Fogo; e Água — o mesmo elemento que lhe trouxera o grande amor o tinha também roubado e levado para longe.

Mas, naquele último momento, ela ainda tinha os elementos sob controle.

Suas crianças ficariam a salvo, pois já providenciara isso. A babá tomaria conta delas e as ensinaria tudo; o dom e o brilho da Magia seriam passados adiante.

A escuridão lambeu-lhe a pele em beijos gelados, muito gelados.

Ela balançava na beira do precipício, ainda lutando contra sua vontade, enquanto a tempestade dentro dela e a tormenta lá fora rugiam, enfurecidas.

Aquela ilha, que ela e as irmãs haviam conjurado na ânsia de buscar refúgio e escapar da destruição dos que se preparavam para caçá-las e matá-las, pensou, tinha sido em vão. Tudo estaria perdido.

Você está completamente só..., murmurava a escuridão. *Você está sofrendo. Acabe com a solidão, acabe com a dor.*

E era isso que ela faria em poucos instantes. Não abandonaria, porém, as suas crianças ou as crianças que delas nascessem. O Poder ainda estava nela, e ela ainda tinha a força e o conhecimento para empunhá-lo.

Durante cem vezes três... Trezentos anos a Ilha das Irmãs resistirá aos teus planos.

Das pontas de seus dedos esticados, raios de luz foram lançados como chicotes, que giraram e formaram um círculo dentro de outro círculo.

Minhas crianças teus dedos não poderão alcançar
Elas muito viverão, para aprender e ensinar
E quando o prazo desse encanto expirar
Outras três um círculo uno vão formar
Um círculo de irmãs unidas pelo poder
Que se unirão e enfrentarão o escuro do teu ser
Coragem, confiança, justiça e piedade
Amor sem fronteiras matando a fragilidade
E elas vão, por livre vontade
Se unir para fazer vencer a verdade
E enfrentar o seu destino
Derrotando o mal ferino
Se, nesse caminho, uma que seja falhar
Que esta ilha afunde para sempre no mar
Mas, se vencerem, o mal embarca
Para sempre, levando a sua marca
Este encanto é o último, e o meu fim me abraça
Que assim seja, que assim eu vá... e assim se faça.

A escuridão tentou arrebatá-la assim que ela saltou do penhasco, mas não conseguiu. Mergulhando em direção ao mar que a destruiria, ela arremessou seu poder em volta de toda a ilha, como uma teia protetora feita de prata. Nessa mesma escuridão, suas crianças dormiam em paz.

Capítulo Um

Ilha das Três Irmãs
Maio de 2004

Já fazia mais de dez anos que ele estivera na ilha pela última vez. Mais de uma década desde que vira, sem ser em pensamento ou em sonho, as bordas da floresta, as casinhas espalhadas, as curvas das praias e das enseadas. E a força dramática dos penhascos onde a casa de pedra ainda se mantinha, ao lado da fina lança branca do farol da ilha.

Ele não devia se sentir tão surpreso pela atração que percebia estar voltando, nem pelo puro e simples prazer que sentia. Sam Logan raramente se surpreendia. Mas a delícia de descobrir o que havia mudado e o que permanecia igual o surpreendia muito.

Estava voltando para casa, mas até então não havia compreendido, pelo menos não completamente, o que voltar realmente significava para ele. Até chegar ali.

Estacionou o carro perto das docas porque queria caminhar, sentir o cheiro do ar salgado da primavera, ouvir as vozes que vinham dos barcos de pesca e ver a vida que fluía ao longo da pequena extensão de terra ao longo do litoral de Massachusetts.

E talvez, admitiu, porque desejava ter um pouco mais de tempo para se preparar, antes de encontrar a mulher pela qual voltara.

Não esperava uma acolhida calorosa. Na verdade, não sabia o que esperar de Mia.

Já soubera um dia. Conhecia cada expressão de seu rosto, cada inflexão diferente de sua voz. Outrora, ela estaria ali nas docas para recebê-lo, com os gloriosos cabelos ruivos esvoaçando e os olhos acinzentados acesos, cheios de prazer e de promessas.

Ele teria escutado o seu riso quando ela corresse para se atirar em seus braços.

Aqueles dias faziam parte do passado, avaliou, enquanto subia pela pequena alameda que ia dar na Rua Alta, pontilhada por lindas lojas e escritórios. Ele se afastara de todos e se exilara, deliberadamente. Correra para longe da ilha e de Mia.

Agora, também por livre e espontânea vontade, estava colocando um ponto final no exílio.

Nesse meio-tempo, a jovem que havia deixado para trás se transformara em uma mulher. Uma mulher de negócios, pensou ele, com a sombra de um sorriso nos lábios. O que não era surpresa. Mia sempre tivera uma boa cabeça para negócios e uma boa visão de lucros. Sam pretendia usar isso, se necessário, para seduzi-la e conseguir cair novamente em suas boas graças.

Sam não se importava de usar as armas da sedução, desde que no final de tudo ele vencesse.

Virou a esquina da Rua Alta e deu uma longa olhada na Pousada Mágica. O prédio de pedra em estilo gótico era o único hotel da ilha e pertencia a ele. O novo dono trazia algumas ideias que pretendia implementar ali, agora que finalmente seu pai havia liberado o controle do estabelecimento.

Só que os negócios iam ter que esperar por mais algum tempo, pois ele precisava cuidar de questões pessoais.

Continuou a caminhar, satisfeito por notar que, embora o tráfego não estivesse pesado, era constante. Os negócios na ilha, avaliou, pareciam andar tão bem quanto lhe haviam informado.

Sam dava passos largos, que o levaram rapidamente calçada acima. Era um homem alto, com mais de um metro e noventa, compleição magra e disciplinadamente construída, mais acostumado nos últimos anos a ternos bem-cortados, em lugar das calças jeans que estava usando. O casaco preto, comprido, balançava suavemente com a brisa de maio que o envolvia durante o caminhar.

Seu cabelo era escuro; agora estava desalinhado pelo vento que o agitara durante toda a travessia do continente até a ilha e se estendia além do colarinho. Seu rosto era magro, com as maçãs do rosto bem-definidas. Os ângulos eram atenuados por uma boca bem-esculpida, lábios carnudos, e tudo isso, aliado às asas pretas dos cabelos que voavam para trás, criava uma imagem dramática.

Seus olhos estavam alerta enquanto varriam o que tinha sido, e voltaria a ser, a sua casa. Em um tom que ficava entre o azul e o verde, eram da cor do mar que rodeava a ilha, emoldurados por cílios e sobrancelhas escuros.

Sam usava a sua boa aparência sempre que isso lhe era útil, da mesma forma que empregava o charme ou a impiedade. Quaisquer que fossem as ferramentas que lhe caíssem nas mãos, sem dúvida as usava para atingir o objetivo principal. Já aceitara o fato de que precisaria de tudo o que conseguisse colocar à sua disposição a fim de cativar Mia Devlin.

Do outro lado da rua, analisou a loja "Livros e Quitutes". Sam deveria saber que Mia conseguiria transformar o que no passado havia sido um prédio maltratado e sem atrativos em algo adorável, elegante e produtivo. A vitrine da frente exibia uma profusão de livros, com pequenas caçarolas espalhadas em volta, flores primaveris e uma confortável cadeira de jardim. Duas das mais antigas e profundas paixões de Mia, pensou. Livros e flores. E ela os colocara na vitrine de uma forma que sugeria que já estava na hora de dar uma parada no trabalho pesado, sentar-se e aproveitar os frutos do trabalho na onda de uma história envolvente.

Enquanto observava tudo isso, um casal de turistas entrou na loja. Sam não estava afastado havia tanto tempo da ilha a ponto de não saber mais diferenciar um turista de um morador.

Ficou parado onde estava, com as mãos nos bolsos, até perceber que estava apenas adiando o momento do reencontro. Havia poucas coisas mais turbulentas do que uma visão de Mia Devlin furiosa. Ele já esperava o momento em que ela o fustigaria com sua ira incontrolável, no minuto em que ela colocasse os olhos sobre ele novamente.

E quem poderia censurá-la por isso?

Por outro lado, lembrou com um sorriso, havia poucas coisas mais excitantes do que ver Mia Devlin furiosa. Seria certamente... interessante travar mais uma vez esse duelo de espadas invisíveis com ela. Também seria muito bom tentar acalmar as suas intempéries emocionais.

Atravessando a rua, abriu a porta da "Livros e Quitutes".

Lulu estava atrás do balcão. Ele a teria reconhecido em qualquer lugar. A mulher de pequena estatura com feições de duende, que parecia estar sendo quase engolida pelos imensos óculos de aro de prata, era a pessoa que, essencialmente, criara Mia desde bebê. Os Devlin sempre estiveram mais interessados em si próprios e em viajar do que em cuidar da filha. Lulu, uma antiga hippie da geração paz e amor, havia sido contratada para cuidar da criança.

Aproveitando que Lulu estava registrando a compra de um cliente, Sam teve um momento para olhar em volta. O teto era pontilhado com luzes que lhe causaram o efeito de um céu estrelado, transformando o simples exercício de buscar um livro, entre as prateleiras, num momento festivo. Um acalentador recanto para descanso, com poltronas convidativas, estava colocado estrategicamente em frente a uma lareira que, embora apagada, estava limpa, polida e servia de abrigo para mais flores primaveris. O perfume que as flores exalavam adocicava o ar, da mesma forma que as gaitas e flautas enchiam o ambiente, espalhando músicas suaves pelo sistema de alto-falantes do salão.

Estantes pintadas em um tom brilhante de azul exibiam os livros. Era uma coleção impressionante de títulos, refletiu enquanto vagava pelo interior da loja, e tão eclética quanto seria de esperar, considerando-se a proprietária. Ninguém jamais poderia acusar Mia de possuir uma mente fechada.

Os lábios de Sam tremeram ligeiramente quando apareceram à sua frente outras estantes que exibiam velas rituais, baralhos de tarô, runas, pequenas imagens de seres míticos, magos e dragões, que formavam um atraente leque de mais outro dos grandes interesses de Mia, avaliou. Nessa área, ele também não esperava outra coisa.

Pegando uma das pedras de quartzo rosa que estavam espalhadas em um recipiente largo, Sam a esfregou entre os dedos, a fim de trazer boa sorte, embora não bastasse apenas isso. Antes de ter a chance de recolocar a pedra no lugar, sentiu um sopro de vento frio nas costas. Sorrindo com descontração, virou-se para encarar Lulu.

— Sempre soube que um dia você voltaria. Coisas ruins sempre voltam.

— Como vai, Lu? — Esta era a primeira barreira: o dragão que vigiava o portão.

— Não me venha com esse papo de "Como vai, Lu?", Sr. Sam Logan. — Fungou com força, dando uma ostensiva olhada nele, de cima a baixo. A seguir, fungou novamente. — Vai comprar essa pedra que está na sua mão ou vou ter que chamar o xerife para prendê-lo por roubo de mercadoria?

— Como vai o Zack? — perguntou, colocando a pedra no lugar.

— Vá lá saber por si mesmo, não tenho tempo para perder com você.

— Embora Sam fosse quase quarenta centímetros mais alto, Lulu deu um passo à frente com decisão e apontou o dedo diante do nariz dele, fazendo-o sentir-se com 12 anos novamente. — Que diabos você quer aqui, afinal?

— Vim ver a minha casa. Vim ver Mia.

— Por que não faz um favor a todos nós e volta para o lugar onde esteve galinhando durante todos esses anos?... Nova York, Paris e... *ulalá*... Estamos todos muito bem sem você por aqui para ocupar um espaço precioso na ilha.

— Pelo que vejo, isso é verdade. — Ele olhou em volta de toda a loja com um jeito casual. Não estava ofendido. Um dragão, na sua ideia, servia para prestar devoção e defender a princesa. Pelo que Sam lembrava, Lulu sempre estivera à altura do cargo. — Lugar agradável. Ouvi dizer que a cafeteria lá em cima é excepcional. E me contaram também que é a nova mulher do Zack que está à frente dela.

— Seus ouvidos realmente estão em forma. Aproveite, então, e ouça bem isto: caia fora daqui!

Ainda sem se ofender, seus olhos se tornaram um tanto mais duros e decididos, e o verde deles pareceu se acentuar.

— Vim aqui para ver Mia.

— Ela está muito ocupada. Depois eu digo que você deu uma passada por aqui.

— Não, você não vai dizer — disse ele, baixinho. — Mas ela vai saber, de qualquer forma.

E, no exato momento em que falava, ouviu o som de sapatos de salto alto pisando em madeira. Poderia ser qualquer outra, entre dezenas, a mulher que, naquele momento, descia elegantemente a escada em curva. Mas ele sabia. Com o coração pulando dentro do peito, Sam deu um passo em volta das estantes a tempo de vê-la chegar ao pé da escada.

E o olhar, apenas aquele olhar que lançou para ela, o retalhou em mil pedaços.

Porque a princesa, Sam notou, se transformara em uma rainha.

Mia sempre fora a mulher mais linda que ele encontrara em toda a vida. A transição de adolescente para mulher havia simplesmente adicionado novas e reluzentes camadas de esplendor à sua beleza. Seus cabelos eram exatamente de como ele se lembrava, uma longa e exuberante profusão de caracóis flamejantes em torno de um rosto aveludado como pétala de rosa. Uma pele, ele lembrava bem, suave como uma gota de orvalho. Seu nariz era pequeno, reto e bonito; sua boca, larga e cheia. E ele ainda se lembrava, perfeitamente, da sua textura e do seu sabor. Os olhos amendoados, em um tom cinza-esfumaçado, estudavam-no naquele momento com uma frieza calculada.

Ela sorriu, mas o sorriso também era frio enquanto caminhava na direção dele.

Seu vestido, em um tom de ouro velho, colante nas curvas do seu corpo, insinuava a presença de pernas longas, muito longas. Os sapatos de salto alto eram na mesma cor do vestido, fazendo com que ela parecesse estar brilhando, como se iluminada por uma fogueira. Mas não foi calor o que Sam sentiu quando ela arqueou uma das sobrancelhas e olhou de volta para ele.

— Ora, ora... se não é o Sam Logan... Seja bem-vindo de volta à ilha.

Sua voz estava mais grave, apenas alguns níveis mais grave do que havia sido um dia. Estava mais ardente, mais misteriosa, mais sedosa. Aquela voz parecia atingir Sam em algum ponto da barriga, enquanto ele tentava decifrar o seu sorriso educado e sua impessoal saudação.

— Obrigado. — Deliberadamente, colocou a voz no mesmo tom dela. — É muito bom estar de volta. E você está maravilhosa!

— Fazemos o que podemos.

Mia jogou o cabelo para trás. Havia pedras de citrino em suas orelhas. Todos os detalhes, desde os anéis em seus dedos até o perfume sutil que a envolvia, estavam vivamente entalhados em sua memória. Por um instante, tentou ler-lhe a mente, mas foi como se a sua linguagem mental lhe parecesse estrangeira e frustrante.

— Gostei da sua loja — disse Sam com todo cuidado para manter a voz casual. — Ou pelo menos o que consegui ver até agora.

— Bem, então vamos ter que lhe oferecer um tour completo. Lulu, há clientes esperando por você.

— Sei muito bem o que está me esperando — resmungou Lulu. — Hoje é um dia de trabalho, não é mesmo, Mia? Você não está com tempo sobrando para ficar circulando por aí com essa pessoa, exibindo a loja.

— Lulu. — Mia simplesmente jogou a cabeça, com charme, para o lado, como quem dá um aviso silencioso. — Sempre tenho alguns minutos para um velho amigo. Suba comigo, Sam, para ver a cafeteria. — Ela voltou pela escada por onde acabara de descer, arrastando a mão pelo corrimão. — Você já deve ter ouvido que um dos nossos amigos comuns, Zack Todd, se casou no inverno passado. Nell, a mulher dele, é não apenas uma amiga muito chegada, mas também uma cozinheira espetacular.

Sam fez uma pausa ao chegar no alto da escada. Estava aborrecido pelo fato de sentir dificuldades para manter a calma e o equilíbrio. O perfume de Mia estava fazendo sua cabeça revirar.

O segundo andar da loja era tão acolhedor quanto o primeiro, com o adendo sedutor de uma cafeteria movimentada em uma das pontas do salão, e todos os maravilhosos aromas de temperos, café e chocolate pelo ar.

O balcão envidraçado exibia uma seleção deslumbrante de iguarias assadas e vários tipos de saladas. Uma nuvem de vapor aromático subia pelo ar, vindo de um enorme caldeirão, de onde, naquele exato momento, uma loura muito bonita retirava uma concha com sopa para um cliente que aguardava.

As janelas da parede ao fundo deixavam entrever imagens do mar.

— É fabuloso! — Aquilo, pelo menos, era algo que Sam podia dizer sem restrições. — Simplesmente fabuloso, Mia. Você deve estar com muito orgulho do que conseguiu fazer aqui.

— E não é para ficar orgulhosa?

Sam sentiu uma ligeira pontada de ironia no tom de voz, que o fez voltar os olhos para ela, que apenas sorriu mais uma vez, gesticulando com uma de suas mãos elegantes, onde anéis brilhavam.

— Está com fome?

— Mais do que imagina.

Uma rápida olhada foi a simples reação de Mia a essa resposta, e por um instante ele sentiu toda a profundidade dos seus lindos olhos acinzentados, antes de ela se virar e seguir para o balcão.

— Nell, estou lhe trazendo um homem faminto.

— Então ele veio ao lugar certo. — Nell sorriu, descontraída, e suas covinhas apareceram. Seus olhos azuis pareciam amigáveis ao encontrarem com os de Sam. — Nossa sopa do dia é canja com curry. A salada especial é camarão à *diablo*, e o sanduíche de hoje é lombinho grelhado com molho de tomate e azeitonas, no pão branco. Além disso, temos os pratos regulares — acrescentou, dando uma palmadinha no cardápio — e todos os complementos vegetarianos.

A mulher de Zack, pensou Sam. Uma coisa era receber a notícia de que seu mais antigo amigo tinha dado o salto fatal do casamento, outra era ver o motivo de perto. Sentiu mais um sobressalto.

— Uma grande seleção! — comentou ele.

— Gostamos de pensar que sim.

— Não há como escolher o prato errado, se foi a Nell que preparou — comentou Mia. — Vou deixá-lo em suas mãos extremamente capazes e hospitaleiras, por agora. Tenho trabalho. Ah... Nell, esqueci de fazer as apresentações. Este é um antigo amigo de Zack, Sam Logan. Bom apetite, Sam! — disse ela, e se retirou em seguida.

Sam notou a surpresa tomar de repente o lindo rosto de Nell, para logo em seguida testemunhar que todo o ar acolhedor desaparecera por completo.

— O que vai querer?

— Por enquanto, apenas um café. Puro. Como vai o Zack?

— Muito bem, obrigada.

Sam começou a tamborilar com os dedos na coxa. Mais um cão de guarda no portão, pensou, e não menos intimidador que o dragão, apesar da aparência suave.

— E a Ripley? Ouvi dizer que ela também se casou no mês passado.

— Também vai bem, e está muito feliz. — A boca de Nell formou uma linha fina e rígida, pouco receptiva, enquanto servia o café em uma embalagem para viagem e a colocava sobre o balcão. — Não precisa pagar. Estou certa de que Mia não quer seu dinheiro, nem precisa dele. Eles servem uma refeição bastante aceitável na Pousada Mágica, como estou certa de que o senhor já sabe.

— Sim, eu sei. — Uma gatinha linda com as garras muito afiadas, avaliou Sam. — Por acaso você acredita que Mia necessita da sua proteção, Sra. Todd?

— Acho que Mia consegue lidar com qualquer coisa. — Ela sorriu então, com os lábios finos como lâminas. — Absolutamente qualquer coisa.

— Eu também acredito nisso! — concordou Sam, pegando o café e seguindo na mesma direção de Mia.

O canalha. Assim que se viu protegida, atrás da porta fechada do escritório, Mia soltou estilhaços de ódio para todos os lados. A energia foi tamanha que os livros, enfeites e bibelôs nas prateleiras estremeceram e pularam. Ele tivera a coragem, a falta de sensibilidade e a *estupidez* de entrar em sua loja como se estivesse valsando.

Ficar ali em pé e *sorrindo* para ela como se esperasse que ela começasse a gritar de alegria e pulasse em seus braços. E depois aparentar frustração quando não a viu fazer nada disso.

Canalha.

Ela cerrou os punhos com força e ouviu-se um estalo forte, seguido de uma rachadura fina que apareceu na vidraça de sua janela.

Mia pressentira o momento exato em que ele colocara os pés na loja. Da mesma forma que sentiu o instante em que ele pisara na ilha. Foi como se uma enxurrada passasse por dentro dela, inundando-a, enquanto fazia um pedido para reabastecer o estoque. Dor, choque, alegria, fúria, tudo tão intenso, tudo tão repentino, que ela chegou a sentir vertigens. Emoções atordoantes e conflitantes se atropelaram, deixando-a fraca e tremendo.

E então ela soube que ele voltara.

Onze anos. Sam a abandonara sem explicações, deixando-a magoada, ferida, desamparada e sem esperanças. Mia ainda sentia vergonha ao se lembrar da massa trêmula de confusão e pesar em que se transformara durante semanas, depois de sua partida.

Mas conseguira reconstruir toda a sua vida a partir das cinzas dos sonhos que Sam deixara em seu coração. Reencontrara o seu foco, e descobrira uma espécie de contentamento estável.

Agora ele voltara.

Ela só conseguia agradecer os céus pelo fato de o conhecimento prévio de sua chegada lhe ter dado tempo para se recompor. Que humilhação terrível seria tê-lo reencontrado sem uma chance de se preparar. E que satisfação maravilhosa tinha sido notar a indisfarçável surpresa e perplexidade no rosto de Sam diante da sua casual e fria recepção.

Ela agora estava muito mais forte, lembrou-se. Não era mais a menininha que depositara o coração despedaçado e sangrando aos pés dele. E havia, agora, outras coisas mais importantes, muito mais importantes em sua vida do que um homem.

O amor, meditou, poderia ser uma imensa mentira. E não havia mais lugar nem tolerância em sua vida para mentiras. Tinha a sua casa, os seus negócios, os seus amigos. Havia formado seu círculo novamente, e aquele círculo tinha um propósito.

Tudo isso era o bastante para sustentá-la e preenchê-la.

Ao ouvir uma batida na porta do escritório, bloqueou os sentimentos e os pensamentos. Então, sentou-se na cadeira atrás da escrivaninha e disse:

— Sim?... Pode entrar!

Estava olhando para os dados no seu monitor, com naturalidade, quando Sam entrou. Virou o rosto na direção dele de um modo ausente e distraído, permitindo apenas uma sombra de estranheza nos olhos.

— Ué... Não havia nada no cardápio que lhe agradasse?

— Resolvi me contentar com isto. — Ele levantou a embalagem de café para viagem, desencaixando a tampa e pousando o copo na ponta da mesa. — A Nell é muito leal a você.

— Lealdade é uma qualidade essencial em uma amiga, no meu ponto de vista.

— E ela também prepara um café de qualidade superior — completou ele, fazendo um som que significava concordância, para então tomar um gole do líquido quente.

— Também um requisito essencial para um chefe de cozinha. — Bateu com as pontas dos dedos juntas sobre a mesa, em um gesto de impaciência controlada. — Escute, Sam, me desculpe... Não quero parecer mal-educada, e você é mais do que bem-vindo para tomar café e visitar a loja sempre que desejar. No momento, porém, tenho muito trabalho.

— Tudo bem, Mia, não quero atrapalhar você. — Estudou-a por um longo momento, mas a expressão de ligeira irritação no rosto de Mia não cedeu. — Por que você simplesmente não me entrega as chaves do chalé, e eu vou embora para me instalar lá?

— Chaves do chalé? — perguntou ela, balançando a cabeça, sem compreender.

— O chalé. O seu chalé amarelo.

— O *meu* chalé? E por que milagre da natureza eu lhe entregaria as chaves do meu chalé amarelo?

— Porque sim! — Deliciado com o fato de finalmente ter conseguido penetrar no escudo de estudada polidez, Sam retirou alguns papéis do bolso. — Temos um contrato de locação. — Ele colocou os papéis sobre a mesa de Mia, afastando-se enquanto ela os agarrava, com indisfarçável raiva, para lê-los. — A Círculo Céltico é uma das minhas companhias — explicou, enquanto ela olhava atentamente, com raiva, para os nomes que apareciam no contrato. — Henry Downing é um dos meus advogados. Foi ele que alugou o chalé para mim.

As mãos de Mia estavam a ponto de tremer. Mais que isso, ela estava com vontade de agredi-lo. Deliberadamente, porém, pousou-as com as palmas para baixo, sobre a mesa, enquanto perguntava:

— Por que isso, Sam?

— Tenho advogados que realizam todo tipo de serviço para mim — explicou ele, encolhendo os ombros. — Além do mais, não creio que você aceitaria alugar o chalé para mim. Mas imaginei, tinha certeza mesmo, que, uma vez que o negócio estivesse fechado, você faria questão de honrar a sua parte.

— O que eu quis perguntar foi por que você precisava daquele chalé. — Ela soltou um longo suspiro. — Você é dono de um hotel inteiro, que está à sua disposição.

— Preferi não morar em um hotel, nem viver no mesmo lugar em que vou trabalhar. Quero minha privacidade e algum tempo para mim mesmo. Não conseguiria isso se ficasse no hotel. Você teria alugado a casa para mim, Mia, se eu não tivesse feito o contrato através do advogado?

— Claro que sim. — Os lábios dela se curvaram em um sorriso ferino. — Só que teria aumentado o valor do aluguel de forma exorbitante.

Ele riu e, bem mais equilibrado desde o momento marcante em que colocara novamente os olhos nela após tanto tempo, bebeu um pouco do café.

— Um contrato é um contrato, Mia, e talvez isso estivesse destinado a acontecer dessa forma. Já que meus pais venderam a nossa antiga casa para o novo marido de Ripley, fiquei sem ter onde me acomodar aqui. As coisas normalmente acontecem na hora e da maneira que têm que acontecer.

— As coisas acontecem... — foi tudo o que ela disse. Abriu a gaveta e pegou um molho de chaves. — A casa é muito pequena, em estilo um pouco rústico, mas estou certa de que você vai conseguir se arranjar com ela enquanto estiver na ilha.

Ela colocou as chaves sobre a mesa, em cima da cópia do contrato de locação.

— Tenho certeza que sim. Por que você não janta comigo hoje à noite? Podemos colocar o papo em dia.

— Não, obrigada.

Ele não pretendia convidá-la para sair, não tão cedo. Sentiu-se irritado por não ter conseguido impedir que as palavras lhe escapassem da boca.

— Bem, outra hora qualquer, então... — Ele se levantou, colocando as chaves no bolso, junto com os papéis. — É bom rever você, Mia.

E, antes que ela conseguisse evitar, ele colocou a mão sobre a dela, em cima da mesa. Uma centelha forte subiu pelo ar, a partir das mãos que se tocaram, formando um clarão visível. O ar em torno crepitou com fagulhas.

— Ah... — foi tudo o que ele disse, enquanto continuava a segurar-lhe a mão sob a dele.

— Tire sua mão de cima da minha! — Ela manteve a voz baixa e falou bem devagar, enquanto o olhava diretamente nos olhos. — Você não *tem o direito de me tocar.*

— Entre nós dois jamais foi uma questão de direito. Sempre foi uma questão de necessidade.

A mão dela queria tremer. Por pura força de vontade, ela a manteve firme, e respondeu:

— Não há *nós dois* agora. E eu já não preciso mais de você, Sam.

Ouvir aquilo o machucou. Um aperto forte e pontiagudo envolveu-lhe o coração.

— Só que eu sei que precisa, Mia, e eu também preciso de você. Há muito mais a ser levado em consideração, além de sentimentos antigos e velhas feridas.

— Sentimentos antigos e velhas feridas... — repetiu ela as palavras como se estivesse falando em outra língua. — Entendo. Seja lá como for, você não vai mais me tocar sem a minha permissão. Não vou admitir isso,

— Mas nós vamos ter que conversar.

— Isso implica que temos algo a nos dizer. — Mia permitiu-se que um pouco da raiva que sentia naquele instante aflorasse, para a seguir cobri-la com uma camada de desdém. — Neste exato momento, não tenho nada a dizer a você. Quero apenas que saia daqui. Você conseguiu o contrato, já está com as chaves, já tem a posse do chalé. Foi muito esperto de sua parte, Sam. Mas também, pensando bem, você sempre foi muito esperto, mesmo quando era apenas um menino. Só que este é o meu escritório, e esta é a minha loja. — *E também esta é a minha ilha,* ela quase disse, mas se conteve. —Não tenho tempo para você.

Quando sentiu que o aperto da mão dele sobre a sua se afrouxou, puxou o braço. O ar ficou mais leve.

— Olhe, Sam, não vamos estragar a sua visita com uma cena. Espero que goste da casa. Se tiver algum problema com o chalé, me avise, por favor.

— Eu vou... aproveitar o chalé. A aviso a você se houver algum problema. — Ele se virou, dirigindo-se para a porta e abrindo-a com cuidado. — E mais uma coisa, Mia... isto não é uma visita. Eu voltei para ficar. Voltei de vez.

Ele notou, com um prazer quase cruel, o rosto de Mia empalidecer por completo, pouco antes de fechar a porta atrás de si.

Saiu dali se xingando pelo que dissera e por estragar o primeiro encontro. Sua disposição ainda não era das melhores enquanto descia as escadas com pisadas fortes e saía da loja, sob o olhar frio como aço que Lulu lhe lançara.

Não seguiu na direção das docas, onde estacionara o carro; em vez disso, afastou-se ainda mais do chalé onde viveria por algum tempo e foi direto para a delegacia.

Esperava que pelo menos Zack Todd, agora o xerife Todd, estivesse no local. Por Deus, pensou Sam, como adoraria se pelo menos uma pessoa, uma única droga de pessoa na ilha, o recebesse de braços abertos, com sinceridade.

Se não pudesse contar com Zack para esse gesto, iria sentir-se em um estado lastimável. Encolheu os ombros para escapar da ríspida brisa de primavera, já não mais apreciando o vento.

Ela o enxotara como se fosse uma mosca, como se fosse um inseto. Não com um acesso de fúria, mas com irritação. A centelha que surgiu quando suas mãos se tocaram devia significar alguma coisa. Ele precisava acreditar nisso. O problema é que, se havia uma pessoa capaz de manter, com uma força de vontade impressionante, as barreiras contra os caminhos do destino, esse alguém era Mia.

Bruxinha teimosa e orgulhosa, pensou, então suspirou. O fato de que ela sempre tinha sido exatamente daquela maneira era parte do apelo irresistível que exercia sobre ele. Orgulho e poder eram difíceis de resistir. A não ser que estivesse errado, ela parecia ter mais orgulho e poder do que aos 19 anos.

Isso queria dizer que ele ia ter muito trabalho pela frente, em todos os sentidos.

Soltando o ar com um sopro, empurrou a porta da delegacia com força.

O homem que estava sentado em uma cadeira, com os pés sobre a mesa e falando ao telefone, não mudara muito. Engordara um pouco aqui, emagrecera um pouco ali. Seus cabelos ainda eram rebeldes, e continuavam castanhos e queimados nas pontas por causa do sol. Seus olhos eram os mesmos, penetrantes e profundamente verdes.

E se alargaram de satisfação enquanto estudavam o rosto de Sam.

— Escute... — disse ao telefone. — Mais tarde eu ligo de volta. Pode deixar que eu envio toda a papelada por fax ainda hoje, antes do fim da tarde. Sim... Certo. Agora preciso desligar. — Zack tirou os pés de cima da mesa, pondo-se de pé enquanto colocava o fone no gancho. Então se desvencilhou dos papéis e olhou, sorrindo, para Sam. — Seu filho da mãe!... É o Sr. Nova York em pessoa!

— E você virou o Paladino da Lei!

Zack atravessou o pequeno espaço entre eles com três passos largos e barulhentos e agarrou Sam em um abraço apertado.

Muito mais do que simples alívio percorreu o corpo de Sam, pois sentiu que ali estava sendo bem-recebido de verdade. Um afeto descomplicado e profundo, que se desenvolvera desde a infância.

Os anos que haviam se passado entre os meninos de ontem e os homens de hoje se dissolveram no ar.

— É bom rever você, Zack — conseguiu falar.

— Digo o mesmo de você, meu velho. — Zack se afastou um pouco, e retomou o fôlego. Um sentimento de puro prazer estava estampado em seu sorriso. — E aí, Sam? Estou vendo que ficar sentado o dia inteiro atrás de uma mesa não deixou você barrigudo nem careca.

— Isso vale para você também, Sr. Xerife. — Sam olhou para a área de trabalho desordenada e apertada.

— Isso mesmo, lembre-se bem de quem é que manda por aqui e mantenha-se longe de encrencas na minha ilha. Mas que diacho você está fazendo por aqui? Quer um pouco de café?

— Se o que você chama de café é aquele lodo marrom que está na jarra de vidro, eu dispenso, obrigado. Estou aqui a negócios. Negócios de longo prazo.

— Está falando do hotel? — Zack apertou os lábios enquanto colocava um pouco do líquido enlameado dentro de uma caneca.

— Um dos negócios, sim. Comprei a parte do hotel que ainda pertencia aos meus pais. Agora, ele é todo meu.

— Comprou tudo deles?... — Zack encolheu os ombros e encostou o quadril em uma das pontas da escrivaninha.

— A minha família nunca se deu muito bem, ao contrário da sua — respondeu Sam meio seco. — Foi uma questão de negócios. Meu pai havia perdido o interesse no hotel e na ilha, e eu não. E como vão os seus pais?

— Ah... Eles estão numa boa. Você não os encontrou por questão de dias. Vieram para o casamento de Ripley e ficaram aqui quase um mês. Cheguei a pensar que eles tinham decidido ficar de vez, mas, de repente, levantaram acampamento. Entupiram o trailer que usam como casa e seguiram em direção ao norte, para a Nova Escócia.

— Que pena que eu não vou poder encontrá-los! Ouvi dizer que Rip não foi a única que se casou por aqui.

— É verdade. — Zack levantou a mão esquerda, onde uma aliança brilhava. — Eu esperava que você viesse para o meu casamento.

— E eu gostaria de poder ter vindo. — Aquele era um arrependimento real, raríssimo entre muitos. — Mas estou muito feliz por você, Zack, com toda a sinceridade.

— Sei disso. E vai ficar ainda mais feliz quando a conhecer.

— É, mas eu já fui apresentado à sua mulher. — Sam sorriu, com os lábios retos. — E, pelo cheiro dessa bosta que você está bebendo, posso garantir que ela faz café muito melhor do que o marido.

— Foi Ripley quem fez o café.

— Que seja... De qualquer modo, fiquei muito feliz pelo fato de sua mulher não ter entornado o bule fervendo sobre a minha cabeça.

— Ora, mas por que ela...? Ah, já entendi... — Zack encheu as bochechas de ar. — É isso, então? Pois é... Mia. — Ele passou a mão pelo queixo. — Nell, Mia e Ripley. O fato é que...

Parou de falar na mesma hora quando a porta se abriu. Ripley Todd Booke, com o corpo vibrando da aba do boné até as pontas dos dedos dentro das botas arranhadas, olhou fixamente para Sam. Seus olhos, tão verdes quanto os do irmão, lançavam flechas de ressentimento.

— Antes tarde do que nunca! — anunciou ela, enquanto se virava decididamente na direção de Sam. — Estou esperando por este momento há onze anos.

Zack pulou na frente dela e a segurou pela cintura, enquanto Ripley levantava o punho, dando socos no ar. Ela tinha, e Sam sabia disso, um cruzado de direita famoso.

— Pare com isso! — ordenou Zack. — Segura a tua onda!

— Ela não amoleceu com o tempo, hein? — comentou Sam, enfiando as mãos nos bolsos. Se Ripley decidiu que ia plantar-lhe um soco na cara, era melhor resolver logo aquele assunto de uma vez.

— Não, nem um pouco — confirmou Zack, levantando a irmã no ar enquanto ela continuava a praguejar contra Sam. Seu boné caiu no chão, e seus longos cabelos escuros se desenrolaram em volta do rosto enfurecido.

— Escute, Sam, por que você não me dá uns dez minutinhos aqui com ela? Ripley, dá um tempo! — ordenou. — Você está usando um distintivo da polícia, lembra?

— Não tem problema! Posso arrancar o distintivo antes de dar um soco na cara dele. — Ela soprou os cabelos com os lábios virados para cima, para tirá-los da frente dos olhos. — Ele bem que merece.

— Talvez eu mereça — concordou Sam. — Mas não de você.

— Mia é muito educada, uma porcaria de dama, refinada demais para moer a sua fuça. Eu não sou!

— Foi exatamente isso que sempre admirei em você. — Sam estava sorrindo, agora. — Estou alugando o chalé amarelo — disse, olhando para Zack, enquanto observava Ripley ficar de queixo caído com o choque da notícia. — Apareça lá quando tiver tempo. Podemos tomar umas cervejas.

Ele só compreendeu que o choque tinha sido completo quando viu que Ripley não lhe deu um chute quando ele passou a caminho da porta. Sam saiu para a calçada novamente e deu mais uma longa olhada em torno, na pequena cidade.

Conseguira uma calorosa recepção de um velho amigo, mesmo que três mulheres tivessem formado um círculo fechado de ressentimento contra ele.

Para o melhor ou para o pior, pensou, estava em casa.

Capítulo Dois

De boas intenções, Sam lembrou, o inferno estava cheio. E as intenções nem precisavam ser necessariamente boas.

Ele planejara entrar de novo na vida dela e enfrentar sua fúria, suas lágrimas e sua amargura. Mia tinha todo o direito de sentir isso, e ele seria a última pessoa a negar o fato.

Teria conseguido aceitar de bom grado a sua raiva, as suas maldições e acusações. Pretendia dar a ela a oportunidade de extravasar cada gota de ressentimento que ainda estivesse guardado. E, é claro, tinha a intenção de varrer tudo para longe, limpar o caminho e reconquistá-la.

Uma estratégia que, pelos seus cálculos, o levaria à vitória em uma questão de horas ou, na pior das hipóteses, de dias.

Afinal, eles estavam ligados um ao outro desde a infância. O que eram onze anos comparados a uma união de sangue, coração e poder?

O que ele não havia se preparado para enfrentar era a sua fria e distante indiferença. Ah, sim, claro que ela estava zangada com ele, pensou, enquanto estacionava em frente ao chalé. Só que, por cima daquela camada de raiva, havia outra, mais espessa um escudo de gelo. Para tentar escavar e abrir caminho através daquela camada seriam necessários muito mais do que simples sorrisos, explicações, promessas ou mesmo pedidos de desculpas.

Lulu o amaldiçoara, Nell o esbofeteara moralmente, e Ripley lhe arreganhara os dentes. Mia não fizera nenhuma dessas coisas, mas sua resposta à presença dele o deixara arrasado de uma forma que nenhuma das outras conseguira.

Ainda machucava lembrar a maneira como havia olhado para ele, com uma espécie de desprezo estudado, especialmente pelo fato de que revê-la havia remexido em todas as memórias que Sam trazia dentro de si, sacudindo-o com pequenas explosões internas de saudade, desejo e amor.

Ele a amara, de forma obsessiva e escandalosa. E isso tinha sido a raiz, ou uma das muitas raízes entrelaçadas de todo o problema.

Enquanto revolvia as inesperadas dificuldades em sua mente, Sam batia com os dedos, distraidamente, sobre o volante. Recusava-se a acreditar que ela não se importava mais com ele. Havia acontecido muita coisa entre os dois, no passado. Muito sentimento, de ambas as partes, para que nada tivesse restado.

E se realmente nada restara, aquela centelha, aquele instante de conexão energética, no momento em que suas mãos tinham se tocado, não teria acontecido. Sam estava disposto a se manter preso a essa ideia, pensou, enquanto os dedos inconscientemente apertavam e soltavam o volante. Não importa o que fosse acontecer; ele iria se agarrar àquela centelha.

Um homem determinado poderia construir um inferno vulcânico a partir de uma centelha

Reconquistá-la, fazer o que precisava ser feito, encarar o que tinha que ser encarado, seria um desafio. Seus lábios se retesaram em um sorriso. Sam sempre gostara de desafios.

Precisaria muito mais do que quebrar a parede de gelo em torno de Mia. Teria também que passar pelo dragão, e Lulu não era fácil de encarar. Depois, precisaria ainda lidar com as mulheres que protegiam as laterais de Mia: Nell Todd, com a sua calma desaprovação, e Ripley, com seu temperamento detestável.

Quando um homem estava prestes a enfrentar uma batalha contra quatro mulheres, era bom que tivesse um plano. E uma pele bem grossa também. Ou viraria poeira em segundos.

Ele precisava trabalhar naquilo. Saltou do carro, e depois o rodeou até o porta-malas. Já estava na hora. Não era exatamente como ele gostaria que fosse, considerando as circunstâncias, mas realmente já estava na hora.

Tirou duas pesadas malas do carro, e começou a caminhar em direção à entrada da casa. De repente, parou para dar uma boa olhada, a primeira avaliação cuidadosa naquela que seria a sua casa pelas próximas semanas.

Bem... era, sem dúvida, muito charmosa, avaliou de imediato. Nem as fotografias que vira nem as suas lembranças tinham feito justiça ao chalé. Aquela casinha tinha sido toda branca um dia, recordava, e um pouco malcuidada. A tinta amarela lhe trouxera calor, e os canteiros com flores, começando a explodir com as cores da primavera, alegravam a parte externa. Tudo aquilo devia ser coisa de Mia, imaginou. Ela sempre tivera um bom gosto admirável e uma visão clara de tudo.

Sempre soubera exatamente o que queria.

Mais uma das raízes entrelaçadas, para ele.

O chalé era fantástico, algo precioso, pequeno e reservado, em um lindo terreno de esquina que dava para um pequeno bosque, perto o suficiente da praia, de modo que o som do mar brincava através das árvores verdejantes. Além disso, tinha a vantagem de oferecer uma sensação de afastamento e solidão plácida e a conveniência de estar a uma curta caminhada até o centro da cidade.

Um excelente investimento, analisou. Mia, com certeza, sabia disso também.

A garota esperta, avaliava, enquanto retomava a caminhada em direção à porta, se transformara em uma mulher esperta. Pousando as malas no chão, enfiou as mãos nos bolsos em busca das chaves.

A primeira coisa que percebeu assim que entrou na casa foi uma sensação aconchegante e hospitaleira. Era como se a casa o estivesse recebendo de braços abertos. Venha, entre e faça daqui o seu lar, a sala parecia dizer. Não havia energias presas ou sentimentos pesados, herança de antigos locatários.

Aquilo também deveria ser trabalho de Mia, tinha certeza. Ela sempre fora uma bruxa competente e atenta a todos os detalhes.

Deixando as malas na porta, circulou pela casa. A sala de estar tinha pouca mobília, mas o que havia ali era muito bonito. Pequenas achas de lenha já estavam empilhadas na base da lareira. Os pisos brilhavam, e cortinas finas e rendadas emolduravam as janelas. Um ambiente ligeiramente feminino, pensou, mas que dava para conviver com ele.

Havia dois quartos. Um era bem aconchegante, e o outro... bem, ele só iria precisar de um. O banheiro, imaculadamente limpo e alegre, tinha uma banheira estreita que servia de boxe, com um chuveiro, e parecia destinada a causar problemas para um homem alto com pernas compridas.

A cozinha nos fundos da casa parecia mais do que suficiente para as suas necessidades. Sam não sabia cozinhar e nem pretendia aprender. Abriu a porta dos fundos para encontrar mais canteiros com flores e um jardim de ervas aromáticas já montado, além de uma pequena área gramada que seguia direto até o bosque primaveril.

Era possível ouvir o mar dali também, além do som do vento nas árvores e, se prestasse atenção, o ruído de algum carro, ao longe, dirigindo-se para o centro. Cantos de pássaros e os latidos alegres de um cão.

Ele estava, reparou, completamente sozinho. Sentiu que um pouco da tensão que se acumulara sobre seus ombros começou a ceder. Até aquele momento ele não tinha percebido o quanto ansiava por solidão. Não pudera desfrutar muito disso nos últimos dois anos.

Também não era uma coisa que perseguisse ativamente, no esquema corrido das tarefas do dia a dia. Tinha objetivos a alcançar e questões a provar, e tais ambições não lhe deixavam tempo nem espaço para os prazeres da solidão.

Não compreendera o quanto estava novamente necessitado daquela serenidade da solidão, quase tanto quanto precisava reencontrar Mia. Certa vez, no passado, ele tivera ambas, sempre que sentira vontade. E também, no passado, colocara as duas de lado. Agora a ilha, da qual fugira tão depressa quando jovem, ia trazê-las de volta para ele.

Teria adorado caminhar através do bosque, ou descer até a praia. Ou sair dirigindo, pensou, até a sua antiga casa, para ver os barrancos que iam dar na praia, a sua enseada, e a caverna onde ele e Mia... Balançando a cabeça, atirou as lembranças para longe. Aquele não era o momento para sentimentalismos.

Havia assuntos práticos para tratar. Linhas de telefone, fax, computadores. O quarto menor poderia servir como um escritório secundário, embora ele planejasse montar a base do seu trabalho no hotel. Precisava de suprimentos e sabia que, assim que saísse pelas ruas até a cidade para comprá-los, a notícia da sua volta se espalharia por toda parte como fogo em capim seco.

Trataria disso depois.

Voltando a entrar na casa, seguiu para a sala para desfazer as malas e começar a organizar o seu espaço.

Amigas bem-intencionadas, pensou Mia, eram uma verdadeira bênção. Mas também uma maldição. Naquele momento, duas delas estavam se acotovelando dentro de seu escritório.

— Acho que você devia dar um chute na bunda dele — anunciou Ripley. — Aliás, eu já pensava nisso há dez anos.

Onze, corrigiu Mia, em pensamento. Haviam se passado onze anos, mas quem estava contando?

— Chutar o traseiro dele iria fazê-lo se sentir muito importante. — Nell empinou o nariz para cima. — Seria melhor se Mia o ignorasse por completo.

— Não se pode ignorar uma sanguessuga colada em você. — Ripley friccionou os dentes. — O que você tem que fazer é arrancar o parasita da pele, jogá-lo no chão e pisar nele até que vire uma polpa esmagada agitando-se e tremendo.

— Que imagem linda! — Sentada na escrivaninha, Mia recostou-se e analisou as duas amigas. — Não tenho a intenção de chutar o traseiro de Sam nem de ignorá-lo. Ele assinou um contrato de aluguel do chalé comigo, por seis meses, e isso me transforma em sua senhoria.

— Você podia mandar cortar a água quente dele — sugeriu Ripley.

— Isso é completamente infantil! — Os lábios de Mia tentavam evitar um sorriso. — Embora reconheça que o resultado pudesse ser satisfatório para mim, não pretendo armar vinganças tolas. E se estivesse realmente disposta a fazer isso, iria mandar cortar a água toda de uma vez. Por que privá-lo apenas da água quente? Porém... — continuou ela, rindo ao ver que Ripley estava dando uma gostosa gargalhada — ele é meu inquilino, e isso significa que tem todo o direito de usufruir dos itens especificados no contrato. Negócio é negócio, e nada mais.

— E por que cargas d'água ele está alugando uma casa aqui na ilha durante seis meses? — quis saber Ripley.

— Obviamente, Sam está aqui para assumir os negócios da Pousada Mágica pessoalmente.

Ele sempre adorara aquele hotel, Mia lembrou a si mesma. Ou pelo menos era o que ela pensava. No entanto, abandonou o hotel de uma hora para a outra, da mesma forma que a abandonara.

— Nós dois somos adultos — continuou ela. — Somos donos de estabelecimentos comerciais e temos raízes aqui na ilha. Embora seja um universo pequeno, imagino que nós dois vamos conseguir dirigir nossos negócios, viver as nossas vidas e coexistir pacificamente, com um mínimo de atritos.

— Se você acredita realmente nisso — bufou Ripley —, está completamente iludida.

— Não vou permitir que ele entre em minha vida novamente. — A voz de Mia assumiu um tom firme. — E também não vou deixar minha vida ser perturbada só porque ele está aqui. Sempre soube que ele voltaria.

Antes que Ripley tivesse a chance de falar novamente, Nell lançou-lhe um olhar de cautela, e disse:

— Você está certa, Mia, é claro que está. E com a alta temporada se aproximando, vocês dois vão estar atarefados demais para se colocarem um no caminho do outro. Por que não vai lá em casa jantar conosco hoje à noite? Estou testando uma nova receita e poderia aproveitar a sua opinião.

— Você pode pedir a opinião do Zack. Não precisa me mimar nem me consolar, irmãzinha.

— Então, por que nós três não tomamos um porre e metemos o pau nos homens, de um modo geral? — propôs Ripley. — Isto é sempre divertido.

— Por mais atraente que a ideia seja, eu dispenso. Tenho um monte de coisas para resolver em casa... se conseguir a façanha de terminar o meu trabalho aqui.

— Ela quer que a gente dê o fora — explicou Ripley, olhando para Nell.

— É, também percebi. — Nell suspirou. Era duro, pensou, querer tanto ajudar uma pessoa e não saber como. — Tudo bem, Mia, mas se houver alguma coisa de que você precise ou queira...

— Já sei... Estou bem, pessoal, e vou continuar assim.

Ela as acompanhou até a porta e a seguir se sentou. Ficou ali, sentada, com as mãos no colo. Era autodefesa tentar se convencer de que conseguiria trabalhar ou fingir que seria possível atravessar aquele dia em particular como se fosse outro qualquer.

Ela tinha todo o direito de ter raiva e chorar, de renegar o passado e bater com os punhos no rosto do destino.

Mas não faria nada disso. Não tomaria essas atitudes fracas e inúteis. Decidiu, no entanto, que iria para casa. Levantou-se, pegou sua bolsa e o casaco leve que trouxera. Ao passar pela janela do escritório, viu Sam.

Ele acabara de sair de uma Ferrari preta estalando de nova, com seu paletó escuro girando suavemente em torno do corpo. Sam sempre gostara de brinquedos caros e brilhantes, pensou. Tinha trocado a calça jeans por um terno elegante, e penteara os cabelos, embora a brisa já estivesse começando a brincar com eles. Como os dedos dela haviam feito, um dia.

Estava carregando uma pasta e caminhava na direção da Pousada Mágica, tipo o homem que sabia precisamente para onde ia e o que pretendia fazer.

De repente, Sam virou-se para trás, levantando o olhar com mira precisa, até o lugar exato onde ela o observava, da janela. Seus olhos fixaram-se nos dela, e Mia sentiu um sobressalto interno, como um golpe de calor que, antes, lhe teria derretido os joelhos.

Dessa vez, porém, permaneceu firme, sem agitação. Quando já havia passado um tempo suficiente para manter seu orgulho, deu um passo para trás e se afastou da janela, retirando-se do campo de visão dele.

Sua casa a acalmava. Sempre tinha sido assim. Em termos práticos, a imponente residência de pedra, com muitos cômodos, no alto do penhasco, era grande demais para uma mulher sozinha. Era, porém, e Mia sabia disso, perfeita para si. Quando era criança, a casa havia sido muito mais dela do que dos pais. Jamais se incomodara com os ecos, as correntes de ar ocasionais ou o imenso volume de trabalho e tempo para manter uma casa daquelas dimensões e idade.

Suas antepassadas a tinham construído, e agora a casa e o farol pertenciam apenas a ela.

Mia modificara poucas coisas na parte de dentro desde que a casa viera parar em suas mãos. Mudara alguns equipamentos, aqui e ali, trocara algumas cores, providenciara uma básica modernização da cozinha e dos banheiros. A *atmosfera* da casa, porém, era a mesma que sempre tinha sido, para ela. Envolvente, aconchegante, na expectativa.

Houve um tempo em que ela se imaginara formando uma família e criando filhos, ali. Por Deus, ela desejara tanto ter filhos! Filhos de Sam. Através dos anos aprendera a aceitar as coisas que eram e as que jamais poderiam ser; criara um ninho de resignação.

Algumas vezes pensava em seus jardins como suas crianças. Ela os criara, dedicara tempo e amor para plantá-los, nutri-los, discipliná-los. E eles lhe devolviam tudo isso em alegrias.

E quando Mia, eventualmente, sentia necessidade de mais do que o prazer gentil e suave que eles forneciam, tinha o drama e a paixão dos penhascos, os segredos e sombras das suas florestas.

Ali, ela possuía, Mia repetia para si própria, tudo de que precisava.

Naquela noite, porém, não circulou a esmo para brincar com suas flores, nem caminhou até a beira do desfiladeiro para encarar o mar. Não andou sem rumo pelas florestas. Em vez disso, foi diretamente para os andares de cima, subindo vagarosamente, até que se viu completamente fechada em sua sala da torre.

Ali, ela sempre encontrara refúgio e a emoção das descobertas, desde que era criança. Ali, ela jamais se sentira solitária, a não ser que desejasse ou precisasse ficar sozinha. Ali ela aprendera, disciplinara e conhecera os raios de luz e força do próprio poder.

A torre era circular, com as paredes em curva e as janelas altas, estreitas e arqueadas. O sol do fim de tarde jorrava em raios através delas, trazendo fachos de um tom de dourado-pálido, que formavam uma poça de luz sobre o escuro e antigo piso de madeira. Prateleiras curvas acompanhavam as paredes, e sobre elas estavam muitas das ferramentas utilizadas em sua atividade. Potes com ervas, vidros com cristais. Livros de encantos que haviam pertencido àquelas que lhe vieram antes, e os que ela mesma escrevera.

Um velho baú guardava outros objetos. Havia uma varinha que ela mesma fabricara, usando um galho de bordo que colhera pessoalmente na noite do Samhain, que também era a noite do seu aniversário, quando completara 16 anos. Havia também uma vassoura, o seu mais belo cálice, a sua mais antiga foca ritual e uma linda bola de cristal, num tom azul bem claro. Havia ainda muitas velas, óleos aromáticos, incensos e um espelho mágico.

Tudo isso e mais algumas coisas, impecavelmente organizados.

Recolheu tudo de que precisava e a seguir deixou o vestido cair a seus pés. Mia preferia, sempre que possível, trabalhar nua.

Então, formou o círculo no piso, invocando o seu elemento, o fogo, para trazer energia. As velas que ela acendeu com um simples suspiro eram azuis, para trazer calma, sabedoria e proteção.

Ela já havia realizado aquele ritual antes, várias vezes, durante a década que passara, sempre que sentira o coração fraquejar ou sua determinação falhar. Admitiu que, se não tivesse feito isso, teria descoberto que Sam estava voltando à Ilha das Três Irmãs muito antes de sua chegada. Portanto, os anos de relativa paz tinham um preço.

Ela iria bloqueá-lo novamente. Conseguiria bloquear os pensamentos e sentimentos dela em relação a ele, e os dele em relação a ela.

Eles não se tocariam mais, em nenhuma situação.

Concentrando-se nas palavras mágicas, ela começou acendendo incenso e espalhando ervas sobre uma bacia com água.

Meu coração e minha mente são meus e vão ficar
Guardados em mim, ao dormir e acordar
O que outrora ofereci, com amor e boa vontade
Pego hoje de volta, e mantenho a liberdade
Amantes no passado, estranhos seremos agora
Destinos separados pela estrada afora
Que assim seja e assim se faça, nesta hora.

Com as mãos unidas em concha e levantadas, aguardou pela suave onda de serenidade, a corrente forte de confiança que a limparia por dentro, indicando que o ritual estava completo. Enquanto observava e esperava, a água, antes plácida, da bacia com ervas começou a se agitar. Pequenas ondulações começaram a se lançar sobre a borda, com um ritmo suave e incessante.

Mia apertou os punhos e lutou por dentro contra um sentimento de fúria. Focando toda a energia que estava reunindo, atirou Magia contra Magia.

— Meu círculo está fechado a todos, exceto a mim. Seus truques são tolos e não me atingirão. Não penetre novamente no que me pertence sem o meu convite.

A um estalar dos dedos, as chamas das velas aumentaram subitamente de intensidade, subindo até o teto do aposento. A fumaça que se erguia formava ondas que se espalhavam e tornavam a se unir, descendo e cobrindo a superfície da bacia de água.

Mesmo assim, ela não estava conseguindo alcançar seu estado de calma e serenidade, controlando a ira. Será que Sam estava ousando testar seu poder contra o dela? E dentro da casa dela?

Então ele não mudara nada, mesmo, decidiu. Samuel Logan sempre fora um bruxo arrogante. E o seu elemento, lembrou ela ao sentir que a primeira lágrima lhe escapava, era a água.

Dentro do seu círculo, por trás da névoa, ela se jogou ao chão e chorou. Amargamente.

O poderoso circuito de fofocas da ilha espalhou a notícia com rapidez. No dia seguinte ao amanhecer, o assunto mais quente da cidade, a volta de Sam Logan, apagara qualquer outro mexerico de menor impacto.

Relatos conflitantes garantiam que Sam vendera a Pousada Mágica para um conglomerado do continente, que o ampliaria e o transformaria em um resort sofisticado, não antes de despedir todos os empregados, ou dando a todos um aumento de salário.

Uma coisa com a qual todos concordaram era que o fato de Sam ter alugado o pequeno chalé de Mia Devlin era muito, muito interessante. Não havia consenso algum sobre o que isso significava, apenas que era um enigma completo.

Os habitantes da ilha, na esperança de conseguir mais combustível para as conversas de pé de ouvido, simulavam motivos para dar uma passada na "Livros e Quitutes" ou circular pelo lobby do hotel. Ninguém tivera suficiente perspicácia para perguntar diretamente a Sam ou a Mia, mas havia muita expectativa e curiosidade no ar, e a esperança de alguma emoção.

Aquele tinha sido um longo e lento inverno.

— Ele está tão lindo quanto antes e duas vezes mais perigoso — Hester Birmingham confidenciou a Gladys Macey, enquanto empacotava seu suprimento semanal de mercadorias no Mercado da Ilha. — Entrou aqui em pessoa, cheio de pose, e me cumprimentou como se tivéssemos nos encontrado há menos de uma semana.

— E o que foi que ele comprou? — quis saber Gladys.

— Café, leite, cereais em flocos. Pão integral, um tablete de manteiga, algumas frutas. As bananas estavam em promoção, mas ele as dispensou e pagou uma nota alta por morangos frescos. Comprou também um queijo daqueles caríssimos, biscoitos igualmente sofisticados e água mineral. Ah... levou também uma embalagem de suco de laranja.

— Por essa descrição, dá para ver que ele não pretende cozinhar em casa e nem fazer faxina. — Com um ar de quem troca confidências, Gladys se inclinou mais para perto de Hester. — Estive verificando com Hank, da loja de bebidas. Ele me disse que Sam Logan esteve lá também e comprou uma fortuna de mais de quinhentos dólares em vinhos, cervejas e uma garrafa de uísque escocês, de puro malte.

— Quinhentos dólares! — A voz de Hester baixou um pouco, quase ao nível de um sopro. —A senhora acha que ele adquiriu algum problema com bebida, em Nova York?

— Não, não, a quantidade não foi assim tão grande. Em compensação, o preço... — soprou Gladys de volta. — Duas garrafas de champanhe francês e duas daquela marca finíssima de vinho tinto que é a favorita de... nós sabemos quem.

— Quem?

— Mia Devlin, ora essa! — Gladys revirou os olhos. — Pelos céus, Hester, quem você imaginou que pudesse ser?

— Ouvi dizer que ela o enxotou da livraria.

— Não, não, nada disso. Ele entrou e saiu com a maior calma, e quando bem quis. Sei disso com certeza, porque Lisa Bigelow estava na cafeteria almoçando com o primo que veio de Portland quando ele chegou. Lisa se encontrou com a minha nora no supermercado e contou toda a história.

— Bem... — Hester parecia gostar mais da outra versão. — A senhora acha que Mia vai preparar alguma macumba para ele?

— Hester Birmingham, você sabe muito bem que Mia não faz macumba. Que coisa absurda de se dizer! — E a seguir deu uma risada. — Mas até que vai ser bem interessante ver o que é que ela vai fazer. Acho que vou deixar estas compras em casa e ir lá procurar um romance barato e tomar uma xícara de café.

— Me telefone se descobrir alguma novidade.

— Pode ter certeza! — E Gladys deu uma piscada para Hester, enquanto saía com o carrinho de compras.

Sam estava perfeitamente ciente de que as línguas estavam agitadas. Ficaria desapontado se não estivessem. Da mesma forma que já esperava um pouco de medo, ressentimentos e olhares intrigados quando convocou uma reunião para a manhã seguinte com todos os chefes de departamento do hotel.

Uma parte dos temores foi dissipada quando se tornou claro que uma demissão em massa não estava em seus planos. Em compensação, alguns ressentimentos aumentaram quando ficou igualmente claro que Sam pretendia não apenas tomar a frente e desempenhar um papel ativo na administração do hotel, como também estava planejando promover algumas mudanças.

— Na alta temporada, trabalhamos praticamente com o nível de ocupação máximo. Fora da temporada, no entanto, nossa taxa de ocupação cai assustadoramente, às vezes chegando abaixo de trinta por cento da nossa capacidade.

— É que os negócios em toda a ilha despencam nos meses de inverno. — O gerente de vendas se remexeu na cadeira. — Sempre foi assim.

— Aquilo que sempre foi de determinada maneira não se aplica aqui — respondeu Sam, com frieza. — O nosso objetivo, para início de conversa, será aumentar a taxa de ocupação até alcançarmos o patamar de 65 por cento de hóspedes, no mínimo, durante o ano inteiro. Poderemos alcançar essa meta oferecendo pacotes atraentes para convenções e empresas, bem como pacotes turísticos para fins de semana, além de vantagens para pessoas que ficarem hospedadas conosco por uma semana inteira. Pretendo distribuir alguns memorandos, relacionando minhas ideias para essas áreas. Eles serão devidamente encaminhados aos responsáveis em cada área, até o final desta semana.

Folheou suas anotações e continuou:

— A seguir, vários dos nossos quartos estão precisando de uma remodelação completa e nova mobília. Começaremos esse trabalho na semana que vem, com os apartamentos do terceiro andar. — Ele olhou para o gerente de reservas. — Você fará os ajustes necessários para os quartos desse andar.

Sem esperar pela concordância de ninguém, Sam folheou novamente a sua pasta e chegou a outro tópico.

— Reparei também que estamos sofrendo um declínio acentuado nas atividades do restaurante durante o café da manhã e também na hora do almoço, e que tal fato começou a ocorrer há dez meses. Meus dados indicam que a loja "Livros e Quitutes" está sugando muitos dos nossos clientes nessas áreas e nesses horários.

— Senhor! — Uma morena limpou a garganta e ajustou os óculos de armação preta sobre os olhos.

— Sim? Desculpe, qual é o seu nome?

— Stella Farley. Sou a gerente do restaurante. Se o senhor me permite falar com franqueza, Sr. Logan, nós jamais vamos ser capazes de competir com a cafeteria e com a comida preparada por Nell Todd. Se pelo menos eu conseguisse...

Ela parou de falar no mesmo instante, quando viu que Sam levantava um dos dedos.

— A palavra *jamais* não existe no meu dicionário.

— Desculpe, então, Sr. Logan — escusou-se a morena, respirando profundamente. — Acontece que eu estive aqui nos últimos dez meses, e o senhor, não.

Um silêncio profundo caiu sobre a sala, como se todos ali tivessem prendido a respiração ao mesmo tempo. Depois de um segundo de reflexão, Sam balançou a cabeça, dizendo:

— Tem razão, Sra. Farley. E o que foi que conseguiu observar nesses últimos dez meses?

— Que, se quisermos trazer os clientes de volta, para gerar mais receita durante os horários do café da manhã e do almoço, precisamos fornecer opções diferentes, usando alguma coisa alternativa. A cafeteria oferece comida casual, pratos simples e caseiros, uma atmosfera feita para relaxar e, bem, uma comida de qualidade imbatível. Precisamos contra-atacar com algo diferente. Oferecer um ambiente mais sofisticado, elegante, formal, de luxo e romance, para criar o clima certo, seja para um jantar de negócios ou uma data especial. Enviei um relatório especial para seu pai no outono passado, apresentando essa proposta com detalhes, mas até agora...

— A senhora não está mais lidando com meu pai. — Isso foi dito de forma direta, mas com suavidade, sem sombra de ressentimentos. — Deixe uma cópia de seu relatório em minha mesa ainda esta tarde.

— Sim, senhor.

— Agora — continuou ele, após uma pausa breve —, se mais alguém enviou ideias ou propostas para meu pai durante todo o ano que passou, peço que encaminhe esse material a mim, até o fim da semana. Quero que fique claro que eu sou o dono deste hotel, agora. Não apenas sou o novo dono, mas também vou administrá-lo. Apesar de minha palavra ser definitiva, espero que os chefes dos diversos departamentos me forneçam dados completos sobre as suas respectivas áreas de atuação. Vou enviar memorandos a todos vocês nos próximos dias e ficarei aguardando suas respostas até 48 horas após o recebimento. Obrigado a todos.

Sam os viu sair da sala, em ordem, e começou a ouvir os murmúrios que surgiam no lado de fora, antes mesmo de a porta da sala ser fechada por completo.

Uma mulher permaneceu para trás, sentada em seu lugar. Era outra morena e trajava uma roupa simples azul-marinho, com sapatos macios e práticos. Tinha em torno de 60 anos, e já trabalhava no hotel há mais de quarenta. Retirando os óculos, abaixou o bloco de taquigrafia e cruzou as mãos sobre o colo.

— É tudo, Sr. Logan?

— A senhora costumava me chamar de Sam — respondeu ele com uma das sobrancelhas levantadas.

— O senhor não era o meu patrão, na época.

— Sra. Farley... — O olhar dele clareou, como se apenas naquele momento ele tivesse se dado conta. — Aquela era a sua filha? Stella? Meu Deus do céu!

— Não invoque o nome de Deus em vão — replicou ela, com ar decidido.

— Desculpe, é que eu não fiz a conexão entre as duas. Meus parabéns — acrescentou ele. — Sua filha foi a única da plateia que teve a coragem e cabeça suficiente para dizer algo que valeu a pena ser ouvido.

— Eu a criei para que emitisse suas opiniões sem medo. Os outros estão apavorados com o senhor — completou.

A seguir, decidiu que, patrão ou não, ela o conhecia desde que nascera. Portanto, se a filha podia falar com franqueza, ela também podia.

— A maioria das pessoas que estavam aqui nesta sala jamais havia visto sequer um membro da família Logan em pessoa. Por bem ou por mal, e agora não vem ao caso, a verdade é que este estabelecimento foi administrado por terceiros, através de procuração, por mais de uma década. — Havia um tom ácido em sua voz que era o suficiente para mostrar a ele que suas opiniões pessoais eram ainda piores. — Veja só. De repente o senhor despenca sobre nós de paraquedas e começa a agitar as coisas. Aliás, sabemos que o senhor sempre foi de agitar.

— É o meu hotel, e ele precisa ser agitado.

— É claro, não discordo disso. O problema é que a família Logan jamais demonstrou o mínimo interesse por este lugar.

— É porque meu pai...

— O senhor não é o seu pai — lembrou a Sam. — Não há motivos, portanto, para usá-lo como desculpa, quando o senhor mesmo acabou de assinalar o fato e deixar bem claro quem é que manda, agora.

A repreensão disfarçada, porém firme, o fez balançar a cabeça, em sinal de concordância.

— Tudo bem, então vamos dizer que eu estou aqui, agora, e pretendo me dedicar a este lugar com todo o interesse e sem procurar desculpas.

— Que bom! — Então abriu o bloco de taquigrafia novamente. — Seja bem-vindo de volta.

— Obrigado. Bem. — Sam se colocou de pé, caminhando até a janela. — Vamos dar início agora mesmo. Pelos arranjos de flores.

Sam embarcou de imediato em um ritmo de trabalho puxado, que lhe consumiu quatorze horas logo no primeiro dia. Comeu algo que se fazia passar por almoço, sentado no escritório. Como queria manter o negócio em nível local, encontrou-se pessoalmente com um empreiteiro da ilha e começou a analisar as mudanças às quais ia dar início. Instruiu seu assistente para comprar equipamentos de informática topo de linha para o escritório e a seguir marcou um encontro com o dono da Agência de Turismo da ilha.

Viu e reviu estimativas e cálculos, estudou propostas, avaliou, refinou e solidificou ideias soltas que recebeu. Sabia o quanto tudo aquilo iria lhe custar, não apenas em capital, mas em horas-homem, e quanto tempo levaria para implementar todos os planos. Mas estava disposto a considerar tudo como um projeto de longo prazo.

Nem todos iriam pensar da mesma forma, admitiu, quando parou alguns momentos para meditar e massageou os músculos tensos atrás do pescoço. Mia, por exemplo.

Sam se sentia grato por já ter material suficiente com o que se preocupar, para um único dia. Isso o ajudava a manter os pensamentos longe dela.

Mas pensava nela naquele momento, lembrando-se de como sentira a força do poder de Mia se impor e sacudir sua mente, na noite anterior. Ele pressionara de volta, penetrando naquela força por alguns momentos. E a tinha visto com clareza, ajoelhada na sala particular de sua torre, com o corpo coberto apenas por uma pálida luz dourada e pelos cabelos flamejantes que lhe caíam sobre os ombros.

Viu a sua marca de nascença — o pequeno pentagrama que ficava no alto da coxa —, que cintilara naquele instante.

Não havia dúvidas de que havia sido um momentâneo impulso de desejo que a permitira quebrar a junção entre eles de forma tão rápida e com tanta facilidade.

Não importava. Tinha sido muito errado ele se intrometer no momento íntimo dela, ainda mais da maneira como fizera. Rude e errado, e ele se arrependera quase que no mesmo instante.

Agora teria que lhe pedir desculpas, evidentemente. Havia regras de conduta que nem a intimidade nem a animosidade poderiam servir de pretexto para quebrar.

Aquele era um momento ideal para isso, decidiu. Catou todos os papéis que continham os assuntos mais importantes e os enfiou na pasta. Iria procurar Mia e depois pegaria algum prato de comida para viagem. Acabaria o resto do trabalho em casa, durante o jantar.

A não ser, é claro, que conseguisse convencê-la a jantar com ele, como uma proposta de trégua. Nesse caso, o trabalho poderia esperar.

Saiu do hotel no momento exato em que Mia colocava os pés na calçada da livraria, no outro lado da rua. Cada um ficou onde estava, imóveis, olhando fixamente um para o outro, ambos obviamente pegos de surpresa. Ela, então, girou o corpo sobre os calcanhares e caminhou com passos firmes na direção de um elegante conversível pequeno.

Sam teve que atravessar a rua, correndo, para alcançá-la antes que ela entrasse no carro.

— Espere, Mia! Espere um instante.

— Vá para o inferno!

— Pode me mandar para onde quiser, depois que eu me desculpar. — Agarrou a porta do carro, que ela já abrira, e a fechou novamente. — Agi errado. Não tenho justificativas para esse tipo de descortesia.

Mia ficou surpresa, mas não se deixou abater.

— Não me lembro, Sam, de alguma vez na vida ter visto você se desculpar tão depressa. — Encolheu os ombros — Tudo bem, desculpas aceitas. Agora vá embora daqui.

— Peço apenas que você me dê cinco minutos.

— Não.

— Cinco minutos, Mia. Fiquei enfiado no escritório o dia inteiro, e uma caminhada para pegar um pouco de ar fresco me faria bem.

Ela não estava disposta a brigar com ele pela posse da porta do carro. Seria algo indigno, e todas as pessoas que passavam em volta já estavam de olho na cena, evidentemente fingindo não estarem prestando atenção a nada.

— Ninguém o está impedindo de respirar, Sam. Há uma grande quantidade de ar puro por aí.

— Queria uma chance para me explicar melhor. Apenas um passeio casual pela praia — pediu ele, calmamente. — Se você me dispensar agora, no meio da rua, vai apenas fornecer mais material para que as fofocas corram soltas. E vai me deixar ainda mais encucado. Uma conversa amigável, em um local público, não vai trazer mal algum para nenhum de nós.

— Tudo bem. — Deixou as chaves do carro escorregarem para o bolso fundo de seu longo vestido cinza. — Cinco minutos.

Dando um passo para longe dele, deliberadamente, enfiou as mãos nos bolsos e balançou as chaves enquanto caminhavam ao longo da Rua Alta, em direção à praia.

— Seu primeiro dia no hotel foi produtivo?

— Sim, foi um bom começo. Você se lembra de Stella Farley?

— Claro. Sempre me encontro com ela. Stella faz parte do Clube da Leitura que temos na livraria.

— Humm... — Outra pequena lembrança de que Stella estivera o tempo todo ali, enquanto mudanças ocorriam, ao passo que ele estava longe. — É que ela teve algumas ideias interessantes para trazer de volta alguns dos nossos clientes da hora do almoço, que você vem roubando de nós.

— É mesmo? — perguntou Mia, satisfeita. — Pois tenha boa sorte. — Sentiu que as pessoas continuavam olhando enquanto os dois viravam a rua em direção à mureta que dividia a calçada da areia. Parando ali, Mia descalçou os sapatos, antes de colocar os pés na areia.

— Deixe que eu carrego os sapatos para você.

— Não, obrigada.

O mar estava com um tom quente de azul, que ficava mais profundo na direção do horizonte. Numerosas conchas que haviam sido trazidas pela maré alta estavam espalhadas ao longo das marcas das ondas na areia. Gaivotas circulavam, mudavam de direção e guinchavam.

— Eu senti você — começou ele. — Na noite passada. Senti sua presença e reagi a ela. Não é uma desculpa, foi apenas um motivo.

— Já disse que aceitei seu pedido de desculpas.

— Mia. — Ele esticou o braço, mas seus dedos apenas tocaram ligeiramente a manga de seu vestido, enquanto ela se movia para longe dele.

— Não quero que você toque em mim. Isso é fundamental.

— Fomos amigos, um dia.

— Fomos mesmo? — Ela parou para olhar para ele, do fundo de seus frios olhos acinzentados.

— Você sabe que fomos. Éramos mais que amantes, mais do que se fôssemos... — *casados*, ele quase disse, mas não completou a frase. — Não era apenas paixão. Nós nos preocupávamos um com o outro. Compartilhávamos sonhos.

— Agora, Sam, meus pensamentos pertencem apenas a mim, e não preciso mais de amigos.

— E de amantes? Você jamais se casou.

Virando o rosto estonteantemente belo para ele, falou, segura de si, com uma expressão que era completamente feminina:

— Se o meu desejo fosse arranjar um amante ou um marido, já teria um.

— Tenho certeza que sim — murmurou ele. — Você é a mulher mais extraordinária que existe. Pensei muito em você.

— Pare com isso — avisou ela. — Pare com isso, agora!

— Droga, vou lhe dizer tudo o que preciso dizer. Pensei em você. — Ele colocou a pasta no chão, agarrando os braços dela, enquanto sentia um pouco de frustração explodir dentro dele. — Pensei em nós dois. O que aconteceu no período em que estive fora não apaga tudo o que representamos, um dia, um para o outro.

— Apaga, sim. Você apagou. Agora terá que aprender a conviver com isso, como eu aprendi.

— Não se trata apenas de nós dois, Mia. — Ele aumentou a pressão sobre os braços dela. Podia senti-la vibrando como se tivesse eletricidade na pele, e sabia que ela estava a ponto de explodir a qualquer momento, como mulher ou como bruxa. — Você sabe muito bem disso, tanto quanto eu.

— Não existe nenhum "nós". Então você acha que depois de todo esse tempo, depois de tudo o que construí, depois de tudo o que aprendi, eu seria capaz de permitir que o destino brincasse comigo novamente? Não vou mais ser usada, Sam. Nem por você, nem por uma maldição que já vai completar três séculos.

Um raio provocou um relâmpago brilhante, descendo do céu totalmente limpo com fúria inesperada e explodindo na areia, entre os pés deles. Sam não moveu um músculo, mas esteve bem perto disso.

Sua garganta ficou completamente seca, mas ele balançou a cabeça.

— Você sempre teve um controle admirável sobre os elementos, Mia.

— Pois lembre-se bem disso. E lembre-se de mais uma coisa: estou farta de você!

— Nem em sonhos, minha cara. Você precisa de mim para quebrar a maldição. Está realmente disposta a arriscar tudo, Mia? As pessoas, as coisas, toda a ilha, por causa do orgulho?

— Orgulho!? — A cor desapareceu completamente de seu rosto e seu corpo ficou rígido. — Seu idiota arrogante, então você acha que é apenas um orgulho tolo? Você destruiu meu coração!

As palavras e a maneira como sua voz tremeu ao dizê-las fizeram com que ele abaixasse as mãos.

— Você fez mais do que quebrar — continuou ela, — Você o transformou em pó. Eu *amava* você. Teria ido a qualquer lugar e feito qualquer coisa por você. Senti como se estivesse de luto quando você foi embora, cheguei a pensar que ia acabar morrendo por causa de você.

— Mia... — Tremendo, ele esticou o braço para acariciar-lhe os cabelos, mas viu sua mão levar um tapa e ser afastada para longe,

— Só que eu não morri, Sam. Superei tudo e consegui tocar a minha vida. Gosto muito do que sou agora, e não há mais volta para mim. Se você veio até aqui porque pensava que alguma coisa poderia ser diferente, está perdendo o seu tempo. Você jamais me terá novamente, e o que você não terá, o que jogou fora, poderia ser a melhor coisa que lhe teria acontecido na vida.

Ela se afastou dele, dando passos longos e apressados, deixando-o sozinho... olhando para o mar e sabendo que ela estava certa.

Capítulo Três

— Você fez *o quê?*

Zack enfiou a cabeça dentro da geladeira, à procura de uma cerveja. Conhecia bem aquele tom de voz. Sua mulher não o usava com muita frequência, e era por isso que fazia tanto efeito.

Demorou para pegar a cerveja, até ter certeza de que seu rosto estava relaxado e composto quando voltou a olhar para ela.

Nell estava na frente do fogão, onde algo maravilhoso estava cheirando muitíssimo bem. Tinha uma colher de pau bem presa numa das mãos e os dois punhos fechados, sobre os quadris. Zack achou que ela estava parecendo uma apresentadora de programa de culinária na TV, extremamente sexy.

Desconfiou, porém, que não era o melhor momento para fazer um comentário daquele tipo.

— Convidei o Sam para jantar — repetiu ele, sorrindo, enquanto abria a tampa da lata de cerveja. — Você sabe como eu gosto de exibir os dotes culinários da minha mulher, que também é incrivelmente bela.

Quando ele a viu simplesmente transformar os olhos em uma fina fenda, tomou um gole grande da bebida.

— Algum problema? Você jamais se incomodou de receber pessoas para jantar.

— Não me importo de ter companhia. Mas me incomoda a presença de pessoas sórdidas.

— Nell, concordo que Sam e eu podemos ter sido um pouco rebeldes, criadores de problemas quando crianças, mas ele jamais foi "sórdido". E é um dos meus melhores amigos.

— Só que quebrou o coração de uma das *minhas* amigas, e sua também. Arrasou com a vida dela e depois foi para Nova York e sabe Deus mais onde, por mais de dez anos. Então... Então — continuou ela, tentando refinar ainda mais a raiva —, volta aqui para a ilha esperando que todos o recebam de braços abertos.

Ela bateu com força na bancada da cozinha com a colher de pau.

— Eu não estou interessada em colocar o meu bloco na rua para receber Sam Logan.

— Que tal pelo menos uma cornetinha?

— Você está achando que isso é uma brincadeira? — Ela, dando a volta, com raiva, saiu a passos largos em direção à porta dos fundos.

Zack conseguiu pular e chegar na porta a tempo.

— Não! Desculpe, Nell. — Ele acariciou os cabelos dela. — Escute, sinto muito pelo que aconteceu entre Sam e Mia. Senti na ocasião e ainda sinto agora. O fato é que eu fui criado com Sam, desde pequeno, e nós somos amigos. Bons amigos.

— Por que você não usa o verbo no tempo certo, "éramos"?

— Porque para mim continuamos sendo. — Para Zack as coisas eram realmente simples assim. — Importo-me muito com Mia, da mesma forma que com ele. Não quero ficar em uma posição que tenha que escolher um dos lados, não em minha própria casa. Mais do que isso, mais do que qualquer outra coisa, não quero que você e eu fiquemos às turras por causa desse assunto. Reconheço que não deveria tê-lo convidado para jantar sem antes ter consultado você. Vou desmarcar tudo.

— Você está falando isso, agora, só para que eu me sinta pequena e desprezível. — Soltou um suspiro, mas não conseguiu evitar a cara amarrada.

— E consegui? — perguntou ele, depois de um segundo.

— Sim, droga, consegui! — Nell deu um pequeno empurrão no marido. — Vamos, saia da minha frente. Já que vamos ter companhia para o jantar, não faz sentido deixar a comida queimar.

Mas Zack não saiu da frente dela. Em vez disso, tomou-lhe as mãos e as apertou, sussurrando:

— Obrigado.

— Não me agradeça até que eu tenha conseguido resistir durante a noite inteira sem lançar um feitiço nele, para que pegue urticária ou lhe apareçam verrugas na cara.

— Combinado. Que tal me deixar colocar a mesa?

— Que tal ir fazer isso, então?

— Quer que eu coloque velas?

— Sim! Velas pretas. — Ela fez uma careta enquanto voltava à cozinha para dar uma olhada no risoto. — Para afastar as energias negativas.

Zack soltou um suspiro que era quase um assobio, falando alto:

— Vamos ter uma noite daquelas!

Sam chegou com uma garrafa de vinho em uma das mãos e um buquê de narcisos, amarelos como ouro, na outra. Mas Nell não se sentiu amaciada com isso. Foi educada, educada até demais, a ponto de ser formal, e serviu o vinho na confortável varanda da frente, com canapés que no último instante resolvera preparar às pressas.

Sam não sabia se aquilo tudo significava que Nell estava tentando ser amigável ou apenas mostrando que ele seria admitido na casa de forma gradativa.

— Espero não ter trazido nenhum problema para você, Nell — falou Sam. — Não há nada pior do que convidados de última hora.

— Você tem razão. Nada pior, não é mesmo? — replicou ela com doçura. — Mas também estou certa de que você não está acostumado com comida improvisada. Tentei arrumar algo mais adequado. Deve servir.

Nell deu-lhe as costas, voltando para dentro de casa, enquanto Sam soprava com força, enchendo as bochechas. Agora tinha certeza: ele poderia até ser aceito, mas em estágios dolorosos e graduais.

— Estamos indo muito bem... — comentou, com ironia.

— Mia significa muito para ela. Por um monte de razões — explicou Zack.

Sam simplesmente concordou com a cabeça, sinalizando que compreendia, enquanto se levantava e ficava encostado à grade da varanda. Lucy, a cadela preta da raça labrador, de Zack, deitou-se de costas, exibindo a barriga para um afago amigável e balançando a cauda para fazer charme. Colocando-se de cócoras, Sam atendeu ao seu pedido.

Ele sabia das razões da lealdade cega de Nell para com Mia. Tinha feito questão de pesquisar e se informar, durante os anos em que esteve fora, sobre tudo o que acontecera na ilha. Sabia com detalhes que Nell estivera em fuga ao chegar à Ilha das Três Irmãs, tentando escapar de um marido que abusava dela e a agredia fisicamente. Simulando a própria morte, e demonstrando com isso uma coragem que Sam secretamente admirava, a jovem trocara de nome e se disfarçara, enquanto ziguezagueava por todo o país, pegando empregos como garçonete ou como cozinheira em restaurantes de baixo padrão.

Sam acompanhara o noticiário e a ampla cobertura da mídia sobre Evan Remington, que estava agora cumprindo pena em uma prisão para doentes mentais.

Sabia também que tinha sido Mia quem oferecera a Nell um emprego como chefe de cozinha na "Livros e Quitutes", além de lhe proporcionar um local para morar. Além do mais, suspeitava que Mia a estava ensinando a trabalhar e aprimorar seus dons de Magia.

Sam reconhecera Nell como uma das três, no instante em que a vira.

— Sua mulher passou por maus bocados, Zack.

— Passou mesmo! Arriscou a vida para salvar a pele. Ao chegar aqui, foi Mia quem lhe ofereceu a oportunidade de se estabelecer com dignidade, criar raízes. Eu mesmo sou muito grato a Mia por isso, também. E tem mais — acrescentou, esperando que Sam voltasse a olhar para ele. — Você deve ter ouvido falar a respeito de Evan Remington.

— Figurão poderoso de Hollywood, advogado famoso, agente de estrelas, espancador de mulheres, psicopata. — E terminou, retesando o corpo: — Soube também que ele tirou uma boa fatia de você com uma faca, ao tentar agarrar Nell.

— Foi. — Inconscientemente, Zack massageou o ombro com a mão, no lugar em que Remington o esfaqueara. — Ele a seguiu até aqui na ilha, deu-lhe uns tapas antes de eu chegar e depois conseguiu me tirar do caminho com a faca. Temporariamente. Nell fugiu para o bosque atrás da casa, sabendo que ele iria atrás dela e provavelmente não teria tempo para acabar comigo. — Seu rosto se tornou sombrio com as recordações. — Quando consegui me recobrar e saí correndo atrás dele, Ripley e Mia já estavam lá. Pressentiram que Nell estava em apuros.

— Sim, Mia saberia.

— O filho da mãe estava com uma faca encostada na garganta dela. — Mesmo naquele momento, a imagem que lhe dançava na mente provocava-lhe raiva. — E ele a teria matado, Sam. Talvez eu conseguisse atingi-lo com uma bala certeira, ou talvez não, mas ele a teria matado de qualquer maneira.

Foi a própria Nell que se salvou. Reuniu tudo o que tinha dentro dela, tudo o que ela é, e jogou sua força de volta para cima dele, ajudada por Mia e Ripley.

"Eu vi tudo o que aconteceu — murmurou Zack. — Lá no bosque atrás do chalé onde você está morando. Testemunhei um círculo de luz surgir do nada, uma luz intensa e ofuscante. De repente, Remington estava no chão, contorcendo-se e gritando.

— Sua mulher tem muita coragem e fé.

— Tem mesmo — concordou Zack. — Ela é tudo.

— Você é um homem de sorte — afirmou Sam, embora naquele momento lhe parecesse inalcançável a ideia de uma mulher, qualquer mulher, que pudesse ser tudo para um homem. — O amor que ela tem por você também é uma coisa que se percebe de longe. Mesmo quando está aborrecida com você. — Sam riu meio sem graça. — Como agora, por você ter convidado Judas para se sentar à mesa dela.

— Por que você fez isso, Sam? Por que foi embora?

— Por uma infinidade de razões. — Sam balançou a cabeça. — Algumas delas ainda estou tentando entender. Quando conseguir descobrir todas, vou explicar tudo a Mia.

— Você está com muitas expectativas com relação a ela.

Sam estudou demoradamente o vinho dentro do cálice.

— Muitas expectativas... Talvez eu sempre tenha tido.

Zack fez todo o esforço possível para manter a conversa em um tom informal, descontraído e agradável, durante o jantar. Pelos seus cálculos, falou mais durante aquela hora na mesa do que normalmente falava em uma semana. No entanto, todas as vezes que lançava um olhar de súplica em direção a Nell, ela o ignorava.

— Dá para ver o porquê de a cafeteria ter roubado uma quantidade tão grande de nossos clientes — disse Sam. — A senhora é uma artista na cozinha, Sra. Todd. Minha maior tristeza é que a senhora não tenha entrado no hotel assim que chegou na ilha, em vez de ter ido parar na "Livros e Quitutes".

— Fui para onde o destino me levou.

— Acredita nisso? Em destino?

— Acredito. Completamente. — Ela se levantou para tirar a mesa. Quando Nell virou as costas em direção à cozinha, Sam fez um pequeno sinal com a cabeça em direção a Zack, que queria dizer *saia de perto, nos deixe a sós por um momento*.

Colocando mentalmente, de um lado, na balança, a ira de sua mulher e, do outro, a completa exaustão que sentia por estar colocando panos quentes, Zack se levantou da mesa, dizendo:

— Preciso levar Lucy para dar uma volta — e, usando a cadela como desculpa, quase saiu correndo pela porta.

Nell lançou um olhar fulminante ao ver aquela inesperada retirada estratégica e disse a Sam:

— Por que não vai com Zack? Vou preparar um café fresquinho em um minuto.

De modo casual, Sam se abaixou para afagar o gato cinza que havia saído de baixo da mesa e estava se espreguiçando. O gato bufou com cara feia para ele.

— Vou lhe dar uma mãozinha na cozinha — disse Sam, depois de escapar por pouco de um arranhão na mão. Notou que Nell lançou para o gato, que a ouviu chamar de Diego, um olhar rápido de aprovação irrestrita.

— Não quero ajuda.

— Não, você não quer é a *minha* ajuda — corrigiu Sam. — Saiba que Zack é o melhor amigo que tive em toda a minha vida.

Em vez de se dignar a lançar um olhar na direção do visitante, Nell abriu a máquina de lavar louça e começou a enchê-la.

— Sua concepção de amizade é muito estranha.

— Não importa a definição; é um fato. Zack é importante para nós dois. Portanto, pelo bem dele, espero que possamos fazer uma trégua.

— Trégua? Mas eu não declarei guerra contra você.

— Mas gostaria de ter declarado. — Ele observou o gato novamente. Diego havia voltado e se sentado aos pés da dona, para olhar Sam com os olhos apertados.

— Tudo bem. — Ela bateu a porta da lavadora de louça, com força, e se virou. — Confesso que gostaria de pendurar você de cabeça para baixo, preso apenas pelos dedos do pé, pelo que fez com Mia. E enquanto estivesse ali, pendurado e desconfortável, gostaria de acender uma pequena fogueira embaixo de você, para vê-lo assar lentamente, sentindo dores horríveis. A seguir, enquanto você estivesse assando em fogo lento e urrando de tanto sofrimento, eu gostaria de...

— Já sei, já sei, consegui entender a ideia geral.

— Se entendeu, deve saber o quanto é inútil tentar me seduzir com seu charme.

— A senhora, por acaso, fez todas as escolhas certas na vida, as melhores escolhas, as mais sábias, quando tinha 20 anos?

— Pelo menos nunca machuquei ninguém deliberadamente! — Abriu a torneira de água quente com um tapa, espalhando sabão sob o vapor que surgia.

— E se por acaso isso acontecesse, deliberadamente ou não, por quanto tempo acha que deveria ser punida? Droga! — Xingou baixinho ao ver que ela o ignorava, para em seguida fechar pessoalmente a torneira barulhenta.

Nell reclamou da atitude dele e levantou a mão para abrir a torneira de novo. Enfurecida, colocou a mão em cima da de Sam.

Uma luz forte e ofuscante acompanhada de uma descarga de energia criou uma centelha forte entre os dedos deles, no contato.

Nell permaneceu rígida, e sua raiva deu lugar lentamente a uma sensação de choque. Manteve a mão colada na dele enquanto mudava a posição do corpo, até um ficar cara a cara com o outro e olhar diretamente nos olhos.

— Por que ninguém me contou? — quis saber.

— Não sei dizer... — Sam sorriu enquanto a luz forte foi diminuindo até se transformar em um brilho pálido — ... irmãzinha.

Indignada, ela balançou a cabeça com força, dizendo:

— Apenas três pessoas formam o círculo.

— Três... as que vieram das três irmãs originais. Mas, na verdade, os elementos são quatro. O seu é o ar, e aquela que o representava no passado não possuía a sua coragem. O meu elemento é a água. Você acredita no destino, acredita na Arte. Estamos conectados, e você não pode modificar isso.

— Não, não posso. — E sentiu que precisava de um tempo para pensar nisso, com calma e atenção. Lentamente, separou sua mão da dele. — Mas também não sou obrigada a gostar disso e nem de você.

— Consegue acreditar em destino, Sra. Todd, acredita na Magia, mas não acredita no perdão?

— Acredito no perdão, quando é merecido.

Sam deu um passo para trás e enfiou as mãos nos bolsos.

— Vim até sua casa esta noite pensando em envolvê-la com o meu charme. Vim com a ideia de raspar algumas camadas do seu ressentimento e antipatia por mim. Parte disso foi puro orgulho. É duro saber que a mulher do seu amigo mais antigo o detesta.

Sam pegou a garrafa de vinho e se serviu de uma pequena quantidade, no próprio cálice que usara, e continuou:

— Parte disso foi estratégia. — Ele bebeu. — Compreendo perfeitamente que a senhora e Ripley queiram ficar diante de Mia, para defendê-la.

— Não vou admitir que ela seja ferida novamente.

— E tem certeza que é isso que vou fazer, não é? — Colocou o cálice sobre a bancada. — Eu vim até sua casa e senti de perto o que a senhora e Zack construíram juntos. Os laços profundos que ambos construíram. Sentei-me à sua mesa, e a senhora me alimentou, embora na verdade tivesse vontade de me colocar de cabeça para baixo, preso pelos dedos dos pés. Por tudo isso, em vez de cativá-la, eu é que fui cativado.

Sam lançou os olhos em volta da cozinha. Aquele sempre tinha sido um lugar aconchegante e amigável. No passado, ele havia sido bem-vindo ali.

— Admiro a senhora, pelo que conseguiu fazer com sua vida. E a invejo pela visão clara de como construir um lar feliz. Zack é muito importante para mim.

Ele olhou de volta para Nell, embora ela continuasse sem dizer coisa alguma.

— Sei que é difícil, Sra. Todd, fazê-la acreditar nisso, mas é tudo verdade. Não pretendo fazer nada que possa trazer complicações para a relação de Zack com a senhora. Vou sair pelos fundos, enquanto ele está ocupado com Lucy.

— Mas eu ainda não acabei de preparar o café — disse Nell, enxugando as mãos.

Sam voltou-se da porta e simplesmente olhou para ela.

Foi então que Nell percebeu o motivo de Mia ter se apaixonado por ele. Sam não era apenas um homem perigosamente bonito. Em seus olhos ela viu muito poder e também muita dor.

— Ainda não estou preparada para perdoá-lo — continuou ela, falando firme. — Mas, se Zack o considera um amigo, deve haver algumas boas qualidades aí dentro, em algum lugar. Sente-se, por favor. Vamos ter bolo aerado recheado com frutas para a sobremesa.

Ela o havia tornado mais humilde, avaliou Sam mais tarde, enquanto caminhava de volta para o chalé. A linda loura de olhos azuis que a princípio havia sido extremamente educada e formal, em seguida brutalmente franca e depois cautelosamente compreensiva, tudo em uma só noite, o deixara de quatro.

Era muito raro, para ele, o desejo de conseguir o respeito de alguém. Naquele momento, porém, Sam sabia que precisava muito obter o respeito de Nell Todd.

Caminhou até a praia, como fizera tantas vezes quando ainda era menino. Impaciente e inquieto. Depois, resolveu voltar para casa. Sem um pingo sequer de satisfação.

Como explicar que, mesmo tendo amado a casa perto do barranco e da enseada, ele jamais a sentira como o seu lugar? Não sentiu nenhum pesar quando seu pai a vendeu.

A enseada em si, e a caverna, estas sim haviam representado muito para ele. A casa, no entanto, sempre lhe parecera apenas um monte de madeira e vidro, com pouco calor do lado de dentro. Cobranças, sim, sempre houve em grande quantidade. Para que ele se tornasse um Logan, para que fosse bem-sucedido, para que superasse todos os outros.

Bem, ele acabou conseguindo realizar tudo o que os pais esperavam dele, mas meditava agora sobre o quanto isso lhe custara.

Pensou novamente no espírito que existia na casa dos Todd. Sam sempre acreditara que as casas possuíam um espírito, e a casa de Zack e Nell tinha muito calor humano e afeto. O casamento parecia realmente funcionar para algumas pessoas, decidiu. O compromisso, a unificação das almas e as promessas. Tudo feito não apenas pela conveniência ou por status, mas de coração.

Essa, para ele, era uma dádiva muito, muito rara.

Na casa de sua infância sempre havia existido pouca afeição. É claro que não houve negligência em sua criação, nem abusos, nem maldades. Seus pais sempre foram como sócios, mas jamais, em sua memória, formaram um casal de verdade. E o casamento deles era tão eficientemente frio quanto uma fusão entre empresas.

Ele ainda se lembrava de momentos em que se sentira confuso, às vezes fascinado e vagamente envergonhado, quando menino, pelas demonstrações abertas de afeto que ele presenciava constantemente entre os pais de Zack.

Pensou neles naquele instante, viajando por toda parte em sua casa sobre rodas e, pelo que lhe contaram, se divertindo como nunca. Seus pais teriam considerado completamente absurda a simples menção dessa ideia.

Então, Sam se pegou perguntando: Será que as pessoas de quem viemos contribuem para a nossa formação? Será que a criação comovente e funcional que Zack recebera o deixara predisposto a criar, agora, a sua própria família funcional e feliz?

Ou seria tudo apenas uma loteria?

Ou seríamos todos, no fim, aquilo que fazíamos de nós mesmos, através de cada escolha que levava a outra escolha, e assim por diante?

Fazendo uma pausa, olhou para longe e observou a lança de luz branca que varria a superfície da água. O farol de Mia, nos penhascos de Mia. Quantas e quantas vezes no passado ele ficara de pé olhando para aquele mesmo facho de luz, cheio de esperanças, pensando nela?

Desejando estar com ela.

Não conseguia identificar ao certo o momento em que tudo começara. Havia momentos em que ele achava que já nascera desejando-a. E tinha sido aterrorizador aquele sentimento de que ele estava sendo arrastado em direção a uma espécie de pântano, por uma maré que começara a se formar antes mesmo de ele ter nascido.

Por quantas noites o desejo por ela era tão forte que chegava a doer? E mesmo depois, quando a teve, mesmo quando estava dentro dela, ele sentira a dor. O amor, para ele, tinha sido como uma tempestade, cheia de prazeres ilimitados e terror abjeto.

Para ela, era algo que simplesmente estava ali.

Ainda de pé na beira da praia, com a cabeça erguida, Sam enviou os pensamentos como se fossem pássaros que planavam sobre as águas escuras e seguiam na direção do fecho de luz. Na direção dos penhascos e da casa de pedra. Na direção dela.

E a muralha que ela construíra em torno de tudo o que possuía rejeitava esses pensamentos, mandando-os de volta para ele.

— Você vai ter que me deixar entrar, Mia — murmurou na noite. — Mais cedo ou mais tarde.

Por ora, resolveu deixar as coisas como estavam, e continuou a caminhar em direção ao chalé. A sensação de estar sozinho, que tanto apreciara no primeiro dia, começou a parecer-lhe um peso e acabara se transformando em solidão. Sam tentou afastar esse peso; e, em vez de entrar no chalé, tomou o caminho do bosque.

Até a hora em que Mia resolvesse conversar com ele, teria que aprender tudo o que precisava aprender e ver o que precisava ver através de outros meios.

A escuridão era completa, com uma explosão de estrelas no céu e um fiapo de lua em forma de foice. Mas havia outras maneiras de ver, mesmo sem luz. Sam tentou entrar em sintonia com a noite. Conseguiu ouvir o gorgolejar de um riacho e sentiu que flores silvestres estavam dormindo em suas margens. Havia o sussurro de um pequeno animal entre os arbustos, e o lastimoso chamado de uma coruja. Um deles iria se alimentar, e o outro, perecer.

Sentiu o aroma de terra e água, no ar, e soube que haveria um pouco de chuva antes mesmo de chegar o amanhecer.

E sentiu o Poder.

Movendo-se em meio à escuridão, através das árvores e arbustos, Sam seguia com os passos confiantes de um homem que passeia por uma rua principal em uma tarde ensolarada. Sentia o Poder pulsando-lhe na pele, com aquele arrepio excitante de Magia.

Então viu, em um lugar onde aparentemente havia apenas terra coberta de folhas secas, o ponto exato em que o círculo tinha sido invocado.

As três tinham estado fortemente ligadas naquele momento, sentiu. Antes, ele sentira na pele o mesmo formigamento de energia em um determinado local por onde passara, na praia, e soube que um círculo de Poder e Magia havia sido conjurado ali também. Só que aquele no qual se encontrava tinha sido formado antes; portanto, ele tinha que olhar ali primeiro.

— Seria muito mais simples se elas naturalmente me mostrassem o local — disse em voz alta. — Só que provavelmente não seria tão gratificante quanto encontrar sozinho. Por isso...

Ele levantou as mãos com as palmas voltadas para cima, como um cálice pronto para ser cheio.

Quero ver, e peço isso às três, que são parte de mim
Uso como espelho a noite e o perfume do alecrim
Para saber o que houve, através da visão do passado
Mostre-me como e quando este círculo foi criado
Para que eu possa começar minha tarefa e minha caça
Traga esta visão com detalhes, através da fumaça
Que assim seja agora, e assim aqui se faça.

A noite se tornou mais vaporosa, encheu-se como uma vela enfunada, e então se dividiu. Apareceu o medo, como o de um coelho preso na armadilha. Surgiu o ódio, agudo e selvagem como presas destrutivas. E o amor, protegido por um manto de coragem.

Sam viu, então, com nitidez, tudo o que Zack lhe havia contado. Testemunhou a imagem de Nell correndo pelo bosque, e os seus pensamentos naquele momento terrível eram transparentes para ele. Ela sentia medo e dor, por causa de Zack, um desespero que a impelia para a frente, não apenas para escapar do homem que a perseguia, mas também para salvar o homem que ela amava.

Os punhos de Sam se fecharam com força ao presenciar o momento em que Remington pulou sobre ela, agarrou-a e apertou a faca afiada de encontro à sua garganta.

As emoções o golpeavam de repente, vindas de todos os lados. Apareceu Mia, usando um vestido preto polvilhado com estrelas de prata, e logo atrás Ripley, empunhando um revólver. A seguir o próprio Zack, sangrando muito, apontando a própria arma.

A noite ganhou vida e se encheu de loucura e terror.

A Magia começou a zunir.

A Magia pulsava, vinda de Nell, que começava a brilhar, enquanto rejeitava todos os seus medos. Começou a brilhar em torno de Mia, cujos olhos se tornaram tão brilhantes quanto as estrelas de seu vestido. A seguir, devagar, quase de forma relutante, começou a se espargir vindo de Ripley, no instante em que ela abaixou a arma e pegou a mão de Mia com força.

E foi então que o círculo começou a queimar, com chamas altas feitas de fogo azul.

O golpe dessa visão pegou Sam de surpresa e o fez recuar dois passos, até que conseguiu se manter de pé, com firmeza. Só que, com o susto, perdeu o controle sobre a visão, que começou a ficar mais etérea, até desaparecer por completo.

— O círculo não foi quebrado. — Ele levantou o rosto, observando as nuvens que passavam céleres e cobriam momentaneamente as estrelas. — Você vai ter que me deixar entrar nele, Mia, ou tudo isso terá sido em vão.

Mais tarde, naquela mesma noite, sem planos prévios nem preparativos especiais, Sam procurou alcançá-la novamente em sonho. E flutuou lentamente de volta a um tempo em que o amor era doce, fresco e completo.

Ela tinha 17 anos e as pernas muito compridas, com o cabelo parecendo uma juba de fogo e os olhos tão quentes e envolventes quanto uma névoa morna de verão. Sua beleza o deixou tonto, como sempre. E ele sentiu um punho se fechar em volta do coração.

Ela estava rindo muito, enquanto caminhava com dificuldade ao longo da enseada. Usava um short curto, na cor cáqui, e um top colorido, num tom azul bem forte, que deixava de fora os braços e alguns centímetros de sua barriga. Sam conseguia sentir o cheiro dela, acima dos odores do sal e do mar. Conseguia respirar fundo e se embriagar com aquela fragrância avassaladora que vinha de Mia.

— Você não quer nadar? — Ela ria novamente enquanto levantava água com os pés. — Vamos lá, Sam Tristonho, conte-me o que está deixando você amuado e pensativo, hoje.

— Não estou amuado.

Mas estava. Seus pais o estavam tratando com frieza e distância durante toda a semana, porque ele decidira permanecer na ilha a fim de pegar um emprego de verão no hotel em vez de ir para Nova York. Naquele momento Sam estava se perguntando se aquilo tinha sido um erro, um erro terrível. E se sentia desesperado e confuso por ter permanecido na ilha por causa de Mia.

Na verdade, a ideia de ficar afastado dela mês após mês era um suplício, algo impensável.

Apesar disso, ele começara a pensar no assunto. Começara a pesar os prós e os contras, mais e mais, todas as vezes que deixava a Ilha das Três Irmãs para voltar ao continente, para as aulas na faculdade. Depois de algum tempo, começou a fazer testes consigo mesmo, criando regularmente desculpas para não voltar à ilha, para não voltar para Mia em alguns fins de semana, durante o semestre.

Cada vez que deixava o continente e entrava na barca, tanto a ilha quanto Mia o chamavam, atraindo-o como um ímã. Agora Sam estava começando a renegar a rotina de escape que parecia ter sido feita sob medida para ele. Precisava de algum tempo para repensar toda a sua vida. Reconsiderar tudo à sua volta.

Quando Mia, porém, chegou em sua praia, Sam se viu muito cheio de desejo e lembranças nostálgicas para se sentir triste ou pensar em estar em qualquer outro lugar que não fosse com ela.

— Se você não está amuado, prove para mim! — Ela andava de costas para a água, de forma que as pequenas ondas que chegavam lambiam-lhe a parte de trás das pernas, envolviam-lhe os joelhos e subiam pelas longas e lisas coxas. — Venha até aqui brincar.

— Estou muito velho para brincadeiras.

— Pois eu, não. — Ela mergulhou de lado na água, deslizando através da espuma como uma sereia. Quando voltou à superfície, com água pingando dos cabelos e a blusa sedutoramente colada aos seios, Sam achou que fosse enlouquecer. — Mas eu me esqueci. O senhor já tem quase 19 anos. Está muito crescido para ficar fazendo guerrinhas de água na praia.

Deu então mais um mergulho na parte rasa, arrastando-se suavemente sob as águas em tom azul-escuro da pequena enseada. Quando ele agarrou-lhe o tornozelo com firmeza, Mia deu um pulo, ficando de pé na mesma hora e começando a rir.

O som de seu riso, como sempre, o deixou enfeitiçado.

— Vou lhe dar um pouco de maturidade — disse ele, empurrando a cabeça dela de volta para dentro d'água.

Tudo era inocente. O sol e a água, o início glorioso e brilhante do verão, a fina e escorregadia linha divisória entre a infância e o futuro.

Mas a inocência não poderia permanecer para sempre.

Eles espalharam água para os lados, jogaram borrifos um sobre o outro e nadaram tão suavemente quanto os golfinhos. Então se encontraram, como sempre costumavam fazer, com os lábios sedentos grudando um no outro, primeiro sob a água, para em seguida se apertarem, ao subirem, ofegantes, para a superfície, mal deixando o ar penetrar. A necessidade surgiu dentro deles, tão forte, urgente e envolvente que ela sentiu o corpo tremer quando se lhe enroscou em volta do corpo. Os lábios dela, quentes e molhados, se separaram ligeiramente dos dele, com uma confiança e uma aceitação do inevitável que o sacudiram até os ossos.

— Mia. — Sabendo que iria morrer ali, de tanto desejá-la, Sam apertou o rosto nas mechas molhadas de seu cabelo, coladas em volta do rosto. —Temos que parar com isso, Mia. Vamos dar uma volta. — Mas enquanto falava, suas mãos se moviam em torno de todo o corpo dela. Não conseguia parar.

— Tive um sonho esta noite — contou ela, com suavidade. Aninhada em seus braços, suspirou. — Sonhei com você. Meus sonhos são sempre com você. E no momento em que acordei, sabia que hoje seria o nosso dia. — Jogou a cabeça para trás, sedutoramente. Ele não teve como evitar a sensação de ser arrastado por aqueles olhos imensos e acinzentados. — Quero estar com você. Quero que seja você e ninguém mais. Quero me entregar a você e a ninguém mais.

O sangue dele bombeou mais forte por ela. Tentou pensar no que era certo e errado, tentou pensar no amanhã. Mas conseguia pensar apenas no momento presente.

— Você tem que ter certeza, Mia.

— Sam... — Ela cobria seu rosto com beijos quentes. — Eu sempre tive certeza.

Afastou-se um pouco dele, mas apenas para tomar-lhe a mão. Foi ela quem o levou para fora da água e o foi puxando pelo braço até a caverna natural, escavada na pequena ribanceira da praia.

A caverna estava fresca e seca; era bastante alta na parte central para que os dois pudessem ficar de pé, lá dentro. Sam viu de repente o cobertor estendido em um dos cantos, junto da parede de pedra, e as velas espalhadas por todo o piso. Olhou para ela.

— Eu lhe disse que já sabia que ia ser hoje — explicou Mia, sorrindo. — Este é o nosso lugar especial. — Olhando para ele, tateou para alcançar os pequenos botões que desciam pela parte da frente de sua blusa. Sam notou que os dedos dela estavam tremendo.

— Você está com frio.

— Um pouco.

— E com medo, também. — Deu um passo na direção dela.

— Um pouco. — Seus lábios se curvaram em um sorriso. — Mas não vou estar nem com frio nem com medo, daqui a alguns instantes.

— Prometo ter todo o cuidado com você.

Mia deixou as mãos caírem ao lado do corpo, para que ele finalmente acabasse de desabotoar-lhe a blusa.

— Sei que vai ter cuidado. Eu amo você, Sam.

Ele abaixou os lábios para encontrar os dela, enquanto acabava de tirar a fina blusa de algodão com as duas mãos,

— Eu amo você, Mia.

— Eu sei. — E o pequeno friozinho de medo dentro dela desapareceu por completo.

Ele já a havia tocado antes e também tinha sido tocado por ela. Foram carícias gloriosas, muitas vezes frustrantes, sempre apressadas. Agora, enquanto se despiam, as velas se acendiam sozinhas, ganhando vida. Quando se deitaram sobre o cobertor, uma fina cortina de névoa pareceu cobrir a entrada da caverna, deixando-os isolados dentro dela.

Suas bocas se encontraram, doces e quentes. Enquanto sua onda de prazer começava a aumentar, ela o sentiu temeroso, controlando-se, tomado pela insegurança. Os dedos dele, ligeiramente trêmulos, alisavam e passavam por cima de cada parte de sua pele, como se temendo que ela pudesse desaparecer embaixo deles.

— Jamais vou abandonar você — murmurou ela, dando um gemido forte de prazer ao sentir que a boca dele, com uma urgência súbita, alcançava seu seio.

O corpo dela se arqueou, com as mãos apertando o corpo dele, tão fluido quanto a água que o perfumava. Quando ele olhou para ela, com os cabelos molhados e espalhados desordenadamente sobre o cobertor, viu que seus olhos pareceram enevoados pelo prazer que ele estava trazendo, e o corpo dele tremeu então com o poder.

E ele a fez voar. Ela gritou alto, um som que lhe surgiu no fundo da garganta e pareceu rasgar-lhe o corpo e atravessá-lo, fazendo-o se sentir invencível. Quando se abriu para ele, oferecendo-lhe sua inocência, ele estremeceu.

Através da força do sangue que era bombeado ou do golpe da necessidade urgente, ele lutava para ser suave e lento. Mesmo assim, sentiu um lampejo de choque em seu olhar.

— Vai ser só um instante. — Delirantemente, ele cobriu de beijos todo o seu rosto. — Prometo que vai levar apenas um minuto. — E então, rendido às exigências do próprio corpo, mergulhou mais fundo e a preencheu, tomando-a por completo.

Ela agarrou as pontas do cobertor, com força, e segurou o grito de dor que queria sair de sua garganta. No entanto, quase ao mesmo tempo em que a dor começou, veio uma sensação de calor.

— Ah... — A respiração dela estremeceu mais uma vez e se transformou em um suspiro. — Sim... sim... — Ela virou os lábios para alcançar o lado do pescoço dele. — Sim, sim, claro que sim...

E começou a se movimentar ritmicamente embaixo dele. Levantou os quadris e tomou-o ainda mais fundo, para depois recuar arrastando-o com ela. Quando o aconchego se transformou em calor, seus corpos começaram a suar. Agarrados, eles envolveram um ao outro nessa sensação de unidade.

Depois, quando ela já estava quieta, envolvida pelos braços dele em um estado de quase sonho, a cor da chama das velas se transformou em dourado.

— Foi aqui nesta caverna que ela o encontrou.

Sam roçou os dedos com suavidade sobre os ombros dela. Não conseguia parar de tocá-la. A névoa sexual, difusa e preguiçosa, enchia-lhe a mente, a ponto de fazê-lo esquecer tudo o que o deixara tão preocupado, na praia.

— Humm? O que disse?

— Aquela que se chamava Fogo. A minha antepassada. Foi aqui que ela encontrou o *selkie** sob a forma humana e se apaixonou enquanto ele dormia.

— Como é que você sabe de tudo isso?

Mia ia começar a dizer que sempre soubera, mas simplesmente balançou a cabeça.

— Ela pegou na pele de foca dele e a escondeu num lugar secreto, para que pudesse mantê-lo todo para ela, na forma de homem. Fez tudo por amor. Por isso é que não foi uma coisa errada. Porque foi feita por amor.

Aquecendo-se no aconchego dos momentos que se seguiram, Sam fungou suavemente junto do pescoço dela. De repente, queria ficar ali para sempre com ela. Não queria mais nada, mais ninguém. Jamais iria querer. Jamais conseguiria. Naquele momento, a suave compreensão dessa realidade o deixava mais estável, em vez de colocá-lo nervoso ou inquieto.

— Nada sai errado quando é feito por amor — comentou ele.

— Mas ela não conseguiu mantê-lo junto dela — explicou Mia, baixinho. — Alguns anos mais tarde, quando já tinham vários filhos e depois que ela já tinha perdido suas irmãs e seu círculo, ele encontrou a sua pele de foca. E não conseguiu evitar fazer o que fez. Era a sua natureza. Uma vez que ele encontrasse a sua pele, nada poderia fazê-lo ficar. Ele a abandonou, voltou para o mar e se esqueceu que ela existia. Esqueceu a sua casa, esqueceu até os filhos.

---

* Criatura da mitologia celta, metade homem e metade foca. (N. T.)

— Pensar nisso deixa você triste. — Ele a puxou mais para perto de si. — Não quero que você se sinta triste neste momento.

— Jamais me abandone! — Ela enterrou o rosto no ombro dele. — Nunca, jamais me abandone! Acho que morreria, como ela morreu, sozinha e com o coração despedaçado.

— Jamais vou abandoná-la, Mia. — Mas alguma coisa gelada penetrou em seu interior. — Estou aqui a seu lado agora, veja! —Ajeitou o corpo, virando--o de lado para que ficasse de frente para a parede da caverna. Levantando a mão, Sam a encostou contra a pedra fria. Uma luz forte saiu da ponta do seu dedo indicador, e ele começou a entalhar algumas palavras na rocha dura.

Mia lia as palavras conforme iam surgindo, escritas em idioma galês, e seus olhos se encheram de lágrimas.

— Meu coração é o seu coração. Agora e para sempre — leu ela, em voz alta.

Então, levantando o próprio dedo, ela entalhou um intrincado nó celta abaixo das palavras. Uma promessa de unidade.

Depois virou os olhos marejados de lágrimas em direção ao rosto dele.

— E o meu coração também será seu, para sempre.

Sozinha em sua casa nos penhascos, naquele mesmo instante, Mia virou a cabeça e a enterrou no travesseiro. E, em seu sono, murmurou o nome dele.

Capítulo Quatro

A chuva, trazendo um forte e constante rufar de tambores, começou antes mesmo do amanhecer. Veio junto ao vento poderoso, travesso e inquieto, que fazia com que as folhas mais tenras e claras estremecessem e formava uma espuma que nadava na superfície do mar escuro. Durante todo o dia, a ventania continuou a soprar e cuspir borrifos, até que o ar foi ficando totalmente selvagem, de umidade e névoa, e o mar foi se tornando cada vez mais cinza, até assumir a mesma tonalidade do céu. E não havia sinais de que o tempo pudesse melhorar durante a noite.

Aquilo era bom para as flores, dizia Mia para si mesma, enquanto permanecia de pé na janela e observava a impassível sonolência das trevas. A terra estava mesmo precisando de uma boa encharcada, e, apesar do frio, não havia o perigo de cair alguma geada sobre os delicados brotos.

No primeiro dia com tempo bom, ela tiraria folga no trabalho. Pretendia gastar algumas horas trabalhando em seus jardins. Um dia todo somente para ela, precioso, sem companhias nem exigências de espécie alguma. Apenas ela e as suas flores.

Essa era uma das vantagens e dos privilégios de ser a dona do próprio negócio.

Essa regalia ocasional ajudava a contrabalançar o peso da responsabilidade, tanto pelos negócios quanto pela Magia.

Mia tinha dezenas de coisas para resolver na loja, naquele dia. Não importava que tivesse dormido tão mal, tivesse sido jogada de um lado para o outro da cama por seus sonhos perturbadores, ou que seu humor estivesse tão ruim, que tudo o que gostaria de fazer naquela manhã era continuar enterrada debaixo dos cobertores. O fato de ter considerado, ainda que de passagem, essa possibilidade a deixou tão indignada, que acabou lhe dando forças para se levantar e tocar a vida para a frente.

Foi então que se lembrou de que Nell e Ripley haviam ficado de passar na casa dela, naquela manhã. O simples fato de ter esquecido esse encontro importante já era sintomático. Mia *jamais* se esquecia de nada. Pelo menos as duas amigas significavam uma distração, algo para manter a mente longe das lembranças e dos sonhos intrusos, que não eram bem--vindos na ordem disciplinada de sua vida.

Ele tivera a ousadia de se infiltrar em seus sonhos. O canalha.

— Você prefere fazer isso em alguma outra hora?... Mia!...

— O quê? — Franzindo a testa, olhou para cima. Piscou. Pela deusa, ela não estava conseguindo sequer prestar atenção nas pessoas que deveriam distraí-la dos pensamentos obscuros. — Não, não, me desculpem. Esta chuva está me deixando desconcentrada e irritada.

— Então, tudo bem. — Ripley arriou sobre uma poltrona e colocou a perna sobre um dos braços estofados. Havia uma imensa tigela com pipocas em seu colo, da qual ela jogava várias na boca ao mesmo tempo, com rapidez e descuidadamente. — Parece que é o tempo que está incomodando você.

Sem dizer nada, Mia caminhou até o sofá e se sentou, toda encolhida. Enfiando os pés descalços sob as pontas do vestido, balançou a ponta do dedo na direção da lareira de pedra, do outro lado da sala. As pequenas toras de lenha cuidadosamente arrumadas explodiram em uma chuva de fagulhas, e chamas crepitantes se acenderam em volta delas.

— Isso... agora está melhor. — Ela se aninhou sobre um dos almofadões de veludo, como se não tivesse nenhuma outra preocupação naquele momento que não fosse o seu conforto. — Agora, Nell, o que é mesmo que você queria conversar comigo, antes de começarmos a preparar nossos planos para o solstício?

— Olhe só para a pose dela... — Ripley apontou para Mia com o cálice de vinho e jogou uma porção generosa de pipocas na boca com a outra mão. — Está parecendo até uma dirigente pomposa de um daqueles clubes beneficentes formados por damas da alta sociedade.

— Não estamos muito longe disso. Clube, convenção... De qualquer modo, se em algum momento você quiser presidir os trabalhos, Sra. Delegada...

— Certo, vocês duas. — Nell levantou a mão em sinal de paz. Parecia que ela estava sempre tendo que levantar a bandeira de trégua entre Mia e Ripley, cada vez que ambas passavam mais de dez minutos juntas. Em alguns momentos lhe parecia que seria muito mais simples se as duas batessem com a cabeça uma na outra. — Por que não damos por encerrada esta parte inicial de troca de insultos em nossa programação e passamos adiante? Gostaria de contar que, na minha opinião, a primeira reunião do Clube de Culinária foi um sucesso.

Mia acalmou sua raiva e concordou com a cabeça. Depois se inclinou, contemplando com certo interesse as uvas em sua maravilhosa cor arroxeada que arranjara sobre um prato raso verde-claro, e pegou uma.

— Foi realmente um sucesso. Foi uma ideia maravilhosa essa sua, Nell. Acho até que isso vai acabar trazendo novas e inesperadas fontes de negócios para a livraria e a cafeteria. Só naquela noite, vendemos mais de uma dúzia de livros de culinária, e outros tantos desde então.

— Estive pensando, Mia. Depois de darmos um espaço de dois ou três meses para ver se a ideia realmente pega e o interesse se mantém, poderíamos planejar alguns eventos combinados, de culinária associada a alguma data especial. Talvez na época do Natal, por exemplo. Sei que ainda estamos muito longe do fim do ano, mas...

— Não custa nada começar a planejar desde cedo — completou Mia mordiscando uma segunda e suculenta uva, lançou um sorriso deliberadamente forçado na direção de Ripley. — Há um grande número de romances importantes em que a comida desempenha o papel também mais importante, e alguns deles vêm até mesmo com receitas no final do livro. Poderíamos sugerir uma dessas histórias para ser o nosso livro do mês, e a partir daí o Clube de Culinária poderia preparar os pratos associados com a história. Todo mundo ia se divertir à beça.

— E você, Mia, vai vender livros à beça — assinalou Ripley, com cara de inocente.

— Por estranho que pareça, delegada, esta é a função básica da livraria. Podemos agora passar para o próximo assunto?

— Espere, há mais uma coisinha — interrompeu Nell.

— Tudo bem, diga. — Mia parou de falar e levantou uma sobrancelha de curiosidade enquanto olhava para Nell.

— Sei que vender livros é a função básica da loja, mas... — Parecendo um pouco nervosa, Nell apertou os lábios com força. — Bem, eu tive outra ideia, há algum tempo. Estou brincando com ela já faz algum tempo, tentando imaginar se poderia dar certo, ou se valeria a pena. Você pode até achar que é uma coisa meio fora de propósito, mas...

— Ai, pelo amor de Deus, Nell. — Sem a mínima paciência, Ripley se ajeitou melhor na poltrona e colocou a tigela de pipocas de lado, assumindo uma postura ereta. — Ela acha que você deveria expandir a cafeteria, Mia.

— Ripley! — reclamou Nell. — Será que você não pode me deixar falar por mim mesma, ao meu jeito?

— Poderia, só que não posso ficar aqui esperando uma semana. Tenho que voltar para casa antes do anoitecer, e você parece que...

— Expandir a cafeteria? — interrompeu Mia. — Mas ela já está ocupando quase a metade do segundo andar da loja.

— Sim, do jeito que as coisas estão projetadas agora. — Depois de lançar um olhar esquentado para Ripley, Nell se voltou novamente para Mia. — Escute, se você arrancar as janelas do lado leste, construir um pequeno terraço de, digamos, dois metros e meio por sete, usando o salão principal para fazer divisa com ele, e instalar portas deslizantes, haveria mais lugares disponíveis para os clientes se sentarem, além do benefício de se ficar ao ar livre, respirando a brisa do mar, quando o tempo estivesse bom.

Como Mia não disse nada e simplesmente levantou o cálice da mesa, pensativa, Nell continuou, falando mais depressa:

Eu poderia aumentar o cardápio, colocando mais alguns itens aqui e ali, oferecendo mais opções de entrada para um jantar gostoso, casual, durante o horário noturno, na temporada de verão. É claro que você iria precisar de mais uma ou duas atendentes, e... acho também que eu não deveria dar palpites e cuidar só da minha vida.

— Eu não diria isso. — Mia se recostou. — Só que é uma ideia burocraticamente complicada. Existem problemas com o Código de Obras, zoneamento. Depois, há o custo propriamente dito, e as projeções de lucros futuros em relação às despesas. Além da inevitável perda de receita durante as obras de remodelação.

— Eu... humm... já fiz alguns cálculos com relação a tudo isso. Quer dizer, coloquei alguma coisa no papel. — E, com um sorriso rápido e um pouco tímido, Nell puxou uma pilha de papéis da sua bolsa.

Mia olhou para aquilo e depois tornou a se recostar, dando uma risada gostosa.

— Ora, ora, vejo que você tem andado muito ocupada com essa ideia, irmãzinha, fazendo todos esses projetos. Tudo bem, deixe que eu dou uma olhada em tudo e penso a respeito do assunto. É uma ideia convidativa — murmurou. — Mais lugares, mais conforto para os clientes, mais opções de comida. Imagino que, se a ideia se transformar em um sucesso, vamos acabar abocanhando também uma fatia da clientela do hotel na hora do jantar, pelo menos durante a alta temporada.

Diante do olhar satisfeito de Mia, Nell sentiu uma pontada de culpa e resolveu falar:

— Tem mais uma coisa. Nós recebemos Sam Logan para jantar — soltou, apressadamente.

— Como é que é? — O sorriso de Mia desapareceu instantaneamente.

— Você colocou aquele rato canalha para comer à mesa com vocês? — Ripley pulou da poltrona, indignada. — Você serviu uma comidinha deliciosa para ele? Pelo menos aproveitou a oportunidade para envená-lo?

— Não, eu não o envenenei. Droga, na verdade eu nem o convidei, foi Zack. Eles são amigos. — Nell lançou para Mia um olhar desesperado, cheio de dor e de culpa. — Não posso dizer a Zack quem ele pode convidar ou não para receber em sua própria casa.

— Pois espere só até que Booke tente convidar algum filho da mãe traidor para encher a pança à nossa custa. — Ripley rangeu os dentes como se estivesse se preparando para arrancar um pedaço da orelha do marido, quer ele estivesse pensando nisso, ou não. — Zack sempre foi um completo idiota!

— Ah, é, Ripley? Espere um pouco — reagiu Nell.

— Ele já era meu irmão muito antes de se transformar em seu marido — atirou Ripley de volta. — Tenho todo o direito de chamá-lo de idiota, especialmente quando ele é idiota.

— Isso não leva a nada — disse Mia com toda a calma e chamou para si a atenção de Nell e Ripley. — Não há sentido em ficarmos aqui atirando culpas e recriminações umas sobre as outras. Zack tem todo o direito do mundo de escolher os amigos e de recebê-los em sua casa. Não há por que Nell se sentir culpada por causa disso. O que existe entre Sam e eu é um problema apenas de nós dois e não afeta a mais ninguém.

— Não afeta mesmo? — Nell balançou a cabeça com força. — E por que foi que ninguém nunca me contou que ele é igual a nós?

— Porque ele não é! — Essas palavras saíram de forma explosiva da boca de Ripley. — É lógico que Sam Logan não é nem um pouco igual a nós.

— Não creio que Nell esteja se referindo a Sam ter atributos físicos iguais aos nossos — disse Mia, secamente. — É claro que ele não é uma mulher. É claro que ele também não é um dos habitantes da ilha. Embora, pelo fato de ter sido criado aqui, sempre será considerado como alguém do lugar. — Ela balançou a mão como se estivesse colocando esse assunto de lado. — O fato de ele ter dons especiais e possuir poderes não tem nada a ver conosco.

— Tem certeza disso? — quis saber Nell.

— *Nós* somos as três! — Na lareira de pedra, as chamas aumentaram de intensidade e estalaram no ar. — *Nós* formamos o círculo. Cabe a nós fazer o que precisa ser feito. Só porque um... como foi mesmo aquele termo maravilhoso que Ripley usou?... Ah, sim... Só porque um rato canalha possui dons de Magia, isso não muda nada.

Deliberadamente calma, Mia esticou a mão e pegou outra uva, com a maior naturalidade.

— Agora, voltando a falar dos assuntos relacionados ao solstício...

Ela não permitiria que aquilo mudasse coisa alguma. Faria o que precisava ser feito, sozinha ou com a ajuda das irmãs. Jamais, porém, permitiria que alguém mais entrasse no círculo delas. Ou no seu coração.

No momento mais profundo da noite, enquanto toda a ilha dormia, ela estava de pé junto aos penhascos. A chuva fria escorria, e o mar negro chicoteava as pedras pontiagudas, como se em uma noite pudesse desgastá-las até ficarem completamente lisas. Em toda a volta dela, o vento irritante e furioso subia e formava redemoinhos, levantando sua capa até ela se desfraldar por completo e subir, como asas.

Não havia uma luz sequer, nenhum momento de alívio para a escuridão, exceto pela lâmina de luz circulante que saía da torre do farol ao lado dela. Uma lâmina que parecia cortar o ar acima de sua cabeça, acima dos rochedos e acima do mar, e logo a seguir, por alguns instantes, a deixou sozinha na escuridão novamente.

Voe daqui, agora!, a voz esperta e maliciosa sussurrava-lhe no ouvido. *Lance-se no espaço, deixe tudo para trás e acabe com todos os problemas de uma vez. Por que lutar contra o inevitável? Por que se obrigar a viver em total solidão?*

Quantas vezes, ela lembrou-se naquele instante, tinha ouvido aquela mesma voz? Quantas vezes estivera naquele mesmo lugar, testando a si mesma, forçando-se a resistir? Mesmo quando seu coração estava em pedaços, viera até ali. E vencera. Jamais cederia.

— Você não vai conseguir me vencer! — Sentiu o frio envolvê-la, enquanto a névoa escura serpenteava, rastejando pouco acima do chão, entre as pedras. Como dedos gélidos que se enroscavam lentamente em volta dos seus tornozelos, para tentá-la e arrastá-la para o abismo. — Jamais vou ceder! — reafirmou, levantando os braços com força e abrindo-os, formando uma cruz.

E o vento selvagem invocado por ela chegou, rasgando a névoa negra em pedaços.

Levantando o rosto para encarar a chuva, deixou que esta lavasse a sua face como se fossem lágrimas.

> *O que é meu, protejo, sirvo e conservo*
> *Acordada ou dormindo, calada observo*
> *Ao que fui e sou, serei sempre fiel*
> *No que digo e faço, jamais serei cruel*
> *Este voto reafirmo, e jamais irei quebrá-lo*
> *Meu destino está escrito, vou fazê-lo meu vassalo*
> *Que assim seja e se faça, pois aqui jamais me calo.*

A Magia a envolveu e a penetrou, e ela a sentiu pulsar em seu coração, enchendo-o de energia.

Com os olhos fechados, cerrou os punhos como se pudesse golpear o rosto da noite e assim rasgar o véu que a impedia de ver o que a aguardava.

— Por que não *descubro* o que está para vir? Por que não vejo? Por que não sinto? Por que não posso fazer nada, a não ser esperar?

Algo se mexeu no ar, como se fossem mãos macias acariciando seu rosto. Mas não era conforto o que ela queria, nem paciência o que buscava.

Então, de repente, deu as costas para tudo, para os penhascos e para o mar. A capa balançava às suas costas enquanto ela corria em direção às luzes de sua casa.

No mesmo instante em que Mia se enroscava em um manto de solidão e isolamento, aconchegada como um casulo na casa acima do penhasco, Lulu estava confortavelmente em sua casa, instalada na cama, já degustando o terceiro cálice de vinho, acompanhada do seu mais recente livro sobre crimes reais, *Diário de um canibal americano*. A seu lado havia um pacote grande de batatas fritas de queijo com alho. Na parede oposta do quarto, a televisão estourava em uma saraivada de balas, enquanto Mel Gibson e Danny Glover botavam pra quebrar no filme *Máquina Mortífera*.

Para Lulu, aquele era o ritual sagrado de todos os sábados.

Suas roupas de dormir consistiam em um shortinho todo rasgado, uma camiseta larga que anunciava para quem quisesse ler que era melhor ser rico do que burro, e uma lâmpada de leitura adaptada em um boné.

Ela mastigava, bebia, dividia sua atenção entre o livro e o filme, tudo ao mesmo tempo, e tinha a convicção de que estava em uma espécie de paraíso pessoal.

A chuva tamborilava do lado de fora de sua casinha quadrada, simples e colorida, e o vento chocalhava as pedras da cortina feita de pequenas contas, que ela usava pendurada nas janelas. Contente, levemente bêbada, estava espalhada debaixo da colcha de retalhos que ela mesma fizera com pedaços quadrados de tecidos de lã xadrez, pontas de algodão estampado, e uma infinidade de retalhos diversos, muitos deles manchados, em estilo hippie.

Você podia arrancar a criança dos anos 1960, mas era impossível arrancar os anos 1960 da criança, pensava com frequência.

As palavras nas páginas do livro começaram a se embaralhar; ajustou os óculos para cima e levantou um pouco mais os travesseiros, para ficar ereta. Queria pelo menos acabar aquele capítulo, para descobrir se a jovem prostituta da história seria idiota o suficiente para ter a garganta cortada e as entranhas retiradas a faca pelo vilão.

Lulu esperava que não.

Mas sua cabeça caía constantemente sobre o livro. Ela a puxava para trás. Piscava. De repente, seria capaz de jurar que ouviu alguém chamando seu nome.

Já estou ouvindo coisas, pensou, revoltada. Ficar velho era a grande peça que Deus pregava nas pessoas.

Limpando a borda do cálice de vinho, olhou para o filme na TV.

E lá estava Mel Gibson, com seu lindo rosto enchendo toda a tela e os olhos brilhantemente azuis, enquanto olhava para ela, sorrindo e dizendo:

— Oi, Lu. Como vão as coisas?

Ela esfregou os olhos e piscou várias vezes. A imagem, porém, continuava ali.

— Mas que diabo é isso?

— É o que eu sempre digo! Que diacho é isso? — repetiu a imagem. A câmera foi se afastando, chegando para trás o suficiente para que ela pudesse ver a arma nas mãos do ator. O cano do revólver estava em primeiro plano e parecia ter o diâmetro de um canhão. — Ninguém quer viver para sempre, certo, Lu?

O barulho do disparo foi terrível, e o projétil saiu com violência do aparelho, atravessando o quarto num raio vermelho com uma velocidade inesperada. A dor aguda no peito de Lulu a fez dar um grito de terror, e ela apertou freneticamente as mãos contra os seios. As batatas fritas voaram para todos os lados, com o susto, enquanto, apavorada, ela procurava por sinais de sangue no corpo.

Não encontrou nada, apenas o bater descompassado do coração, que parecia estar querendo pular para fora do peito.

Na tela, Mel e Danny estavam conversando sobre procedimentos policiais, e o filme continuava como se nada tivesse acontecido.

Abalada, sentindo-se uma velha tola, Lulu foi cambaleando até a janela. Um pouco de ar lhe faria bem, pensou. Serviria para clarear a cabeça. *Devo ter cochilado por um momento*, imaginou ela, enquanto puxava a cortina de contas para um dos lados e levantava a janela completamente.

Começou a tremer na hora. Lá fora estava tão frio quanto no inverno. Muito mais frio, analisou, do que deveria, naquela época do ano. E a névoa que envolvia o jardim na frente da casa formava redemoinhos escuros junto do gramado em um tom estranho e sinistro. Como hematomas flutuantes roxo-acinzentados e amarelados.

Da janela, Lulu conseguia ver a sua pequena lira feita de pedra que enfeitava a entrada, com flores enroscadas em toda a volta, e notou os raios de luar que se entranhavam nela. A pequena gárgula de pedra, seu monstrinho simpático, eternamente com a língua para fora a fim de insultar os transeuntes, estava em seu lugar. As gotas de chuva pareciam agora ter se transformado em pequenas pedras de gelo, e, quando ela colocou a mão para fora, sentiu fisgadas geladas que pareciam querer atravessar sua palma estendida.

Assim que colocou a mão para dentro, assustada, seus óculos despencaram do rosto. Ao colocá-los de volta, contrariada, poderia jurar que a gárgula de pedra estava mais próxima da casa, e seu rosto estava quase totalmente virado para ela, mostrando três quartos das feições familiares.

Seu peito começou a doer por causa do coração, que continuava descompassado.

Preciso de óculos novos, também. Além dos ouvidos, a visão está indo embora.

Enquanto continuava olhando fixamente para o pequeno monstrinho corcunda de pedra, ele virou a cabeça por completo para encará-la. E mostrou dentes pontiagudos e terríveis em um sorriso diabólico.

— Meu Jesus Cristo!

Na verdade, ela estava conseguindo até mesmo ouvir o ranger dos dentes do monstro e o barulho que faziam, batendo uns contra os outros, ao mesmo tempo em que ele se aproximava lentamente da casa, em direção à janela aberta. Atrás dele, o pequeno sapo tocador de flauta que ela comprara na semana anterior começou a pular também, acompanhando a gárgula, com uma cara não menos ameaçadora. E a flauta que ele tocava se transformara em uma faca comprida e afiada.

— Ninguém vai se importar, Lu!

Vacilante, ela virou o rosto para trás. Na tela da TV, uma imensa cobra de desenho animado com o rosto de Mel Gibson no lugar da cabeça estava rindo para ela, de modo assustador, enquanto dizia:

— Ninguém vai ligar a mínima se você morrer hoje. Você não tem ninguém no mundo, não é verdade, Lulu? Não tem marido, não tem filhos, não tem família. Ninguém vai dar a mínima para o seu desaparecimento.

— É mentira! — O terror a fez gritar, tremendo por dentro dela enquanto via a gárgula de pedra e seu companheiro com a flauta transformada em faca se aproximando cada vez mais da janela, enquanto olhava lá de fora para a televisão. E ouvia os dentes rangendo com um som de fome, a faca cortando a névoa de um lado para o outro, como um pêndulo mortal.

— Isso é tudo mentira! — Com as mãos trêmulas, Lulu tentou alcançar a janela, com a respiração aos pulos e muito ofegante, enquanto lutava com o fecho da janela, tentando forçá-lo para baixo.

Quando conseguiu fechar por completo a janela, deu um passo para trás e caiu de costas, atingindo o chão com força, e sentindo uma dor aguda nos ossos.

Ficou ali, caída, tentando recuperar o fôlego, lutando para reconquistar a calma. Quando conseguiu ficar de joelhos, engatinhou choramingando até a sua cesta de costura e agarrou duas compridas agulhas de tricô, para usá-las como armas.

Quando, porém, conseguiu reunir forças suficientes para voltar até a janela, a chuva estava novamente caindo suave e constante e toda a névoa havia desaparecido. A gárgula de pedra, tão familiar, simpática e inofensiva, estava novamente agachada em seu lugar de sempre, pronta para ofender a próxima pessoa que passasse pela calçada.

Lulu voltou para a cama, no momento em que outro tiroteio explodia no filme da TV. Esfregou os olhos com os dedos, mais uma vez, e os deixou escorrer pelo rosto empapado de suor.

— Deve ter sido efeito daquele Chardonnay — disse bem alto, como para convencer-se a si mesma.

Pela primeira vez, porém, desde que se mudara para aquela casinha, tantos anos antes, vasculhou todos os cômodos, um por um, armada com as suas agulhas, enquanto trancava todas as portas e janelas.

Um homem, por mais dedicado que fosse ao trabalho, merecia uma folga de vez em quando. Foi isso o que Sam disse a si mesmo enquanto dirigia para longe do centro da pequena cidade. Passara muitas horas em sua escrivaninha, por vários dias, participando de reuniões e encontros, fazendo inspeções, lendo relatórios. Se não desse uma volta de carro para clarear as ideias, acabaria fritando os miolos.

Além do mais, era domingo. A chuva finalmente dera uma trégua; fora em direção ao mar aberto, deixando a ilha reluzindo como uma joia. Dar uma volta de carro e conhecer os lugares nos quais aquele pequeno pedaço de terra havia mudado, além de relembrar as coisas que permaneciam como antes, era um trabalho tão importante para os seus negócios quanto os livros contábeis e as projeções de lucros.

Aquela sensibilidade em relação à ilha, Sam soubera por toda a sua vida, era uma coisa que pulava sempre uma geração, na família Logan. Tinha plena consciência de que seus pais haviam considerado os 20 e poucos anos que passaram na Ilha das Três Irmãs como uma espécie de exílio. Motivo pelo qual, ele imaginava, arranjavam desculpas com tanta frequência para abandoná-la durante vários períodos, às vezes muito longos, no decorrer daqueles anos, até que finalmente tomaram a decisão de fazer a mudança definitiva para Nova York, logo depois que seu avô morrera.

Aquele lugar nunca representara um lar para eles.

Voltar depois de tanto tempo tinha servido para provar isso a Sam mais uma vez; também servira de confirmação de que a ilha *era* um lar para ele. Aquela era uma das perguntas pelas quais voltara em busca de respostas, e o resultado já estava bem claro em sua cabeça. A Ilha das Três Irmãs era o lugar certo para ele.

Barcos de passeio deslizavam sobre a água, e era possível ouvir os motores com seu ronco estável e suave, e também acompanhar barcos com as velas enfunadas alegremente pelo vento. Vê-los trazia para Sam uma espécie de prazer sólido e também um pouco de orgulho. As boias de sinalização flutuavam, vermelhas, alaranjadas ou brancas, contrastando com a superfície límpida e azul do mar. A terra recortava-se, curvava-se e avançava um pouco além, para se encontrar com a água.

Viu uma família catando conchas e um menino correndo ao lado, perseguindo gaivotas.

Em vários locais, havia casas que não existiam na época em que morara na ilha. O tempo que passara desde então estava bem delimitado, conforme reparou pelas tábuas de cedro já desbotadas dessas casas, e a vegetação maciça que crescera em torno delas. Crescimento, ele meditou, do homem e da natureza.

O tempo não ficava parado, jamais. Nem mesmo na Ilha das Três Irmãs.

À medida que se aproximava do ponto mais ao norte da ilha, enveredou por uma estrada secundária de terra batida, e escutou os pneus derraparem. Da última vez em que dirigira até tão longe, ainda possuía um jipe sem capota. Sentia naquele momento o ar quente que então passava por cima dele, parecia ainda ouvir o rádio do passado que tocava a todo volume.

De repente, sorriu ao se lembrar que, embora estivesse agora dirigindo uma Ferrari, ainda continuava andando sem capota. E, para completar o clima, colocou um CD no volume máximo.

— Você pode tirar o menino da ilha, mas não pode tirar a ilha do menino — murmurou, enquanto estacionava no acostamento da pequena estrada, do lado oposto ao barranco junto da praia e à residência construída acima dele.

A casa não mudara em nada, constatou após avaliá-la com cuidado, e de repente se perguntou quanto tempo ainda levaria para que os moradores da ilha deixassem de se referir a ela como "a casa dos Logan". Com dois andares, a construção se apresentava majestosa, bem acima da praia lá embaixo, sobressaindo-se na paisagem caprichosamente, como se tivesse vida própria. Alguém recentemente pintara as janelas em um tom azul-escuro, para contrastar com a madeira cinza e quase prateada.

A varanda externa e os deques abertos ofereciam uma vista panorâmica e tão linda que tirava o fôlego. Dali dava para ver toda a enseada e o mar aberto, gigantesco, à frente. As janelas eram largas e altas, e as portas, totalmente envidraçadas. Lembrou-se de repente de que o seu antigo quarto dava vista para o mar e recordou as horas intermináveis que passara olhando para ele.

Quantas vezes o espírito imprevisível e mutante daquelas águas tinha refletido as suas próprias mudanças e incertezas.

O mar sempre conversara com Sam.

Mas a casa em si não lhe trazia nenhuma pontada de sentimento, nem sequer um traço longínquo de saudade ou nostalgia. Os moradores locais poderiam continuar chamando-a de "a casa dos Logan" por mais uma década; mesmo assim, ele sentia na alma que aquela morada jamais havia sido sua. Na sua opinião, era apenas uma excelente propriedade localizada em ponto altamente privilegiado e que tinha sido mantida em bom estado de conservação por seus donos ausentes.

Esperava, com sinceridade, que o homem que possuía o Land Rover estacionado do lado de fora estivesse satisfeito com a compra da casa e valorizasse o excelente negócio que tinha feito.

Dr. MacAllister Booke, Sam lembrava agora, da família Booke, de Nova York. Um homem com uma mente brilhante e uma propensão nada usual:

o estudo da Ciência da Paranormalidade. Fascinante. De repente, Sam se viu querendo saber se Booke, quando mais jovem, também se sentira como um estranho no ninho dentro de sua família, como acontecera com ele.

Saltando do carro, Sam caminhou em direção ao pequeno barranco que ia dar na praia. Não era a casa que o atraía, mas a pequena enseada. E a caverna.

Ficou satisfeito, mais do que poderia esperar, ao ver que havia um pequeno veleiro amarelo brilhante amarrado na pequena doca na ponta da enseada. E a embarcação era um espetáculo! Um barco lindo e bem-desenhado, avaliou, estudando suas linhas. Ele também possuíra um barco que ficara amarrado ali, anos antes. Desde criança, na verdade. Desde que lembrava de si mesmo como gente. Por causa daqueles momentos, sentiu de repente uma pontada de saudade.

Velejar tinha sido o único interesse em comum que seu pai e ele dividiram na vida.

Os melhores momentos que Sam passara com Thaddeus Logan, os únicos instantes em que houvera um tipo de ligação visceral e familiar entre eles, Sam lembrava naquele momento, tinham acontecido nos dias em que velejaram juntos.

Naqueles dias eles tinham conseguido realmente se comunicar, haviam se conectado. Durante aquelas poucas e raras horas na água, não eram apenas duas pessoas que, totalmente por acaso, devido a circunstâncias inexplicáveis, ocupavam lugares na mesma família e na mesma casa. Era uma dupla de pai e filho de verdade, que dividiam um interesse em comum. Era bom lembrar disso.

— Lindo o veleiro, não é? Acabei de comprá-lo; faz menos de um mês.

Sam se virou para trás e viu, através das lentes de seus óculos escuros, o homem que dissera essas palavras caminhar lentamente em direção ao lugar em que ele estava. Vestido com uma calça jeans desbotada e uma camiseta cinza desfiada na bainha, ele era alto, com um rosto magro, mas possuía feições marcantes, exibindo a sombra de uma barba por fazer. Cabelos louros, ainda que um pouco escuros, voavam na brisa inquieta, e amigáveis olhos castanhos se apertavam para enxergar melhor contra a luz do sol. Possuía uma compleição forte, com músculos bem-definidos em um corpo disciplinado; Sam admitiu que era muito diferente do que ele esperava de um intelectual caçador de fenômenos sobrenaturais.

Na verdade, imaginara um sujeito magro, frágil, pálido, com cara de rato de biblioteca. Em vez disso, pensou com um traço de divertida surpresa, estava diante de Indiana Jones.

— Como é que o barco se comporta na água?

— Ah, como uma pluma. É muito fácil de manobrar.

Os dois ficaram ali por mais alguns minutos, com os polegares enfiados nos bolsos da frente da calça, admirando e conversando a respeito do pequeno veleiro.

— Meu nome é Mac Booke. — Ele estendeu a mão.

— Muito prazer. Sam Logan.

— Imaginei que fosse. Obrigado pela casa.

— Na verdade, não era minha. Mesmo assim, não há de quê.

— Vamos dar uma entrada e tomar uma cervejinha.

Sam não tivera a intenção de fazer uma visita social, mas o convite foi tão descontraído e espontâneo que Sam se viu caminhando de repente em direção à casa, na companhia do novo dono.

— Ripley está por aqui?

— Não, está de serviço hoje, durante a tarde toda. Você queria vê-la para alguma coisa?

— Não, não. Absolutamente, não!

Mac simplesmente riu da resposta e, após subirem os degraus que levavam ao deque principal, abriu a porta da casa, dizendo:

— Acho que esse clima entre vocês ainda vai continuar por algum tempo. Mas é só até as coisas se acomodarem.

O deque levava até a sala de estar. Sam se lembrava do ambiente como um lugar imaculado, bem encerado, pintado em cores pastéis e com aquarelas meio desbotadas nas paredes. Também ali os tempos eram outros, pensou, enquanto analisava o ambiente. As cores eram fortes e brilhantes, e a mobília tinha como principal característica o apelo ao conforto. Havia pilhas e mais pilhas de jornais, livros e dois pares de tênis jogados em um dos cantos.

Naquele instante mesmo, um dos tênis estava sendo cuidadosamente roído por um cãozinho agitado.

— Droga! — Mac deu um pulo até chegar perto do cão, tropeçando no pé do tênis ainda intocado e tentando agarrar o outro pé. O pequeno cão, porém, foi mais rápido, e, com o tênis entre os dentes, saiu correndo.

— Mulder! — gritou o dono, nem um pouco satisfeito. — Venha cá e traga esse tênis de volta.

Sam virou um pouco a cabeça para assistir melhor à cômica cena do cabo de guerra que se formou entre o homem e o cão. O filhote perdeu a disputa, mas não pareceu muito abalado com isso.

— Mulder? — perguntou Sam a Mac.

— É... Você sabe, aquele personagem do seriado *Arquivo X*. Ripley resolveu colocar esse nome nele em homenagem a mim. Uma piada dela. — Soprou com força. — Só que não vai achar nem um pouco engraçado quando vir o estado em que o tênis dela ficou.

Sam se agachou, e o filhote, empolgado diante da perspectiva de uma nova companhia, voltou correndo para pular e dar lambidas.

— É um cão muito bonito. Qual a raça dele? Parece um Golden Retriever.

— Isso mesmo. Nós só estamos com ele há três semanas. É muito inteligente e na maior parte do tempo se comporta bem dentro de casa, mas é capaz de roer até pedra se a gente não ficar vigiando, como, aliás, você acaba de presenciar. — Suspirando, Mac pegou o cão pelo cangote e o levou até a altura de seu rosto, ficando de frente para ele, nariz contra focinho. — Você sabe muito bem quem é que vai levar um sermão mais tarde, não sabe, rapazinho?

O filhote se remexeu todo, soltando ganidos, deliciado. Começou então a lamber o queixo de Mac. Desistindo da bronca, Mac enfiou Mulder debaixo do braço e anunciou:

— A cerveja está na cozinha, vamos lá pegar. — E seguiram para os fundos, até o congelador, onde Mac apanhou duas garrafas. Em cima da mesa havia uma série de aparelhos eletrônicos, um dos quais parecia estar sendo desmontado.

Curioso, Sam esticou o braço para pegar em um deles e imediatamente fez disparar uma série de "bips" agudos e luzes vermelhas que piscavam incessantemente.

— Desculpe! — disse ele, largando o aparelho.

— Tudo bem. — Os olhos de Mac se estreitaram de forma especulativa. — Por que não levamos as cervejas lá para fora, para o deque? A não ser que você queira dar uma olhada em volta ou dar um passeio pela casa. Sabe como é, matar saudades ou algo desse tipo.

— Não, mas obrigado de qualquer modo. — No momento em que estavam se dirigindo para o deque externo, Sam deu uma olhada discreta para a escada que levava ao andar de cima e teve uma visão do seu quarto exatamente como era. Viu-se também observando o mar, ou esperando por Mia, olhando para fora pela janela.

Vindo do segundo andar, um novo disparar de "bips" e sirenes agudas começou a soar.

— Tenho mais equipamentos lá em cima — disse Mac, com descontração, e teve que se segurar para não subir correndo na mesma hora a fim de verificar as leituras. — Estou montando o meu laboratório em um dos quartos de hóspedes do andar de cima.

— Humm...

Ao chegar do lado de fora, Mac colocou Mulder no chão, e o filhote imediatamente desceu, meio desengonçado, os degraus que iam dar no pátio e começou a farejar por toda parte.

— Engraçado... — Mac tomou um gole da cerveja e se encostou ao gradil. — Ripley nunca me contou que você era um bruxo.

Sam abriu a boca, pego totalmente de surpresa, e a seguir simplesmente balançou a cabeça, dizendo:

— Ora, estou com algum cartaz pregado na testa?

— Leituras energéticas. — Mac gesticulou em volta de toda a casa. — E também, para falar a verdade, já fiz uma pesquisa extensa sobre a ilha, as famílias, árvores genealógicas, linhas de sucessão familiares, poderes herdados e assim por diante. Você praticava Magia em Nova York?

— Depende da sua definição de praticar. — Não era comum para Sam se sentir analisado como se fosse um experimento científico, e na verdade ele jamais se dispusera a permitir isso. Mas alguma coisa em Mac o deixava à vontade. — Eu jamais reneguei o dom da Arte, mas nunca saí por aí anunciando para as pessoas.

— Isso faz sentido. Então, o que acha da lenda?

— Nunca a considerei como lenda. É história, são fatos reais.

— Exatamente! — Deliciado com o rumo da conversa, Mac levantou a garrafa em uma espécie de brinde. — Eu montei uma linha de tempo, um cronograma, projetando a órbita, se é que podemos chamar assim, do círculo original, de trezentos anos atrás. Pelos meus cálculos...

— Nós temos até setembro — interrompeu Sam. — No máximo, até o equinócio.

Mac concordou lentamente, extasiado.

— Ora, ora, bravo! Bem-vindo de volta à sua casa, Sam.

— Obrigado. — Ele tomou um gole da cerveja. — É muito bom estar de volta.

— Você vai se mostrar aberto para trabalhar junto comigo?

— Seria estupidez de minha parte dispensar a assistência de um especialista no assunto. Já li todos os seus livros.

— É mesmo?

— Você possui uma mente aberta e flexível, Mac.

— Outra pessoa me disse isso, assim que cheguei aqui na ilha. — Mac pensou em Mia, mas teve tato suficiente para não mencionar o nome dela. — Posso lhe fazer uma pergunta pessoal?

— Sim, contanto que eu tenha o direito de mandá-lo cuidar da sua vida, se achar que esta deve ser a resposta.

— Combinado. Se você sabia o tempo todo que setembro deste ano era uma espécie de prazo fatal, por que esperou tantos anos para voltar?

Sam virou a cabeça e olhou para a enseada, antes de responder.

— Ainda não tinha chegado a hora. Mas, neste momento, chegou. Agora sou eu que quero lhe perguntar uma coisa. Na sua opinião de especialista, pelas suas pesquisas, seus cálculos e projeções, eu sou necessário para o destino da Ilha das Três Irmãs?

— Ainda estou trabalhando no assunto. O que sei, com certeza, é que você é uma parte do que é necessário para Mia desempenhar o seu papel na história... a terceira etapa.

— Ela vai me aceitar de volta ou não? — Quando viu que Mac franziu a testa ao ouvir isso e começou a tamborilar com os dedos no gradil, Sam sentiu uma fisgada desagradável na barriga. — Já vi que você não concorda com isso.

— A escolha de Mia, quando isso acontecer, Sam, tem a ver com os sentimentos pessoais dela. Tem a ver com aceitá-los ou não e com o que é bom para a vida dela. Isso poderá significar aceitar você, ou poderá também significar a resolução definitiva dos seus sentimentos e emoções através da rejeição à sua presença, sem maldade. — Mac limpou a garganta. — O passo final tem a ver com amor.

— Sei perfeitamente disso.

— Não é necessário que ela... Isto é, não significa, na minha opinião, que ela seja obrigada a gostar de você, agora, mas que aceite o que sentiu um dia e que não era para ser daquela maneira. Para, bem, deixá-lo ir embora da vida dela sem ressentimentos e se lembrar com carinho das coisas como eram. De qualquer modo, é uma hipótese.

A gola do casaco de Sam se levantou ao receber uma rajada súbita de vento.

— Não gosto dela.

— Eu também não gostaria, se estivesse no seu lugar. A terceira irmã se matou. Preferiu a morte em vez de enfrentar a deserção de seu amante. O círculo dela foi quebrado, e ela ficou sozinha.

— Conheço a maldita história.

— Então me escute. Mesmo naquele momento de desespero, ela protegeu a ilha e protegeu também a sua herança de sangue e a linhagem de suas irmãs. Fez tudo o que pôde com aquilo que lhe foi deixado. Mas não conseguiu, ou não quis, salvar a si mesma. Não conseguiu, ou não teve vontade, de continuar vivendo sem o amor de um homem. Essa foi a sua fraqueza, o seu erro.

Essas palavras eram diretas o bastante para Sam compreender toda a situação. A conclusão era lógica. E ele se sentiu enlouquecendo quando replicou:

— E Mia conseguiu viver sem mim, muito bem.

— Por um lado, sim — concordou Mac. — Por outro, na minha opinião, ela jamais conseguiu resolver os sentimentos com relação a você. Jamais o perdoou ou aceitou o fato de você ter ido embora. Agora vai ter que enfrentar e resolver isso, de um jeito ou de outro, e manter o coração inteiro. Se não fizer isso, ficará extremamente vulnerável, e, no momento em que o encanto de proteção se tornar mais fraco, vai perder.

— E se eu tivesse permanecido longe daqui?

— A conclusão lógica de tudo isso é que não era para você permanecer longe. E a presença de mais Magia na ilha, se não fizer bem... mal é que não vai fazer.

Sam jamais pensou que isso pudesse acontecer. Aquela conversa com Mac, no entanto, colocara dúvidas em sua cabeça. Voltara para a ilha sem questionamentos sobre o que precisava ser feito e o que seria feito.

Conquistaria o coração de Mia novamente, e, quando as coisas voltassem a ser do jeito que eram antes entre eles dois, a maldição seria quebrada. Fim da história.

Fim da história, meditava Sam naquele momento, enquanto caminhava pela praia ao longo da enseada, porque não tinha desejado olhar para além de tudo aquilo. Simplesmente queria Mia, estava pronto para ela, e isso era tudo o que importava.

Em nenhum momento pensou na hipótese de que ela talvez não o quisesse mais, ou não o amasse mais, e que isso também poderia ser a resposta certa.

Olhou para a entrada da caverna. Talvez fosse a ocasião de explorar aquela possibilidade e de enfrentar os seus fantasmas. No exato momento em que entrou na cavidade escavada sob o barranco, sentiu o coração bater mais depressa. Parou e esperou que a frequência dos batimentos diminuísse um pouco; só então abaixou a cabeça para enfrentar as sombras.

Por um instante, seus ouvidos se encheram com sons diversos. As vozes deles dois, seus risos. Os suspiros de dois amantes.

E então vieram sons de choro.

Ela viera até ali para chorar por ele. Saber disso e sentir isso o cortou em pedaços, com agudas farpas de culpa.

Esperou a sensação passar e então ficou de pé, em silêncio, ouvindo apenas o ruído do fundo das ondas que quebravam na praia.

Quando criança, aquela caverna tinha sido o esconderijo de Aladim, um covil de bandidos ou qualquer outra coisa fantástica que ele, Zack e outros amigos inventassem em suas brincadeiras.

Depois, quando já não era tão criança, ou pelo menos não mais um menino, a caverna tinha representado Mia.

Suas pernas ficaram um pouco bambas assim que ele se moveu devagar até o fundo da parede; ajoelhou-se e viu as palavras que seus próprios dedos haviam entalhado para ela. Mia não as havia apagado. Até aquele momento, até o instante em que sentiu o punho fechado que agarrara seu coração aliviar a pressão dentro do peito, Sam não percebera o medo que sentia de que ela tivesse feito isso. Se tal coisa tivesse acontecido, o coração dela estaria perdido para ele.

Agora e para sempre.

Ao esticar a mão, um facho de luz preencheu as palavras, parecendo transbordar de dentro delas como se fossem lágrimas douradas. Ele sentiu que naquela luz ainda estavam todos os sentimentos que o jovem do passado havia sentido ao escrevê-las, por Magia e absoluta fé no futuro.

Sentiu-se abalado ao perceber que havia tanto sentimento explodindo dentro daquele menino, que o homem em que ele se transformara ainda se sentia envolvido e emocionado. E que a dor ainda estava presente.

O Poder ainda estava ali. Por que motivo ainda estaria, e tão forte, se não significasse mais nada? Apenas a sua vontade e o seu desejo haviam trazido de volta à vida tudo o que existira?

Eles haviam se amado ali, tão enroscados um no outro que o mundo poderia ter acabado e eles nem sequer teriam notado ou se importado. Ali eles compartilharam os corpos, os corações e a Magia um com o outro.

Ele podia vê-la, naquele momento, levantando o corpo acima do seu, com os cabelos parecendo chamas fora de controle, a pele completamente dourada. Seus braços se levantavam enquanto ela levava os dois corpos unidos em uma cavalgada que ultrapassava os limites da razão.

Ou, então, a via aconchegada junto a ele, dormindo com a boca curvada de contentamento.

Ou sentada junto dele enquanto conversavam, com o rosto aceso de empolgação e alegria, tão cheia de planos, tão jovem.

Será que o destino dele era deixá-la ir embora, antes de tê-la por mais uma vez? Ser perdoado para depois ser esquecido?

A ideia apunhalou seu peito e o deixou tremendo enquanto ele se levantava. Incapaz de suportar a pressão das lembranças por mais tempo, virou as costas e saiu da caverna sem olhar para trás.

Ao sair para a luz do sol, em um clarão rápido ele a viu de pé, olhando para ele com as costas voltadas para o mar.

Capítulo Cinco

Por um momento, tudo o que Sam conseguiu fazer foi ficar parado, ali, olhando para ela, enquanto velhas lembranças e velhos desejos se entrelaçavam com novos. O tempo não havia parado para eles. Mia não era mais a menina ágil que se atirava de cabeça sobre as ondas, sem receio. A mulher que agora sustentava seu olhar de modo avaliador e distante adquirira uma camada de polimento e sofisticação que a menina do passado não possuía.

A brisa fazia seus cabelos dançarem freneticamente, formando espirais de fogo. Aquilo, pelo menos, não mudara.

Mia aguardou com toda aparência de calma, enquanto ele caminhava em sua direção, mas Sam não percebeu nenhum sentimento acolhedor.

— Estava me perguntando quanto tempo ia levar até você vir até aqui. — A voz de Mia estava em tom baixo e parecia tão estudada quanto seu olhar. — Não estava certa se você teria coragem.

Era difícil, terrivelmente difícil, conversar de forma racional quando as emoções e as imagens do interior da caverna continuavam a agitá-lo por dentro.

— Você vem sempre aqui, Mia?

— E por que motivo viria? Se eu quiser olhar para o mar, posso ficar de pé sobre os meus penhascos. Se quiser ir à praia, é uma caminhada curta da loja até lá. Não há nada aqui que faça a viagem valer a pena.

— Mas você está aqui, agora.

— Por curiosidade. — E sua cabeça pendeu ligeiramente para o lado. As pedras dos brincos, em um tom forte de azul-escuro, refletiram a luz em várias direções. — E você, Sam, conseguiu satisfazer a sua?

— Senti a sua presença ali dentro, Mia. Senti a presença de nós dois.

Ele ficou surpreso quando viu os lábios dela se curvarem, em um sorriso quase afetuoso.

— É que o sexo possui uma energia muito forte, quando bem-feito. Nunca tivemos problemas nessa área. Bem, quanto a mim, todas as mulheres guardam certa lembrança sentimental da primeira vez que se entregaram a um homem. Eu, por exemplo, me lembro desse evento em particular com um carinho muito especial, embora com o tempo tenha aprendido a me arrepender pela escolha do parceiro.

— Mia, eu jamais pretendi... — Ele parou de falar de repente, xingando-se baixinho.

— Jamais pretendeu me magoar? — Ela terminou a frase por ele. — Mentiroso.

— Você está certa. Tem toda razão. — O que quer que acontecesse a partir daquele ponto, se ele estava realmente fadado a perdê-la, poderia e deveria pelo menos ser honesto a respeito desse detalhe. — Eu tinha consciência de que *iria* magoá-la. E acho que consegui desempenhar a tarefa com perfeição.

— Ora, ora, você agora está conseguindo me surpreender. — Ela virou o rosto para o lado, porque doía muito ficar olhando para ele, vê-lo ali parado diante dela, de pé, de costas para a boca escura da caverna que tinha sido deles.

Era doloroso sentir os ecos daquele amor sem limites que consumia tudo e que um dia ela sentira por ele.

— Finalmente, a verdade nua e crua, depois de todos esses anos.

— Ter a consciência de estar fazendo algo cruel e mesmo assim fazer, aos 20 anos, não significa que eu não esteja arrependido agora.

— Não quero o seu arrependimento.

— Então que diacho você quer de mim, Mia?

Ela ficou observando o eterno flerte entre a água do mar e a areia.

Sentiu a ponta de irritação na voz dele, constatando que aquilo era um sinal incontestável do seu temperamento mutante e volúvel. Isso a deixou satisfeita. Quanto mais desconfortável ele estivesse, mais ela se sentiria no comando.

— Vamos trocar uma verdade por outra, então, Sam — disse ela. — O que eu quero realmente é que você sofra, que pague e depois volte para Nova York, para o inferno ou para qualquer outro lugar que escolha, desde que não seja aqui.

Olhando para trás, para ele, por cima dos ombros, ela mostrou um sorriso gelado como o inverno.

— Parece-me tão pouco a pedir, na verdade.

— Eu voltei para a Ilha das Três Irmãs, de vez. Voltei para ficar.

Mia virou totalmente o corpo na direção dele. Sam parecia dramático, pensou. Romântico. Sombrio e preocupado. Cheio de ódio e com os sentimentos em turbilhão. Por causa disso tudo, ela resolveu se aproveitar um pouco mais da situação e lhe deu mais uma cutucada.

— Ficar aqui para quê? Para administrar o hotel? Seu pai o administrou durante muitos anos sem estar aqui.

— Eu não sou meu pai!

O jeito como ele disse isso, sob a forma de uma pequena explosão verbal, desencadeou outras lembranças em Mia. Sam sempre tivera aquela necessidade de confirmar o seu valor diante de si mesmo, de se colocar à prova. Era uma eterna guerra interior dele contra Samuel Logan. Mia encolheu os ombros.

— Bem, em todo caso, imagino que em pouco tempo vá ficar aborrecido com o ritmo lento da vida na ilha e vai fugir novamente. Como fez antes. Vai se sentir "preso em uma armadilha", creio que foi o termo que você usou na ocasião. Sentia-se aprisionado aqui. Portanto, é só uma questão de tempo até que você vá embora novamente.

— Então você vai ter que esperar muito tempo, Mia — avisou, enfiando as mãos nos bolsos. — Deixe que eu esclareça, porque parece que você não entendeu o espírito da coisa. Isso vai evitar que fiquemos rodeando e voltando eternamente a esse assunto. Minhas raízes estão aqui, da mesma forma que as suas. O fato de você ter passado o período dos 20 aos 30 anos aqui na ilha, enquanto eu estive fora, não muda a realidade de que nós dois viemos do mesmo lugar. Nós dois temos negócios aqui, e além disso possuímos, ambos, uma finalidade específica na vida, cuja origem remonta a séculos antes de nós. O que pode acontecer agora com a Ilha das Três Irmãs vai afetar tanto a mim quanto a você.

— Um discurso muito interessante, vindo de alguém que foi embora de forma tão casual.

— Não houve nada de casual na minha partida! — começou a retrucar, mas ela tinha lhe dado as costas mais uma vez e já estava tentando subir pelo pequeno barranco.

Deixe-a ir, sua mente ordenou. *Deixe-a ir embora. Se esse for mesmo o seu destino, rapaz, não há como vencê-lo. Não deveria, pelo bem do todo, ser combatido.*

— Para o inferno! — As palavras saíram roucas, sussurradas entre os dentes, enquanto ele ia atrás dela. Agarrando-a pelo braço, Sam a fez girar de modo tão rápido que seus corpos colidiram. — Não houve *nada* de casual a respeito da minha partida— repetiu. — Não foi nada impulsivo nem descuidado.

— É assim que você justifica a sua atitude? — atirou ela de volta. — É assim que acerta as coisas então? Você só foi embora porque alguma coisa servia aos seus interesses na época e só está voltando agora porque algo interessa a você neste momento. E já que está aqui na ilha mesmo, que tal finalmente tentar reavivar as antigas brasas adormecidas, não é verdade?

— Fiquei na minha o tempo todo com relação a isso, Mia. — Ele arrancou os óculos escuros, jogando-os no chão. Seu olhar era abrasador e de um verde flamejante. — Fiquei na minha, mas só até agora.

Ele esmagou a boca de encontro à dela, permitindo-se segurá-la com força, deixando que o turbilhão de emoções que o atormentavam desde que deixara o interior da caverna explodisse com toda a força, cobrindo os dois. Se estava para ser condenado, então seria condenado por tentar reconquistar o que queria e não por desistir de tudo com facilidade.

O sabor único dela percorreu-lhe o corpo como um rastilho de pólvora, chamuscando-lhe os nervos e enevoando os sentidos. Seus braços se apertaram ainda mais em volta dela, até que seu corpo delgado e firme ficou moldado ao dele. De encontro ao seu coração, o dela batia descompassado, galopando em disparada até que as frequências foram se juntando em uníssono, batendo exatamente no mesmo instante.

O perfume dela, mais forte do que ele se lembrava, e de certa forma mais proibido, deslizou para dentro dele, serpenteando através dos seus sentidos até que se viu completamente amarrado por mil nós. As lembranças da menina do passado e a realidade da mulher do presente, ambas se mesclaram e se uniram em uma só, transformando-se em Mia.

Disse o nome dela uma vez, ainda com os lábios se movendo junto de sua boca, e então ela se soltou.

Sua respiração estava tão ofegante e descompassada quanto a dele. E seus olhos estavam imensos, escuros, ilegíveis. Ele esperava ser xingado e humilhado, mas não se importava; tudo isso valia o preço daquela pequena prova do paraíso.

Só que ela se atirou de volta sobre ele em um movimento rápido e inesperado. Jogando os braços em volta dele e apertando-lhe o pescoço com o corpo junto ao dele, parecia estar tentando pegar de volta o que ele acabara de lhe tirar.

Sua boca estava em febre, e a dor daquilo parecia pulsar dentro dela. Ele tinha sido o único homem que a fizera sofrer muito e também o único que lhe dera verdadeiro prazer. Os dois lados da lâmina de uma mesma espada que continuava enterrada nela e que ela continuava a suportar.

Ela o tinha provocado, cutucara as pontas soltas de seus nervos em frangalhos com um único e específico propósito. Este. Apenas este. Quaisquer que fossem os riscos, qualquer que fosse o preço, ela teria que saber.

Mia ainda se lembrava do sabor dele, da textura de sua pele, do calafrio que sentia quando suas mãos subiam da cintura até agarrar as pontas dos cabelos com ardor. Mia revivia tudo aquilo naquele momento e experimentava o novo.

Ele mordeu levemente o seu lábio inferior, apenas um leve beliscão, antes de a língua alisar o mesmo local, para massageá-lo e envolvê-lo. Ela girou um pouco a cabeça e mudou ligeiramente o ângulo do beijo, desafiando-o a segui-la, a circular em torno da escorregadia borda daquele poço de profundas necessidades físicas.

Um dos dois tremeu de emoção de repente. Ela não estava bem certa qual dos dois, mas isso foi suficiente para lembrá-la de que um passo em falso poderia levá-la a uma queda. E o tombo seria longo e doloroso.

Afastando-se dele, Mia puxou o corpo para trás e se desvencilhou dos seus braços, enquanto as reverberações daquele marcante encontro entre as duas bocas continuavam a remexer em muitas emoções ao mesmo tempo.

Foi então que ela soube. Ele ainda era o único homem que poderia atingi-la e se colocar à altura das suas paixões.

A voz dele estava rouca e longe de se mostrar firme no momento em que falou.

— Isso prova muita coisa.

Ajudava, pelo menos, saber que ele ficara tão desnorteado quanto ela. No entanto, Mia não se deu por vencida.

— Prova o quê, Sam? Que ainda existe calor entre nós dois? — Ela abanou as mãos como se espantasse um inseto, e um dueto de chamas azuis começou a dançar nas palmas de suas mãos. — O fogo pode ser aceso com muita facilidade. — E, fechando as mãos, abriu-as novamente, mostrando desta vez as palmas completamente vazias. — E pode ser também facilmente extinto.

— Não tão facilmente! — Ele tomou a mão dela novamente, sentindo o pulsar de energia em seu sangue. E sabia que ela sentia o mesmo no sangue dele, também. — Não tão facilmente, Mia.

— Desejar você apenas com o meu corpo significa tão pouco, Sam. — Ela afastou a mão dele, olhando mais uma vez, com melancolia no rosto, para o fundo da caverna. — Apenas serve para me fazer ficar triste por estar aqui, por lembrar o quanto mais do que isso ambos esperávamos um do outro e o quanto esperamos de nós mesmos, um dia.

— Não acredita em novos começos? — Ele esticou os braços para alcançar os cabelos dela, acariciando-os. — Nós dois mudamos. Por que não aproveitamos a oportunidade para voltarmos a nos conhecer?

— Você quer apenas me levar para a cama, Sam.

— Ah, sim. Quanto a isso não há dúvida!

Ela riu, com vontade, surpreendendo a ambos e dizendo:

— Mais honestidade. Vou acabar ficando sem fala, de tão espantada.

— Eu poderia tentar seduzir você, eventualmente, mas...

— O jogo da sedução é valorizado demais — interrompeu Mia. — Não sou mais uma virgem apavorada, Sam. Se resolver que vou dormir com você, então eu simplesmente farei isso.

— Que ótimo, então — disse ele, soprando o ar com força. — Por coincidência eu tenho um hotel inteiro à minha disposição.

— "Se" é a palavra-chave aqui — respondeu ela, suavemente. — No momento em que o "se" se transformar em "quando", você vai saber.

— E vou estar disponível. — Para dar a si mesmo uma oportunidade de retomar o equilíbrio, Sam se abaixou para apanhar os óculos que atirara longe. — O que estou querendo dizer, Mia, é que, enquanto eu fico com o meu jogo de sedução, poderíamos combinar de jantar juntos, amigavelmente.

— Não estou interessada em ter encontros com você. — Virou-se para caminhar na direção do barranco, subindo para a estrada, e ele a seguiu de perto.

— Estou falando apenas de uma refeição civilizada, com conversas inteligentes, que possa nos dar a oportunidade de ver no que nos tornamos. Se você não quiser chamar isso de encontro, podemos chamar de reunião de negócios entre dois dos empresários mais importantes da ilha.

— A semântica não modifica a realidade. — E ela parou ao lado do carro. — Vou pensar a respeito de sua proposta.

— Ótimo! — Abriu a porta da frente do carro para ela, mas na mesma hora barrou-lhe a passagem, impedindo-a de entrar. — Mia...

Fique aqui comigo, é o que ele queria dizer. *Senti muitas saudades de nós dois...*

— O que é, Sam?

Ele balançou a cabeça e saiu de lado, dizendo apenas:

— Dirija com cuidado.

Mia foi direto para casa, mantendo a sua mente implacavelmente desligada do que acontecera, enquanto tirava o vestido e colocava roupas apropriadas para trabalhar no jardim. Sua imensa gata preta, Isis, esfregava-se suavemente entre suas pernas, enquanto ela se dirigia para o lado de fora da casa. Ao chegar à estufa, foi direto dar uma olhada em suas novas mudas, selecionando uma bandeja para colocá-las lá fora, a fim de pegarem um pouco de sol. Isso as fortaleceria o suficiente para Mia transplantá-las para o solo, quando chegasse o próximo mês.

Pegando as ferramentas, pôs-se ao trabalho para preparar a terra.

Seus narcisos já estavam de pé, dançando na brisa, enquanto os jacintos perfumavam o ar. A temperatura havia aumentado, e estava incentivando as tulipas a abrirem seus brotos. Logo, logo, Mia imaginou, elas estariam desfilando cores múltiplas, em uma doce parada.

Ela o havia manipulado para que a beijasse, admitia agora, enquanto revolvia a terra. Depois que uma mulher descobria os botões certos a apertar em um homem, jamais se esquecia do ponto certo onde atuar.

Ela sentira desejo de se lançar em seus braços e queria sentir-lhe a boca colada à dela.

Isso não era um crime, não era pecado. Na verdade, não era sequer um erro, analisava agora. Ela precisava ter certeza. E, agora, tinha.

Ainda havia muita energia entre eles. Não podia dizer que isso a surpreendia. Entre o último beijo, mais de dez anos antes, e o de hoje, nenhum homem havia conseguido realmente agitá-la por dentro. Houve um tempo em que chegara a pensar que uma parte dela simplesmente havia morrido quando ele se fora. Os anos, porém, tinham fechado a ferida, e ela aprendera a reconhecer e até mesmo a gostar da própria sexualidade.

Apareceram outros homens em sua vida. Homens interessantes, homens divertidos e, muitos deles, atraentes. Nenhum, porém, conseguira girar aquela chave secreta que abria a sua porta íntima para aquele turbilhão de sentimentos arrebatadores.

Mia aprendera a se contentar sem isso.

Até aquele momento.

E agora, o que fazer?, avaliava, observando as glicínias, que estavam começando a assumir um tom verde-claro e logo iriam explodir em floração, espalhando cores únicas em um dos seus canteiros. Agora, o que ela queria e acreditava, ou pelo menos precisava acreditar, é que teria seu prazer, mas dentro dos seus próprios termos. E protegeria o coração.

Afinal, ela era humana, não era? Tinha direito às necessidades básicas de uma mulher normal.

Desta vez, no entanto, seria cautelosa, seria calculista e se manteria no controle. Era sempre melhor enfrentar um dilema de frente do que virar as costas para o que não podia ser ignorado.

Seus móbiles pendurados nos galhos em volta cantavam alegremente com o vento, mas a música que emitiam parecia ridicularizá-la. Mia olhou para o lugar em que Isis estava, completamente esparramada sob o sol, observando-a cautelosa.

— O que poderia acontecer, Isis, se eu o deixasse ser o maquinista deste trem? — perguntou Mia. — Não conseguiria ter certeza sequer do destino, não é mesmo? Por outro lado, se eu escolher os trilhos por onde seguir, *eu* vou escolher a estação onde saltar.

A gata respondeu a isso com um som que se situava entre um grunhido e um ronronar.

— Você é que pensa! — murmurou Mia. — Sei exatamente o que estou fazendo. E acho que vou jantar com ele. Só que aqui, em meu território. — Enfiou a pá de jardinagem com força dentro da terra. — E só quando me sentir serena e pronta.

Isis se levantou, atirou a cauda perpendicularmente para o ar como quem levanta um braço e a seguir foi caminhando até o pequeno lago, para olhar de perto os peixinhos dourados que emitiam reflexos de sol por entre os lírios.

Nos dias que se seguiram, Mia tinha muitas coisas em que pensar para dar atenção às críticas de uma gata, ao jantar em companhia de Sam ou, potencialmente, levá-lo para sua cama. Lulu andava distraída e de mau humor. Mais mal-humorada do que de costume, Mia notou. As duas haviam se estranhado e discutido por causa de insignificâncias relacionadas com o trabalho na livraria.

Isso acabou por forçar Mia a admitir que ela mesma estava um pouco mal-humorada, naqueles dias. De qualquer forma, a proposta de expansão da loja que Nell apresentara havia acendido um foco de interesse e fornecia um pouco de energia extra para contrabalançar a que havia sido gasta naqueles momentos com Sam junto à caverna, sob o barranco.

Mia se encontrou com um arquiteto, um empreiteiro, depois com o gerente do banco, e gastou várias horas fazendo cálculos e projeções de custos.

Não ficou nada satisfeita ao saber que o empreiteiro que queria já estava com a maior parte do seu tempo comprometida com Sam, durante os próximos meses, para a renovação completa de diversas suítes da Pousada Mágica. Mas tentava avaliar isso de modo frio e até filosófico. Afinal, droga, Sam o havia contratado antes dela.

Tanto a renovação do hotel quanto a expansão de sua loja, lembrou a si mesma, seriam coisas muito boas para a ilha.

E como o clima continuasse quente, estava sempre nos seus jardins em casa e nos pequenos canteiros que plantara nos fundos da livraria.

— Oi, Mia... — Ripley estava circulando pelos jardins nos fundos da loja, chegando da rua. — Isto aqui está ficando muito bonito — comentou, olhando em volta.

— É... está mesmo. — Mia continuou a plantar. — A lua tem estado quente, meio amarelada, durante toda a semana. Não teremos outra frente fria por agora.

— Foi você que fez este jardim aqui atrás? — Ripley apertou os lábios.

— Estou preparando o ambiente do meu próprio universo, certo?

— Tudo bem, o que quer que isso signifique. Mac também anda com essa ideia de plantar coisas em volta da casa. Está fazendo pesquisas sobre o tipo de solo adequado, a flora mais apropriada para o clima e para o local, todo esse blá-blá-blá. Eu falei que era mais fácil perguntar tudo a você.

— Será bem recebido.

— Ele está planejando vir até o centro da cidade para entrevistar Lulu uma hora dessas, para o livro dele ou algo assim. De repente marca um encontro com você, também.

— Tudo certo.

— Sabe, Mia?... Tive um sonho muito esquisito uma noite dessas, com a Lulu. Tinha alguma coisa a ver com Mel Gibson e sapos.

Mia parou de trabalhar e olhou para cima, franzindo a testa.

— Sapos?...

— Não eram as suas pererecas bonitinhas de jardim, não. Era um sapão, gordo, feio e assombrado. — Ripley franziu as sobrancelhas, mas só conseguia juntar pedaços do sonho, em partes vagas e desconexas. — Havia alguma coisa também a respeito daquele monstrinho ridículo de pedra, com a língua de fora, que ela tem no jardim. Muito esquisito! — disse, novamente.

— Conte isso para Lulu. Talvez ela se interesse em saber se o Mel Gibson estava nu.

— É, provavelmente. Enfim... — Ripley enfiou as mãos nos bolsos, e trocou o peso de uma perna para a outra, antes de repetir. — Enfim... acho que você já sabe que o Sam passou lá em casa, alguns dias atrás.

— Já sei. — Mia murmurou um encanto mentalmente, enquanto enterrava uma muda no solo. — É natural que ele quisesse olhar a casa novamente, depois de tanto tempo.

— Pode ser, mas isso não justifica que Mac o tenha convidado para entrar e ainda por cima dividido uma cerveja com ele. Pode acreditar, quase arranquei o couro dele por causa disso.

— Ripley, não há motivos para Mac ser rude ou mal-educado; de qualquer modo, isso não faz parte da natureza dele.

— Sei, sei... — Que foi, ela lembrou, o motivo para a briga não ir adiante. — Só que eu não sou obrigada a gostar disso. Depois, ele veio com essa conversa-fiada do papel de Sam na lenda da ilha, nos caminhos do destino, e na sua função, Mia, de manter o círculo intacto.

O estômago de Mia deu uma reviravolta, mas conseguiu manter as mãos firmes enquanto pegava outra muda para plantar.

— Jamais considerei as opiniões de Mac sobre esse assunto como "conversa-fiada".

— É porque você não mora com ele. — E, dando um suspiro, em um impulso Ripley se colocou de cócoras ao lado de Mia.

Houve uma época, não fazia muito tempo, em que esse simples gesto de aproximação seria muito difícil para ela. Mesmo assim, ainda levou alguns instantes até que ela descobrisse realmente o que queria falar com Mia e como deveria dizê-lo.

— Tudo bem, Mia... Mac é maravilhosamente esperto, é perfeito, e nove vezes entre dez está certo no que diz, o que o torna muito irritante no dia-a-dia.

— Você é louca por ele... — murmurou Mia.

— Sou mesmo. Ele é o intelectual mais sexy do planeta e é todinho meu. Só que até mesmo o surpreendente Dr. Booke pode estar errado, uma vez na vida. Só queria dizer que eu não acho que Sam Logan tenha alguma coisa a ver com qualquer assunto relacionado com o destino da ilha.

— Sucinta e sentimental.

— Ora, que diacho ele teria a ver com essa história? — Ripley levantou as mãos e as deixou cair de volta, frustrada. — Tudo bem, vocês dois tiveram um caso quando ainda eram praticamente crianças, e você se arrasou completamente quando ele terminou tudo. Apesar disso, está lidando muito bem com o fato de ele ter voltado de repente. Continua a cuidar dos seus negócios como se nada tivesse acontecido e se mantém a distância. Já andou até dando uns foras nele, e nenhum raio caiu do céu.

— Vou dormir com ele.

— Então eu acho que são muito pequenas as possibilidades de ele ter alguma importância no seu papel de... O quê?... O *que* foi que você disse?... — A boca de Ripley se abriu completamente e sua cabeça levantou como se fosse começar a gargarejar. — Meu doce Jesus Cristo!

Enquanto os lábios de Mia se esticavam para o lado em um sorriso incontrolável, Ripley se pôs de pé com um pulo e passou a atacá-la com fúria total.

— O que é que você está pensando? Pirou de vez? Vai dormir com o sujeito? Vai recompensar o sem-vergonha com sexo, como prêmio por ele ter dado o fora em você?

Todo o sentimento de diversão se foi de repente. Tirando as luvas de jardinagem com cuidado, Mia se colocou lentamente de pé.

— Estou pensando como uma pessoa adulta. Já sou grandinha o bastante para tomar minhas próprias decisões. Sou uma mulher solteira, sem compromissos, saudável, que já completou 30 anos e é livre para ter um relacionamento físico com um homem igualmente solteiro e saudável.

— Mas não é um homem! É Sam Logan!

— Talvez você devesse gritar um pouco mais alto. Acho que a Sra. Bigelow, do outro lado da rua, ainda não conseguiu ouvir com clareza.

— Meu mal foi dar crédito demais a você. — Ripley estava rangendo os dentes de raiva, oscilando para a frente e para trás sobre os calcanhares. — Estou vendo isso agora. Achei que você ia dar um chute na bunda dele, de um jeito ou de outro, depois ia sacudir a poeira das mãos e ir embora. Não sei por que pude achar que você tinha essa coragem dentro de você. Nunca teve, mesmo...

— O que quer dizer com isso?

— Exatamente o que eu disse. Se você quer se esfregar com Sam e depois dormir agarradinha, vá em frente e quebre a cara. Só não venha me procurar depois para ajudar a catar seus pedaços quando se espatifar de novo.

Mia se agachou para pegar a pontiaguda pá de jardinagem, que ficara no chão. Mesmo uma mulher controlada e civilizada tinha que tomar cuidado quando tinha uma arma nas mãos. Tentando se controlar, replicou:

— Não precisa se preocupar com isso, Ripley. Já tenho bastante experiência nessa área com você. Quando ele me deixou, você também me cortou de sua vida, tão fria e completamente quanto ele. Manteve-se afastada de mim por dez anos. Afastada do dom que compartilhamos e de todas as alegrias e responsabilidades que dividimos. E, apesar disso, ainda tenho forças para juntar as mãos com você e formar o círculo, sempre que é necessário.

— Não tive escolha, Mia.

— Tão conveniente dizer isso agora, não é? Quando uma pessoa deixa a outra arrasada, quase sempre é porque não teve escolha.

— Não consegui ajudá-la.

— Você não conseguiu nem ficar a meu lado. E eu precisava muito de você naquele momento, para estar ali. — Mia disse isso com calma e se virou para ir embora.

— Realmente não consegui! — Ripley pegou no braço de Mia e apertou os dedos nele, com firmeza. — Foi tudo culpa daquele verme. Quando ele a abandonou, Mia, tudo o que você fazia era deixar o coração sangrar o dia inteiro, e eu...

— Você o quê?...

— Não quero falar sobre isso. — Ripley deixou a mão cair.

— Você bateu na porta, delegada. Tenha a coragem de entrar, agora que ela se abriu.

— Tudo bem, ótimo. — Começou a caminhar para a frente e para trás. A raiva ainda fazia suas bochechas ficarem vermelhas, mas seus olhos estavam vidrados. — Você deu de andar de um lado para o outro, que nem um zumbi, durante semanas, quase sem funcionar, quase sem respirar. Parecia alguém que não estivesse conseguindo se recobrar de uma doença terrível e talvez jamais conseguisse.

— Provavelmente pelo fato de ter tido o coração completamente despedaçado.

— Sei disso porque senti tudo junto com você. — Fechando o punho, Ripley bateu com força no próprio peito. — Senti tudo o que você sentiu. Não conseguia mais dormir, não conseguia nem comer. Na maioria dos dias, mal conseguia me levantar da cama, de tão fraca. Era como se eu estivesse morrendo, de dentro para fora.

— Se você está falando de empatia, eu nunca duvidei de que... — E Mia começou a gaguejar.

— Não sei que nome você dá a isso — Ripley replicou, com firmeza. — O que eu experimentei foi uma coisa física. Senti em meu corpo tudo o que você sentiu. E não conseguia aguentar aquilo. Queria fazer alguma coisa. Queria que *você* fizesse alguma coisa. Queria que se vingasse dele, o machucasse de alguma forma. E quanto mais o tempo passava, mais furiosa eu ficava. Se eu estivesse louca, talvez isso não me machucasse tanto. Eu não conseguia superar a dor e a raiva.

E parou um pouco para tomar fôlego, antes de continuar.

— Fiquei parada do lado de fora, nos fundos de casa, uma tarde. Zack tinha acabado de chegar de um passeio de barco, minutos antes. E de repente toda a raiva que eu sentia aumentou. Pensei em tudo o que gostaria de fazer, em tudo o que poderia fazer. Estava dentro de mim o Poder para fazer aquilo. De repente, atraí um raio do céu, que estava totalmente claro.

Um raio preto e poderoso. E ele destruiu o barco onde Zack estivera até poucos minutos antes. Se o tivesse atraído um pouco mais cedo, eu o teria matado e não conseguiria ter controlado aquela força.

— Ripley... — Abalada, chocada com a história, Mia esticou o braço para tocar o da amiga. — Meu Deus, isso deve ter deixado você horrorizada.

— Muito mais que isso.

— Gostaria de que você tivesse contado tudo isso para mim. Eu poderia ter tentado ajudar você.

— Mia, você não estava conseguindo ajudar nem a si mesma. — Suspirando fundo, por finalmente ter conseguido tirar aquele imenso peso dos ombros, depois de tanto tempo, Ripley balançou a cabeça. — De minha parte, eu não podia conviver com a possibilidade de machucar alguém. Não podia lidar com... Não sei... A intimidade da minha ligação com você. Sabia que, se contasse tudo o que tinha acontecido, você ia acabar me convencendo a jamais desistir da Arte. Consegui ver apenas uma saída para escapar daquela situação, que foi a de me afastar, de repente e de forma radical, de você, antes que eu fizesse, sem querer, alguma coisa que não conseguiria desfazer depois.

— Fiquei furiosa com você — reagiu Mia.

— Eu sei. — Ripley fungou um pouco, mas estava apenas indiretamente envergonhada. — E eu fiquei ainda com mais fúria. No final, foi mais fácil, ou talvez mais confortável para mim, ficar em pé de guerra com você o tempo todo do que continuar sendo sua amiga.

— É... talvez tenha sido mais fácil para mim também. — Era algo muito difícil de admitir, depois de tantos anos, que descontar a raiva e jogar a culpa em cima de Ripley tinha ajudado a diminuir a dor das feridas. — Sam tinha ido embora de vez, Ripley, mas você ainda estava aqui. Espetar você e implicar com você sempre que possível era uma espécie de satisfação e vingança, ainda que pequena.

— E você era muito boa nisso.

— Bem... — Com um risinho curto, Mia ajeitou os cabelos para trás. — Era apenas um dos meus pequenos talentos.

— Eu sempre adorei você, mesmo quando a chamava de nomes horríveis.

Lágrimas ameaçavam surgir, a qualquer momento, nos olhos de Mia. Uma pedra que estivera dentro de seu coração, por tanto tempo, em um instante estava se dissolvendo. Completou os dois passos que as separavam uma da outra e enlaçou seus braços em volta da cintura de Ripley, segurando-a e apertando-a com força.

— Tudo bem... — Mia mal conseguiu dizer, enquanto Ripley batia carinhosamente em seus ombros. — Tudo bem...

— Eu senti tanta falta sua, Mia. Tanta falta!

— Eu sei. Eu também. — Ela soltou um suspiro instável, para logo depois piscar repetidas vezes ao notar que Nell estava em pé, bem ao lado da porta dos fundos da loja, chorando em silêncio.

— Desculpem eu ter chegado no meio disso tudo, mas, bem, no momento em que estava decidindo se devia separar vocês duas ou simplesmente voltar lá para dentro, fiquei presa aqui. — Ela espalhou lenços de papel para todos os lados. — Desculpem por ter ficado ouvindo, mas é que me senti tão feliz que não pude evitar.

— Que trio, hein? — Ripley fungou com força. — Agora eu vou acabar a minha ronda com os olhos vermelhos de tanto chorar. Olhem o mico que vou pagar pelo resto do dia.

— Ora, pelo amor de Deus, mulher, faça um encanto de beleza e livrese desse inchaço nos olhos. — Mia acabou de enxugar o rosto e a seguir fechou os olhos, murmurando um cântico compassado com os lábios quase fechados. Quando os abriu novamente, eles estavam brilhantes, límpidos e lindos como nunca.

— Sempre a exibida! — murmurou Ripley.

— Eu ainda não consigo fazer isso assim tão depressa — começou a falar Nell, extasiada. — Você acha que se eu...

— Pare com isso; não vamos começar a fazer uma convenção de bruxas aqui no meio da rua. — Ripley abanou a mão. — E já que está aqui, Nell, eu preciso de ajuda para resolver um assunto. Escute só este absurdo: Mia está planejando transar com o Sam.

— Você tem tanta sutileza para usar as palavras, Ripley! — disse Mia. — Isso é algo que jamais deixa de me impressionar.

— A questão é: não importa o nome que você dê, isso é um erro. — E Ripley deu uma cutucada com o cotovelo no braço de Nell. — Vamos lá, fale o que pensa disso.

— O assunto não é da minha conta.

— Medrosa. Você está querendo é tirar o corpo fora — afirmou Ripley, com ar de nojo.

— Para salvar você dos insultos e evitar que Ripley tenha que morder a própria língua depois, eu mesma vou pedir a sua opinião, Nell. — E Mia levantou as sobrancelhas. — Se você tiver alguma opinião formada sobre o caso...

— A minha opinião é que a decisão é toda sua, Mia. E, se — continuou Nell, ignorando o olhar fulminante de Ripley — você está considerando a possibilidade de ir para a cama com ele, isso significa que ainda se sente atraída o suficiente para considerar a ideia. Todos sabem que você jamais faz alguma coisa movida por impulsos ou de modo impensado. A mim parece que até o momento em que você conseguir tirar Sam da sua vida, se for o caso, ou resolver como lidar com os seus sentimentos, você continuará em conflito, inquieta e sem paz.

— Obrigada, Nell. Agora...

— Eu ainda não acabei — disse Nell, e limpou a garganta para continuar. — A intimidade física vai resolver apenas um aspecto dos seus conflitos e provavelmente o mais fácil deles. O que vai acontecer depois vai depender unicamente de você se abrir por dentro ou se fechar de vez. Essa decisão também terá que ser sua.

— Penso nisso como uma forma de resolver antigos assuntos que ficaram pendentes. Até dar esse passo, não vou poder saber com clareza o que fazer em seguida.

— Então, simplesmente veja na bola de cristal o que vai acontecer — sugeriu Ripley, com impaciência. — Você sempre foi uma fera em visões futuras.

— E você acha que eu já não tentei? — Algumas das frustrações represadas começaram a aparecer. — Não consigo ver o meu futuro. Vejo apenas a minha antepassada, a que se chamava Fogo. Vejo-a nos penhascos, em pé, com a tempestade rugindo furiosa e a névoa preta envolvendo-a. Sinto sua força, mas também o seu desespero. E, naquele último instante antes do salto fatal, ela parece esticar os braços na minha direção. Não consigo descobrir se é para me passar um último elo ou se é simplesmente para me arrastar com ela para o abismo.

Os olhos de Mia se enevoaram, e o ar em volta se tornou mais denso.

— Depois disso — continuou —, me vejo sozinha e sinto a escuridão fechar o cerco em torno de mim, até chegar mais perto e ficar mais grudada, mais apertada... Mais sufocante. E tão fria que parece que o ar pode se quebrar como gelo, a qualquer momento. Neste instante, sinto que, se conseguir chegar até a floresta, até a clareira onde fica o coração da ilha, nós três poderemos formar o círculo, e assim a escuridão vai se quebrar em mil pedaços, de uma vez por todas. Só que não sei exatamente como chegar até lá.

— Mas vai descobrir. — Nell pegou a mão dela. — Ela estava sozinha, mas você, não. Nunca estará.

— Nós não viemos até tão longe para nadar, nadar e morrer na praia. — Ripley pegou a outra mão de Mia.

— Não, não viemos. — Mia conseguiu absorver um pouco de energia, retirando-a do círculo que elas formavam. Estava precisando mesmo daquilo. Pois, mesmo ali, em plena luz do sol e com suas irmãs ao seu lado, ela se sentia sozinha e no escuro.

Capítulo Seis

Uma névoa encobriu toda a ilha, como um cobertor fino e luminoso feito o exterior de uma pérola. Árvores e pedras se erguiam acima dela, como se fossem montes e torres em um mar branco e calmo.

Mia saiu de casa bem cedo. Quando descia pelo gramado na frente da casa, parou por um momento e ficou absorvendo a serenidade, a imobilidade completamente silenciosa que só se encontrava na Ilha das Três Irmãs em uma manhã de primavera.

Seu arbusto de forsítias parecia um leque dourado através da névoa matinal, e era como se os narcisos formassem uma banda de trompetes ensolarados. Mia conseguia sentir o maravilhoso aroma dos jacintos, misturado com umidade e um cheiro adocicado de terra. Parecia que o solo estava esperando e se preparando para despertar, deixando no passado todas as lembranças do inverno e explodindo para a vida.

Ela era capaz de apreciar tanto a paisagem sonolenta da estação que acabava quanto a beleza da que estava para chegar.

Abrindo a porta do carro, colocou uma pilha de pastas e papéis no banco do carona, sentou-se ao volante e começou a dirigir ao longo da comprida e sinuosa estrada que a levaria até o centro da cidade.

Havia várias tarefes de rotina a desempenhar, antes mesmo de abrir a loja. Ela também gostava daquilo, da relativa calma da livraria ainda vazia, da repetição do ritual e da reposição dos estoques. Gostava quase tanto também das horas de movimento, com os clientes entrando e saindo, circulando por toda parte, olhando tudo. E, é claro, comprando.

Mia adorava se ver cercada de livros. Gostava de desencaixotá-los, de colocá-los nas prateleiras, de estudar novas formas de apresentação para eles. Adorava o cheiro de papel novo, a textura, as cores e o brilho das capas. E gostava, por fim, das surpresas que se desdobravam diante de si quando abria um deles e via a ciranda de palavras sobre o papel.

A livraria, para ela, era mais do que um simples negócio. Era o seu amor estável e profundo. Jamais se esquecia, porém, de que, no fundo, tudo aquilo *era* um negócio, do qual cuidava com eficiência, buscando lucratividade.

Viera de uma família rica; por isso, jamais precisara trabalhar para se sustentar. Trabalhava para obter uma gratificação pessoal, para saciar uma necessidade de produzir alguma coisa útil que vinha unicamente do seu senso íntimo de ética. Sua sólida base financeira permitira que ela pudesse escolher o rumo de sua carreira e estabelecer um negócio que refletia seus próprios interesses. A ética, aliada às suas habilidades inegáveis, ao seu esforço constante e à sua sagacidade para negócios, fizera com que o negócio prosperasse.

Era grata, e sempre seria, pelo dinheiro da família Devlin. Mas era muito mais emocionante, do seu ponto de vista, ganhar o próprio dinheiro.

E arriscar o próprio dinheiro.

Isso era precisamente o que estava a ponto de fazer, ao seguir as ideias que Nell lhe colocara na cabeça. Expandir a cafeteria iria mudar muitas coisas. Por mais que Mia confiasse e respeitasse as tradições e o sentido de continuidade, também era adepta das mudanças. Contanto que as mudanças fossem inteligentes. Como esta em que estava pensando enquanto serpenteava pela estrada através do nevoeiro.

A expansão da cafeteria poderia significar a exploração de uma nova área na promoção de eventos que seria mais atraente, com grandes perspectivas. Seu Clube de Leitura já era popular na ilha, e o recém-criado Clube de Culinária estava mostrando um bom potencial. O pulo do gato seria fazer o melhor uso possível do novo espaço e ao mesmo tempo conseguir manter a intimidade e o aconchego pelos quais a loja era conhecida.

Desde que Nell plantara aquela semente em sua cabeça, a ideia começara a ganhar vida própria. Mia conseguia ver agora exatamente o que queria e como poderia ser feito. Quando se tratava da "Livros e Quitutes", Mia sempre sabia perfeitamente o que estava fazendo.

Era uma pena que ela não estivesse assim tão confiante a respeito do resto da sua vida.

Era como se uma cortina tivesse sido abaixada subitamente bem no centro de sua área de visão, a qual conseguia ver perifericamente, mas que diante dela estava tudo bloqueado. Isso a preocupava muito mais do que era capaz de admitir.

Atrás da cortina havia escolhas que deveriam ser feitas; ela compreendia isso. Mas como fazer as escolhas acertadas se não sabia quais eram as opções que estavam à sua espera?

Uma das escolhas era Sam Logan. Mas até que ponto ela podia confiar em seus instintos, contrabalançando-os com bom senso e a história passada? Equilibrando-os com uma atração sexual primitiva que tendia a encobrir a lógica?

Um passo em falso poderia destruí-la uma segunda vez. E ela podia não sobreviver inteira. Pior, a escolha errada poderia condenar a ilha que ela tanto amava e jurara proteger.

Uma vez, no passado, outra mulher escolhera a morte em vez de aguentar a dor da solidão e do coração despedaçado. Havia se atirado no mar, jogando-se atrás do amante que a abandonara. E tinha tecido os últimos fios da rede em torno da Ilha das Três Irmãs.

Ao escolher a vida, após também ter sido abandonada, e ao encontrar contentamento, ao ter até mesmo florescido em seus negócios, não teria ela já contrabalançado aquele ato fatal?

Nell escolhera a coragem, e Ripley, a justiça verdadeira. Assim, o círculo delas conseguira se manter íntegro. E ela, por sua vez, escolhera a vida.

Talvez a maldição já tivesse sido quebrada, e a escuridão do Mal que rondava a ilha já tivesse sido banida.

Enquanto o pensamento e essa esperança corriam por sua mente, uma névoa surgiu de repente no leito da estrada. Uma lança denteada na forma de um raio explodiu junto do carro, com uma explosão de luz manchada de vermelho e com fedor de ozônio.

No meio da estrada, um gigantesco lobo preto rosnava.

Instintivamente, Mia pisou fundo no freio e girou o volante. O carro derrapou, começou a rodar, e ela teve uma estonteante e rápida visão das pedras, da névoa e do frágil parapeito que se colocava entre o estreito acostamento e a queda livre até o mar.

Lutando para evitar o pânico que lhe apertava a garganta, puxou bruscamente o volante para o lado oposto. Os olhos do lobo brilhavam como bolas de gude em brasa, e seus dentes eram compridos. Em seu focinho havia um pentagrama, recortado profundamente dentro do tecido negro, como uma cicatriz.

A marca dela; seu coração então disparou dolorosamente de encontro às costelas, diante daquela visão.

Através do ardor do sangue em suas têmporas e acima do guincho dos pneus, ela sentiu o bafo gelado do lobo atingir sua nuca. E ouviu a velha voz, sedutora e sussurrante, falando baixinho dentro de sua mente.

Deixe para lá. Abandone tudo, e você nunca mais ficará sozinha. É tão difícil enfrentar a solidão.

Lágrimas embaçaram-lhe a visão. Por um momento, seus braços começaram a ficar moles, tremendo diante da vontade que se infiltrava nela, de deixar tudo se acabar ali. Naquele momento ela se viu claramente, muito claramente, voando sobre a borda do despenhadeiro.

Fez força para baixo com a barriga, enquanto lutava para manter o controle do carro, e puxou o Poder de dentro das entranhas, dizendo:

— Volte para o inferno, seu filho da mãe!

Quando o lobo jogou a cabeça para trás e uivou, ela acelerou com o carro, pisando fundo. E passou por ele.

Sentiu o choque, não do impacto físico, mas da explosão de voracidade que atingiu o ar enquanto o carro atravessava bravamente através da imagem.

O nevoeiro pesado sumiu, e o vapor fino e perolado sob o sol brilhava sobre a Ilha das Três Irmãs.

Mia estacionou na beira da estrada, pressionou a testa sobre o volante e começou a tremer. Sua respiração parecia alta demais dentro do carro fechado; procurou avidamente na porta pelo controle para baixar o vidro. O ar frio e úmido que penetrou, vindo lá de fora, e o cântico suave do mar a reavivaram.

Mesmo assim ela fechou os olhos e se forçou a permanecer ereta até se acalmar novamente.

— Bem, acho que isso responde às minhas perguntas a respeito de estar tudo encerrado e resolvido. — Inspirou e expirou devagar, até sentir que o peito já não estava tão preso a cada vez que o ar entrava. Então abriu os olhos e olhou, pelo espelho retrovisor, a estrada atrás dela.

Os pneus haviam deixado marcas fortes e sinuosas sobre o asfalto. Linhas, reparou com um súbito tremor, que chegavam perigosamente junto da beira do abismo.

O lobo se fora, e a névoa já estava tão transparente quanto uma gaze.

— Uma tática óbvia — disse bem alto, para ela e para o que mais estivesse ouvindo. — Um lobo preto, com olhos vermelhos. Uma óbvia exibição de clichês.

E, pensou para si mesma, muito, muito eficiente.

Mas ele carregava a sua marca. A marca que ela colocara quando ele aparecera sob outra forma. Ele não tinha conseguido disfarçar a marca, e isso era uma espécie de consolo. Um consolo muito necessário naquele momento, ela admitiu, pois a emboscada por muito pouco tinha sido bem-sucedida.

Mia colocou o veículo de volta na estrada, e as suas mãos já haviam parado de tremer quase por completo no momento em que estacionou o carro na porta da loja.

Ele já estava esperando por ela. Tinha sido muito fácil calcular a sua hora de chegada ao hotel para combinar com o momento exato da chegada dela na loja. Mia não era tão pontual quanto um relógio, Sam avaliava enquanto atravessava a rua. Mas sempre entre as quinze para as nove e as nove e quinze da manhã ela estacionava o seu lindo carro e abria a loja.

Mia estava usando um dos seus vestidos longos e finos, o tipo de vestido que faz um homem querer dar graças aos deuses da primavera. Tinha um tom azul-pálido, bem claro, da cor de piscinas calmas, e deslizava com fluidez, como água escorrendo em volta de seu corpo.

Usava um sexy par de sandálias que eram pouco mais do que uma série de tiras em volta de seus pés, coloridas de amarelo bem claro, com um comprido e fino salto ponta de agulha.

Ele não fazia ideia de que calçados femininos pudessem fazê-lo ficar com a sua boca cheia d'água.

Ela prendera os cabelos atrás da cabeça, e essa era a única reclamação de Sam a respeito de sua aparência naquela manhã. Ele gostava de vê-los soltos e selvagens, embora, mesmo presos, exibissem um misterioso escorrer de fios vermelhos que iam quase até a cintura.

Ele gostaria de colocar os lábios ali, por baixo dos cabelos que escorriam, por dentro do vestido fino e macio, até alcançar a pele lisa do meio das suas costas.

— Bom dia, maravilhosa!

Ela fez uma careta quando ele falou e se virou para trás, já na porta. O sorriso que ele abria desapareceu quase instantaneamente, e seus olhos ficaram sombrios diante do choque ainda estampado nos olhos dela.

— O que foi? O que aconteceu?

— Não sei do que está falando, Sam. — Droga, as mãos dela iam começar a tremer novamente. — Você me assustou. — Ela colocou o corpo em um ângulo que o impedia de ver o tremor de sua mão no momento em que destrancava a porta. — Desculpe, Sam, não estou com tempo para bater papo com vizinhos. Tenho muito trabalho.

— Não me venha com essa! — Entrou na loja junto com ela, antes que Mia tivesse a chance de bater a porta na cara dele e trancá-la. — Conheço você muito bem!

— Não, não conhece! — A voz dela estava começando a ficar mais alta, e ela se recusava a admitir tal coisa. Tão casualmente quanto possível, colocou sua bolsa em cima do balcão do caixa. — Você não me conhece.

— Sei quando você está abalada. Por Deus, Mia, você está tremendo. Suas mãos estão geladas — disse ele, enquanto agarrava uma delas, segurando-a dentro da sua. — Conte-me o que aconteceu.

— Não foi nada. — Ela achou que estivesse calma. Pensou que já estava novamente equilibrada. Suas pernas, porém, estavam começando a ceder. O orgulho é que a forçava a mantê-las firmes. — Droga, Sam, me deixe em paz!

Ele quase deixou.

— Não — decidiu, chegando mais perto. — Já fiz isso uma vez. Vamos tentar algo novo. — Ele a pegou no colo.

— Mas que diabo pensa que está fazendo?

— Você está gelada e tremendo. Precisa se sentar. Andou ganhando uns quilinhos, não foi?

— Ah, é mesmo? — Lançou-lhe um olhar meio fraco.

— Ficaram bem em você.

— Ele a carregou até o sofá e a colocou deitada. Pegou a manta brilhante que estava jogada no encosto e a envolveu com ela.

— Agora conte-me tudo.

— Cuidado, não se sente na... — Ela soltou um suspiro porque ele já tinha se acomodado na mesinha de café que ficava de frente para ela. — Estou me lembrando agora que você jamais conseguiu descobrir a diferença entre uma mesa e uma cadeira.

— Ambas pertencem à família do mobiliário. Viu? Um pouco de cor já está voltando ao seu rosto. Foi bom eu aparecer aqui para perturbar você.

— Deve ser meu dia de sorte.

— O que foi que apavorou você, querida? — perguntou ele, pegando na mão dela de novo e esquentando-a com a sua.

— Não me chame de "querida". — Ele só costumava usar aquele termo quando estava tentando ser particularmente gentil. Mia deixou a cabeça recostar sobre as almofadas do sofá. — Foi só... Eu quase sofri um acidente na estrada, vindo para cá. Um enorme lobo preto pulou na frente do carro. A estrada estava úmida por causa da névoa, e eu derrapei.

— Acho que não foi isso. — Sua mão apertou a dela com mais força.

— E por que motivo eu mentiria?

— Não sei. — Ele continuou segurando a mão dela, até que Mia desistiu de tentar soltá-la. — Mas aconteceu alguma coisa. Acho que posso descobrir por minha conta, se for dar uma olhada na estrada da costa.

— Não faça isso! — O medo se agarrou em sua garganta de modo que a frase soou muito fina e assustada. — Não faça! — repetiu, com mais controle. — Aquilo não é para você, mas a essa altura não estou certa se ele não vai querer levar o que conseguir pegar. Solte a minha mão, e eu conto tudo.

— Conte — reagiu ele, sabendo da importância da ligação entre eles —, e eu largo sua mão.

— Tudo bem — concordou ela, depois de uma terrível batalha interna. — Vai ser do seu jeito. Dessa vez.

E contou a ele sem esconder nenhum detalhe, mas mantendo o tom sem sobressaltos, quase como se estivesse conversando. Mesmo assim, notou a expressão do seu rosto mudar.

— Por que não está usando nenhuma proteção? — quis saber ele.

— Eu estou! — Ela levantou três cristais pendurados em um pingente em forma de estrela. — Mas não foi suficiente. Ele é forte. Teve três séculos para reunir suas forças e alimentar seus poderes. Apesar disso, não conseguiu me causar um mal real. Só consegue fazer truques.

— Esse truque poderia ter causado um acidente grave. Você provavelmente estava dirigindo rápido demais.

— Por favor, você vai me forçar a dizer que parece o sujo falando do mal-lavado.

— Eu não estive para cair no fundo de um precipício. — Levantou-se de um salto e começou a andar de um lado para o outro para afastar a imagem aterrorizadora de Mia fazendo isso.

Ele não havia previsto esse tipo de ataque direto e frontal contra ela. E, percebeu, ela também não. A confiança em seus poderes foi a causa de ambos terem sido pegos de surpresa.

— Você deveria ter tomado precauções extras com a sua casa.

— Eu protejo o que é meu.

— Mas se esqueceu do carro — atirou ele de volta, lançando um olhar por cima do ombro e tendo a satisfação de vê-la corar.

— É claro que não me esqueci do carro. Fiz alguns encantos padronizados para...

— Seus procedimentos padronizados não foram suficientes, como acabou de descobrir.

Os dentes dela rangeram de raiva ao ver que ele estava lhe dizendo o que fazer, mas concordou com a cabeça.

— Você tem razão.

— Nesse meio-tempo, preferia dar a ele um pouco do próprio remédio, em vez de constantemente manter a defensiva.

— Isso não é com você — disse ela, levantando-se. — Não é nada que diga respeito a você.

— Não há razão para perder tempo com discussões, quando nós dois sabemos que eu *sou* parte disso.

— Você não é uma das três.

— Não, não sou. — Ele deu um passo de volta, na direção dela. — Só que eu *pertenço* ao grupo. O meu sangue e o seu, Mia, saíram da mesma origem. Nossos poderes se alimentaram na mesma fonte. Isso nos une, por mais que você prefira que fosse de outra forma. E precisa de mim para dar um fim a isso.

— O que eu preciso ainda não está claro.

Sam levantou a mão e esfregou os nós dos dedos suavemente sobre a linha do queixo dela. Um gesto antigo.

— E o que deseja?

— Desejar você sexualmente não é uma questão de vida ou morte, Sam. É como passar a unha em uma simples coceira.

— Simples? — Um ar divertido iluminou-lhe o rosto, e ele passou a mão em volta do pescoço dela, até a nuca.

— Simples — repetiu Mia, deixando sua boca chegar bem perto da dele e esfregá-la, para atraí-la e envolvê-la. — Leve.

— Acho que é mais... — Ele dançou com os dedos da mão livre para cima e para baixo na coluna dela. — Constante. Crônica. — E, mordiscando-lhe o lábio, trouxe-a para mais perto.

Ela manteve o olhar fixo nele e os braços ao lado do corpo.

— O desejo é apenas uma espécie de fome.

— Você tem razão. Vamos comer.

E subitamente ele atacou-lhe a boca, mudando o ritmo de suave e gentil para quente e violento, e ela não teve outra escolha a não ser acompanhar.

As mãos dela agarraram-lhe os quadris, apertando-os, e depois correram por suas costas até se engancharem como garras sobre seus ombros. Se ele estava querendo levá-la à beira da loucura, pensou, ela o empurraria para lá com mais força ainda e além.

Mia deixou a cabeça tombar para trás, não como gesto de submissão, mas de exigência. *Tente pegar mais, se ousar.* Quando ele ousou, ela ronronou de prazer.

Seu perfume penetrante parecia se esparramar sobre ele, envolvendo-o até que a parte abaixo de sua barriga começou a doer e sua cabeça girou. Em um movimento desesperado, ele a apertou ainda com mais força e se preparou para cair com ela sobre o sofá.

A porta da frente se abriu. O som dos pequenos sinos mais parecia o de sirenes disparadas.

— Ei, vão pegar um quarto de motel vocês dois! — gritou Lulu, deixando a porta atrás dela bater com toda a força. Sentiu uma satisfação cruel ao vê-los pularem como se tivessem molas para se afastarem um do outro. — Ou então vão procurar o banco traseiro de algum carro, já que parecem uma dupla de adolescentes com tesão. — Ela atirou a enorme bolsa em cima do balcão. — Quanto a mim, tenho um estabelecimento comercial para gerenciar.

— Boa sugestão — respondeu Sam, enlaçando a cintura de Mia de forma possessiva. — Vamos dar uma volta no outro lado da rua.

Aquele era outro gesto antigo, Mia lembrou. No passado, ela teria enganchado o braço em torno da cintura dele e deitado a cabeça em seu ombro. Agora, simplesmente se afastou.

— Essa é uma proposta gentil, realmente, mas fica para outra vez. O estabelecimento comercial ao qual Lulu se referiu e que precisa ser gerenciado pertence a mim. E nós vamos abrir em... menos de uma hora — completou, depois de dar uma olhada rápida no relógio.

— Então a gente resolve em menos tempo.

— Outra oferta deliciosa. Não é uma gracinha, Lulu? Não é todo dia que uma mulher recebe um convite tão generoso para dar uma escapulida rapidinha, antes do início do expediente.

— Adorável! — disse Lulu, em tom amargo. Ela se sentia amarga e preferia colocar a culpa disso em Sam a atribuir a culpa ao fato de não conseguir dormir direito desde aquela alucinação do sábado à noite.

— Então estamos combinados. — Mia deu dois tapinhas distraídos na bochecha de Sam e se preparou para lhe virar as costas.

Ele pegou no queixo dela com força.

— Você está brincando comigo! — disse, suavemente. — Se quer transformar isso num jogo, então devo avisá-la. Nem sempre sigo as regras, agora.

— Pois eu também não. — Ela ouviu a porta dos fundos abrir e fechar de novo. — Ah, aqui está Nell. Você vai ter que me desculpar, Sam. Tenho trabalho. Estou certa de que você também tem.

E soltou-se caminhando para longe dele e se aproximando de Nell, que acabava de entrar.

— Deixe que eu carrego isso. — Mia pegou a primeira caixa de produtos saídos do forno dos braços de Nell. — Está com um cheiro fabuloso! — Então subiu como se deslizasse pelas escadas acima, deixando uma trilha do cheiro irresistível dos bolinhos de canela atrás dela.

— Ahn... — Nell limpou a garganta. Entrar assim em um ambiente tão tenso tinha sido como bater de encontro a uma parede. — Como vai, Sam?

— Como vai, Nell?

— Bem, tenho... mais coisas — conseguiu falar, escapando pela porta dos fundos novamente.

— Caso você ainda não tenha reparado — disse Lulu —, ainda não abrimos a loja. Caia fora!

Sam ainda sentia o gosto de Mia. Com o temperamento quente e louco para arranjar encrenca, caminhou até o balcão onde Lulu estava e se inclinou na direção da cara feia que ela fez.

— Estou me lixando se você aprova ou desaprova. Você não vai conseguir me manter longe dela, Lulu.

— Você já conseguiu isso sozinho.

— Só que agora eu voltei, e todos nós vamos ter que aprender a lidar com isso. — Caminhou a passos largos para a porta, escancarando-a. — E se você quer bancar o cão de guarda, saiba que existe alguma coisa muito mais perigosa, contra a qual você deveria estar lutando.

Lulu ficou observando enquanto ele atravessava a rua. Não sabia se havia alguma coisa mais perigosa para Mia do que Sam Logan.

Você não tem família. A alucinação provocada pelo vinho e pela comida de má qualidade estava totalmente errada a respeito disso, pensou. Ela tinha uma família, sim. Tinha uma filha. E Lulu olhou para o alto das escadas por onde Mia havia subido.

Ela tinha uma filha, pensou novamente.

Sam cancelou sua primeira reunião. Um homem tinha prioridades. Pegou o carro e foi dirigindo pela estrada costeira. Por pura força de vontade, conseguiu refrear sua raiva e manteve o carro em velocidade segura.

Mas não conseguiu fazer nada para evitar o choque e o horror que sentiu inundá-lo quando viu as marcas de derrapagem. Centímetros, pensou ao saltar do carro, sentindo as pernas bambas. Apenas alguns centímetros a mais e ela teria se espatifado por cima da frágil grade de proteção. A velocidade certa, ou o ângulo certo, e o pequeno carro de Mia teria sido arremessado a toda velocidade para a implacável face do abismo.

Seguiu o padrão das marcas, olhou em volta da estrada, levantando o nariz para sentir se ficara algum cheiro no ar. Ele sabia que Mia gostava de dirigir em alta velocidade, mas jamais fora descuidada. Para rodar da maneira que as marcas espalhadas por toda a pista indicavam, ela teria que estar a 120 por hora.

A não ser que o carro também tivesse sido empurrado.

Dedos gelados percorreram-lhe a espinha, porque ele teve a certeza, então, de que foi exatamente o que havia acontecido. Alguma coisa deveria tê-la feito girar com mais força, empurrando-a mais para perto da beirada.

Se ela não tivesse sido forte o suficiente, ou esperta o suficiente, ou rápida o suficiente, poderia não ter escapado com vida.

Sam estudou o leito da estrada, onde uma negra cicatriz manchava todo o piso, como uma queimadura velha e supurada. As marcas exsudavam um lodo, como um oleoso sangue negro. À medida que olhava, Sam sentiu a energia escura e pesada que emanava das marcas se espalhar pelo ar.

Mia deve ter ficado mais apavorada do que ambos imaginavam, pensou, para ter deixado aquilo para trás.

Voltando até o carro, ele abriu o porta-malas e selecionou o que iria precisar. Com as ferramentas na mão, deu uma longa e cuidadosa olhada para os dois lados da estrada. Estava deserta. Uma vantagem, pensou, pois o que precisava fazer ali levaria algum tempo.

Para começar, circundou a cicatriz três vezes com sal marinho, e do líquido começou a sair uma fumaça nos lugares em que escorreu e entrou em contato com o anel. Com os poderes claros e calmos dentro dele, usou uma varinha feita de bétula, própria para limpeza. Ao espargir tanto as folhas de louro quanto os cravos-da-índia para proteção, a cicatriz borbulhou e chiou. E começou, lentamente, a encolher.

> *Quem aqui passar agora não precisa mais temer*
> *O mal se foi, não tem mais nenhum poder*
> *O escuro volta para o escuro, como o dia nasce da luz*
> *Passagem livre dia e noite a todos que ela conduz.*

Agachou-se enquanto a cicatriz se encolhia sobre si mesma, e sussurrou:

> *Vou guardar o que me é caro*
> *Que assim seja, aqui declaro.*

Voltou ao carro e dirigiu por cima das sombras da cicatriz, em direção à casa de Mia.

Ele sentira necessidade de ver a casa e tinha resistido. Mas agora não podia se dar ao luxo de esperar por um convite dela.

Estava nos velhos tempos exatamente como pensou enquanto olhava a entrada suntuosa e as torres de pedra. Mas havia muito mais. Mais Mia, compreendeu, enquanto saltava novamente do carro.

As flores, os arbustos cheios de botões e as gigantescas árvores. As gárgulas e as fadas. A brisa balançava os sinos e os cordões cheios de cristais, em uma música constante. A torre branca do farol continuava ereta como uma sentinela antiga, protegendo tanto a ilha quanto a casa. E Mia plantara violetas-roxas na base do farol.

Sam seguiu o caminho feito de pedras planas que circundava a casa e a lateral dela. O mar batendo furiosamente nas rochas lá embaixo fez com que tanto os seus pensamentos quanto o seu coração fossem arrastados em direção aos penhascos e o fez recordar o incontável número de vezes em que ele ficara na beira deles em companhia dela. Ou quantas vezes viera para encontrá-la em pé, ali, sozinha.

Enquanto caminhava, olhou em volta e parou, extasiado.

Os jardins de Mia eram um mundo. Arcos formados por pequenas árvores, declives e riachos. Caminhos pavimentados por pedras entremeadas por um tipo de musgo suave como veludo que nascera entre elas serpenteavam por correntes e cascatas de flores. Algumas ainda tenras, com a chegada da primavera, outras já reinando em esplendor.

Não eram apenas as flores, mas o verde. Havia tantos tons e texturas, que cada nova apresentação ou brilho rosado das flores, ou o branco, o amarelo ou o azul, em contraste com ele, adicionava uma maravilha.

Havia pequenos lagos, o brilho de um relógio de sol feito de cobre, o charme da imagem de uma fada bailarina rodopiando entre os arbustos. Ele podia ver pequenos bancos instalados aqui e ali — alguns ao sol, outros à sombra — convidando o visitante a se sentar e apreciar.

Ele não conseguia imaginar como seria quando as plantas jovens desabrochassem completamente com a chegada do verão e quando as videiras terminassem de escalar os arcos. Não podia conceber as cores, formas e perfumes.

Incapaz de resistir, circulou sem rumo definido ao longo dos caminhos de pedra, tentando imaginar como ela conseguira aquilo. Como transformara o que antes havia sido um jardim bonito, embora comum, um espaço gramado e o terraço simples que ele lembrava, em uma celebração.

E desejou, de maneira tola, poder ficar ali sentado, vendo-a cuidar de algum de seus canteiros de flores.

A casa sempre fora belíssima, pensou Sam. E Mia sempre a adorara. Mas ele se lembrava da construção como algo sério e muito pesado. E ela a transformara em um lugar de prazer e beleza, aconchegante e hospitaleiro.

E no meio do Jardim do Éden pessoal de Mia, com as fragrâncias frágeis e sutis, o trinar dos pássaros e o trovejar longínquo das ondas, Sam compreendeu o que ela criara e que ele jamais conseguira encontrar.

Um lar.

Ele tinha vivenciado o luxuoso, o adequado, o elegante e o eficiente. Procurara, mas jamais encontrara o seu lugar. Até aquele momento.

— Um detalhe tremendamente significativo, não? — murmurou para si mesmo. — Descobrir que Mia encontrou o lugar dela e o meu, ao mesmo tempo.

E, como não sabia o que fazer a respeito disso, voltou para o carro a fim de terminar o que tinha ido fazer ali. Iria adicionar seus próprios encantos de proteção aos de Mia e fazer com que ela e tudo o que fosse dela ficassem duplamente seguros.

Já havia acabado quando avistou a viatura da ilha subindo pela estrada. Ainda olhando, Sam deixou escorregar para dentro do bolso do casaco um pequeno saco cheio de cristais. Seu prazer inicial diante da perspectiva de se encontrar com Zack se transformou em irritação quando Ripley saltou do carro.

— Ora, ora, mas que coisa interessante! — Fumegando e se sentindo maravilhosamente bem por isso, Ripley enfiou as mãos nos bolsos de trás e caminhou com arrogância na direção dele. A aba do seu boné estava enterrada bem baixa, logo acima dos óculos escuros.

Mas ele não precisava ver seu rosto inteiro para saber que estava rígido como uma pedra.

— Cá estou eu — continuou ela —, fazendo uma ronda de rotina ao redor da ilha e eis que encontro um personagem nefasto. Ainda por cima, eu o encontro rondando uma propriedade particular. — Sorrindo com crueldade, soltou o gancho que prendia as algemas do cinto.

Sam olhou para as algemas e depois para ela, dizendo:

— Não que eu não tenha uma queda por práticas sexuais sadomasoquistas de vez em quando, Rip, mas você é uma mulher casada. — Quando ela repuxou os lábios para trás para exibir os dentes, ele encolheu os ombros. — Tudo bem, piada de mau gosto, mas essas algemas também são.

— A lei não é uma piada, gostosão. Você está invadindo uma propriedade particular, e imagino que eu poderia considerar essa ocorrência como uma tentativa de arrombamento e roubo em plena luz do dia.

— As algemas tiniam em suas mãos. — Não sei se vai colar, mas só a tentativa de fichar você já vai me fazer ganhar o dia.

— Eu não invadi a maldita casa! — Embora tivesse considerado a ideia.

— E se você acha que vai me prender e algemar por invasão de domicílio...

— Que bom!... Podemos acrescentar resistência à prisão.

— Ah, Ripley, dá um tempo!...

— E por que eu deveria?

— Não vim até aqui para bisbilhotar. — Embora tivesse feito isso, em parte. — Apenas estou tão preocupado com a Mia quanto você.

— É uma pena que ser um mentiroso de merda não seja ilegal.

— E que tal isso como verdade?... — Então se inclinou até seu nariz ficar a poucos centímetros do dela. — Estou pouco me lixando para o que pensa de mim. Vou me certificar de que esta casa e a mulher que mora nela estejam completamente protegidas, especialmente depois do que quase aconteceu com ela hoje de manhã. E, se você pensa que vai colocar essas algemas em mim, amorzinho, é melhor recuar e pensar duas vezes.

— Não é incumbência sua proteger esta casa. E, se eu quiser colocar estas algemas em você, garoto da cidade, ponho você com a cara no chão comendo terra enquanto eu as fecho. E que droga você quer dizer com "depois do que aconteceu com ela hoje de manhã"?

Ele começou a praguejar alguma coisa contra ela, mas então seu olhar se apertou em uma expressão de estranheza.

— A Mia não contou? Ela conta tudo para você. Sempre contou.

Ripley corou ligeiramente.

— Ainda não estive com ela hoje. O que aconteceu? — E então empalideceu novamente e agarrou o pulso de Sam. — Ela está ferida?

— Não, não. — A raiva dele cedeu, deixando apenas frustração. Passou os dedos entre os cabelos. — Mas poderia ter se ferido. Quase aconteceu.

E recontou a história; gostou quando Ripley soltou palavrões, impressionada, e começou a andar de um lado para o outro pelo pátio de entrada, como se estivesse procurando alguma coisa que pudesse chutar.

Isso o fez lembrar por que motivo sempre gostara dela.

— Não vi nenhuma marca de pneu.

— Eu as fiz desaparecer, depois de limpar a área — explicou ele. — Imaginei que ela ficaria aborrecida se as visse novamente. Deus sabe que eu fiquei.

— Sim... Bem... — A voz dela baixou para um murmúrio. — Você tem razão.

— Como disse? Acho que não escutei muito bem.

— Eu disse que você está certo. Não fique convencido por isso. Já cuidou das coisas por aqui?

— Já. Apenas reforcei um pouco o que ela já havia feito. Mia está mais forte do que era — acrescentou ele, como se falasse consigo mesmo. — E mais completa.

— Obviamente não tão completa quanto deveria estar. Vou conversar com Mac a respeito disso. Ele tem todo tipo de ideias.

— Sim, seu marido é cheio de ideias — disse, num tom amargo, e depois encolheu os ombros quando Ripley olhou para ele com cara feia. — Eu gostei dele. A propósito, meus parabéns pelo casamento e tal.

— Puxa, obrigada, Sam. Isso foi tão comovente...

Isso o fez sorrir.

— Talvez seja difícil imaginar a Rip-Deixa-Comigo aconchegada em uma pacata felicidade conjugal.

— Ah, pare com isso! Esse nome era coisa de escola.

— Eu gostava de você no tempo da escola. — E, porque era verdade, tentou novamente. — Fiquei muito satisfeito ao saber que você e o Mac tinham comprado a casa. É um lugar incrível.

— É, também achamos. Espero que não haja ressentimentos por seu pai tê-la vendido debaixo do seu nariz.

— Ela nunca foi minha.

Ripley abriu a boca para dizer alguma coisa, mas mudou de ideia. Por um momento reconheceu nele o menino perdido e inquieto do qual se lembrava. E com quem se importara.

— Você arrasou ela, Sam. Arrasou seriamente.

Ele olhou para os penhascos que se elevavam acima do mar e mergulhavam novamente nele.

— Sei disso.

— E depois fui eu que acabei de arrasá-la.

— Essa eu não entendi... — Ele olhou para o rosto de Ripley com curiosidade.

— Ela não me contou o que aconteceu esta manhã porque só agora nós estamos voltando a nos relacionar bem, depois de um longo período. Eu também a deixei na mão, da mesma forma que você. Então, eu acho... — Ela respirou fundo. — Eu acho que não tenho nenhum direito de acusar você de nada, porque em parte seria apenas para aliviar a minha própria consciência. Você puxou o tapete dela, mas eu não fiquei por perto para ampará-la na queda.

— E você quer me contar por que não ficou para ampará-la?

— Está a fim de me contar por que *você* não ficou? — Ela lhe lançou um olhar duro, no mesmo nível.

— Não. — Ele balançou a cabeça. — Por que não começamos a lidar com as coisas a partir de agora? Sou parte disso, e desta vez vou ficar por aqui.

— Parece justo — concordou ela. — Acho que podemos usar toda a ajuda que conseguirmos, não importa a fonte.

— Pretendo fazer tudo o que estiver ao meu alcance para convencer Mia a me deixar entrar na vida dela novamente.

— Desejo-lhe sorte, então. — Diante do olhar surpreso de Sam, Ripley deu um sorriso forçado. — Só que até eu decidir o que penso a seu respeito, meu chapa, não vou especificar se estou desejando boa sorte ou má sorte.

— Parece razoável. — Ele estendeu a mão para ela, que, depois de um momento de hesitação, a aceitou.

Um foco de calor se formou e brilhou, e saíram algumas faíscas.

— Significativo... — disse ela, em tom sério.

— Conexões. — Ele apertou a mão dela de modo amigável antes de soltá-la. — E você, o que pode fazer?

— Eu lhe conto quando descobrir. Tenho que terminar minha ronda. — Esperou um instante, inclinando a cabeça. — Vá na frente, por favor. — Apontou com o polegar na direção do carro dele. — E mantenha aquele símbolo fálico sobre rodas abaixo do limite de velocidade.

— Claro, Policial Docinho — disse, andando de volta até o carro. — Ah, e mais uma coisa. É melhor não mencionarmos esta minha rápida vinda até aqui com a Mia. Ela vai ficar furiosa se achar que estou questionando as habilidades dela.

Ripley riu para si mesma enquanto entrava na viatura. Sam merecia crédito por pelo menos uma coisa. Ele ainda conhecia muito bem a mulher que tentava reconquistar.

Capítulo Sete

Ripley não ia contar nada para Mia, mas achou que sua discrição não precisava ser estendida a Mac. Tinha certeza absoluta de que havia alguma brecha na lei de confidencialidade que poderia ser aplicada a maridos.

Para ela, se você amava alguém o suficiente para prometer uma vida inteira ao seu lado, era obrigação sua contar todos os segredos e problemas a essa pessoa e ouvir os dela. Era um dos benefícios paralelos do casamento e compensava o fato de ter que dividir o espaço do armário.

Além de viverem juntos, dormirem juntos e acordarem lado a lado, Ripley e Mac também se encontravam para almoçar juntos várias vezes por semana, na cafeteria da "Livros e Quitutes". Pelo menos nos dias em que Mac não ficava tão enterrado no trabalho que se esquecia de olhar as horas. O encontro na hora do almoço, decidiu, era o máximo que ela conseguiria esperar, antes de despejar as novidades.

Estava doida para contar a história para Nell, também, mas, depois de um complexo debate interior, decidiu que Nell era íntima demais de Mia e não se adequava à regra que dispensava o sigilo de Ripley.

Mac ia ter que servir.

— Então — continuou ela, enquanto misturava com o garfo uma salada de atum com abacate temperado —, ele estava bem ali, de pé, diante da casa, belo e pensativo. Ainda era bem cedo e havia um pouco de névoa. E o longo casaco preto esvoaçava com o vento. A própria figura do herói torturado. Enfim, ali estava ele, no jardim em frente à antiga casa, com a névoa baixa circulando a seus pés, até que eu o fiz ir embora.

— E ele fez desaparecer os vestígios que ficaram na pista? — Não era fácil conseguir uma oportunidade para falar quando Ripley soltava a matraca, mas Mac conseguira atingir um ponto importante.

— Foi, desapareceu tudo... puff!... É um encanto bastante intenso, dependendo, você sabe, da qualidade e complexidade das forças do Mal envolvidas, coisas desse tipo. — Deu uma encolhida rápida num dos ombros, pegando a xícara de café. — Mas não consegui ver um traço sequer dos sinais na estrada, e olhe que eu parei e dei uma olhada cuidadosa quando voltei, só para ver se ele tinha deixado alguma coisa para trás.

— E tinha?

— Nadinha. Nem mesmo uma vibração negativa no ar, o que significa que a limpeza foi mesmo completa.

— Puxa, eu gostaria de que Sam tivesse me contado isso antes de falar com você — reclamou Mac. — Poderia ter ido até lá e conseguido algumas leituras no local com os meus equipamentos sensíveis e tirado uma amostra do material para testes de laboratório.

— Ah, sim! — Ela se jogou para trás na cadeira, balançando a cabeça. — Era exatamente o que eu queria: ver meu marido meter a mão em um lodo escuro de magia negra.

— É o meu trabalho!

Mac ficou com a cara emburrada por um minuto e depois decidiu que poderia muito bem dar uma passada no local e ver se ainda conseguia pegar alguma coisa com seu equipamento mais sensível.

— Vamos voltar a fita um pouco — continuou. — Sam contou a você que Mia disse ter visto um imenso lobo preto na estrada, com o sinal do pentagrama marcado no focinho.

— Isso mesmo. Essa é uma manifestação clássica. Lobo preto, com olhos vermelhos e dentes afiados. E exibindo a marca dela. Deve ter sido uma imagem aterrorizante para conseguir abalar a rainha do sobrenatural.

— Uma imagem, esse é o ponto principal — disse Mac. — Não era um lobo real. Nenhum ser vivo foi possuído, dessa vez. Pode ter alguma coisa a ver com ela tê-lo marcado no inverno passado. Mesmo assim, ainda era forte o suficiente para deixar os cabelos em pé. Isso é interessante.

— E pesado, também, pelo jeito como Sam estava abalado. E eu vou lhe dizer o que é mais interessante. — Ela se inclinou para a frente, ficando bem curvada por cima do que sobrara do almoço, falando em voz baixa.

— A visão daquele homem, idolatrando o chão onde ela pisou, bem ali em pé e com ar apaixonado, como uma versão contemporânea de Heathcliff olhando sobre os campos à procura de Catherine, em *O morro dos ventos uivantes*.

— Ora, ora, gostei da referência.

— Eu leio, sabia? Enfim, lá estava ele, com as emoções em turbilhão e tentando aparentar calma, com um ar casual. Isso é que é interessante.

— Pelo que você me contou, eles tiveram um relacionamento muito intenso.

— Tiveram — confirmou Ripley. — Eu achava que Sam ficaria todo melancólico, na fossa total, se Mia tivesse terminado com ele naquela época. Só que foi ele quem tirou o time de campo.

— O que não significa que tenha superado o que sentia por ela.

— Ora, Mac, os homens não mantêm a chama do amor acesa por mais de dez anos.

— Eu manteria... se fosse por você. — Ele acariciou as costas da mão dela.

— Ah, sai fora. — Mas ela virou a mão para cima e enlaçou a dele. — Enfim, Sam não quer que ela descubra que ele esteve na casa. Acha que ela ficaria fula se soubesse que ele andou lhe reforçando os encantos. E ficaria mesmo. E, se quer saber, há outra coisa. Sam não quer que Mia saiba que ele está colado nela. Seria cômico se não fosse tão complicado e não houvesse tanta coisa em jogo nessa história.

— O que quer que existia entre eles, e que ainda exista ou não, tem um papel importante no que vai acontecer a partir de agora. Tenho algumas teorias.

— Você *sempre* tem algumas teorias.

— Eu acho — ele sorriu para ela, aproximando-se um pouco mais — que precisamos fazer uma reunião com todos os envolvidos.

— Já tinha imaginado. — Como a dele, a voz de Ripley era apenas um sussurro. Para um observador casual, poderia parecer que eles estavam de namorico ou planejando uma revolução. — Vamos marcar essa reunião na casa de Zack. Assim, Nell cozinha e nós podemos levar as sobras para casa.

— Boa ideia. Mas como vamos resolver o problema de o quanto já sabemos e de quem nos contou o que não queria que ninguém mais descobrisse e o que já sabíamos?

— Jesus, eu entendi essa frase doida! — Ela riu para ele. — Deve ser o amor.

— Ora, ora, aqui estão Romeu e Julieta, os dois mais novos pombinhos da ilha. — Mia apareceu de repente ao lado da mesa e passou a mão afetuosamente sobre o ombro de Mac. — Não formam um par adorável?

— É, estamos pensando em promover um concurso para escolher o casal do ano. — Ripley recostou-se na cadeira e levantou o olhar para analisar Mia. Aquela era uma mulher de se tirar o chapéu. Não deixava transparecer nada, a não ser beleza pura e simples. — E então, quais são as novidades, Mia?

— Ah, um pouco disso, um pouco daquilo. — Mia continuou com a mão pousada sobre o ombro de Mac. Algo nele a tranquilizava. — Na verdade, tem uma coisa sobre a qual preciso muito conversar com vocês e com a Nell.

Uma sombra de preocupação cruzou seu rosto ao olhar para trás do balcão.

— Só que isso vai ter que esperar um pouco, porque ela está muito ocupada agora, com os clientes.

Ripley ficou considerando como abordar o assunto; acabou seguindo o instinto.

— Se é sobre a sua dança com lobos, Mia — disse ela —, já sei de tudo.

Era difícil decidir, pensou, quem tinha ficado com a cara mais abismada, Mia ou Mac. Pelo menos, Mia não deu um chute nela por baixo da mesa. Ripley mudou de posição, o que lhe deu a oportunidade de chutar Mac de volta, ao mesmo tempo em que esticava o braço para pegar uma terceira cadeira, na mesa ao lado.

— Sente-se conosco por um momento.

— Acho que vou aceitar o convite. — Lutando para manter o equilíbrio, Mia deslizou para a cadeira e cruzou as mãos. — Não imaginei que você e Sam andassem trocando confidências.

— Ah, deixe disso! — Ripley empurrou para o lado o pouco que sobrara do almoço. — Eu me encontrei com Sam por acaso, na estrada costeira. — Isso era verdade, Ripley pensou. E a casa de Mia ficava na estrada costeira. — Ele estava limpando a lambança que você deixou para trás.

— A... — Mia começou a falar, mas parou de repente, pálida. Meu Deus, como poderia ter sido tão descuidada? Nem ao menos se lembrou de que a imensa quantidade de energia negativa poderia ter contaminado toda aquela parte da ilha.

— Não seja tão dura consigo mesma — disse Mac, com gentileza. — Você deve ter ficado muito perturbada.

— Isso não justifica, Mac. Era minha responsabilidade.

— Você não entendeu bem o problema, professor. — Com ar casual, Ripley pegou um pedaço do *éclair* que Mac pedira de sobremesa. — A Dona Perfeita aqui não se permite cometer erros como o resto de nós, pobres mortais.

— Eu realmente deveria ter limpado a área — repetiu Mia, e Ripley teve uma fisgada de preocupação, vendo que a outra não estava interessada em bater boca.

— Bem, você não limpou. Sam fez isso, e está tudo bem. Enfim, enquanto eu o fiquei provocando, ameaçando prendê-lo por algum motivo idiota qualquer, só para alegrar a minha manhã, ele me contou tudo. Eu, por minha vez, contei tudo para Mac, e então só falta Nell saber da história, quando acabar o turno dela aqui.

— Certo, tudo bem. — Mia esfregou um vago ponto latejante sobre as têmporas. Nem se lembrava da última vez que tivera uma dor de cabeça. Seu estômago também estava embrulhado. Ela precisava de um tempo sozinha, para equilibrar os chakras e voltar a pensar com clareza. — Gostaria de discutir esse assunto mais detalhadamente com você, Mac. Minha tendência é achar que foi apenas uma tática intimidadora, mas não quero descartar o que aconteceu e perder algo crítico.

— Você tem razão; por acaso, Ripley e eu estávamos conversando sobre marcar uma reunião. Por que não nos encontramos todos na casa de Nell e Zack, hoje à noite?

— Bem na hora do jantar — ecoou Ripley, fazendo Mia sorrir.

— Sim, por que perder tempo, ou a oportunidade de saborear a comida de Nell, ainda por cima de graça? Vou falar com ela. — Mia se levantou, olhando a seguir para Ripley. — Eu planejava contar a você tudo o que aconteceu. Só que precisava clarear as ideias, antes. Não quero que fique pensando que eu ando guardando segredos. Isso já é coisa do passado entre nós duas.

Ripley sentiu uma pontada de culpa por não dizer nada a favor de Sam, mas aguentou firme. Trato era trato.

— Não esquenta, Mia. Além do mais, isso me deu uma oportunidade de pegar no pé do bonitão.

— Então já valeu a pena. Vejo vocês mais tarde.

Quando ela saiu em direção a Nell, fora do alcance da conversa, Mac se inclinou novamente sobre a mesa, dizendo:

— Você é muito boa, delegada. Muito boa, mesmo.

— E você tinha dúvidas? Agora tenho que sair correndo para me encontrar com Sam, para relatar tudo o que contei a Mia e o que não contei, antes que ela chegue nele e acabe estragando tudo.

— Deixe que eu faço isso. — Mac empurrou o *éclair* para junto dela ao se levantar. — Preciso mesmo conversar com Sam. Quero documentar tudo que aconteceu.

— Certo, boa ideia. — Ripley começou a devorar o doce.

— E você paga o almoço quando sair.

— Sempre se dando bem — murmurou ela, com a boca cheia.

Mac conseguira convencer Lulu a lhe conceder uma hora do seu tempo, e isso vinha bem a calhar, pensou. Ele ainda teria que dirigir até em casa para se encontrar novamente com Ripley, a fim de trocarem de roupa para voltar e participar do recém-combinado jantar na casa dos Todd.

Por enquanto, porém, estava com o gravador e o caderno de anotações preparados, e havia bajulado Lulu, presenteando-a com uma caixa de chocolates Godiva.

— Eu realmente lhe sou muito grato, Lulu.

— Sei, sei. — Ela tomou um gole de café bem forte, acompanhado de um dos chocolates. Estava dando um tempo com o vinho. — Já lhe disse que não gosto muito dessa história de entrevistas. Isso me faz lembrar de quando era presa pela polícia, por participar de protestos.

— E contra o que você estava protestando?

— Ora, por favor! — Ela lançou sobre ele um olhar de pena. — Eram os anos 1960. A pergunta é: contra o que eu *não* estava protestando?

Aquele era um bom lugar para começar a entrevista, Mac decidiu.

— Quer dizer então, Lulu, que você vivia em uma comunidade hippie

— Por algum tempo. — Encolheu os ombros. Era melhor soltar logo o verbo. — Eu me encostava aqui e ali. Dormia em parques públicos, nas praias, onde pintasse. Vi partes do país que você jamais vai descobrir, se inventar de sair com a família passeando de minivan e se hospedando em hotéis.

— Aposto que sim. E como foi que acabou vindo parar aqui, na Ilha das Três Irmãs?

— Andando sempre para o leste.

— Lulu, por favor — pediu ele.

— Certo, não precisa me lançar esse olhar de cachorro pidão. — Ela se colocou mais confortável sobre o sofá. — Caí na estrada quando tinha 16 anos. Não me dava bem com minha família. — Inclinou-se, escolhendo mais um chocolate.

— Havia alguma razão em particular para isso?

— Dúzias. Meu velho tinha mente estreita e mão pesada. Minha mãe dançava conforme a música e flertava com o assistente social. Eu não consegui suportar aquilo. Aproveitei a primeira chance que tive e caí fora. Eu tinha sido um pé no saco tão grande para os meus pais, que eles nem se preocuparam muito em descobrir para onde eu tinha ido.

Mac achou muito triste e reveladora a forma pretensamente casual com que Lulu falou do desinteresse de seus pais pela filha. Conhecendo Lulu, porém, ele sabia que o menor traço de pena poderia custar-lhe um soco nos dentes.

— Para onde você foi?

— Para qualquer lugar que não fosse ali. Acabei em São Francisco, por algum tempo. Durante uma noitada de muita doideira, cheia de erva, ofereci minha virgindade para um garoto de cara linda que se chamava Bobby.

Ela sorriu ao se lembrar disso, como se, apesar dos anos que haviam passado e das circunstâncias, aquela fosse uma lembrança agradável.

— Eu fazia colares de contas e os vendia para comprar comida, ouvia muita música, resolvia todos os problemas do mundo. Fumei muito, experimentei ácido algumas vezes. Atravessei todo o estado do Novo México e depois fui para Nevada na garupa de uma Harley, com um sujeito que tinha o apelido de Furador. — Riu. — Dá para acreditar nisso?

— Tudo isso aos 16 anos?

— A essa altura eu já devia ter uns 17. É uma pena que a gente só tem 16 anos por um ano. Eu gostava daquela vida de cigana e tinha comichão nos pés. — Balançou os dedos dos pés para cima e para baixo, dentro das velhas meias de lã. — De vez em quando, ficava um tempo em algum lugar. A comunidade hippie do Colorado, por exemplo. Foi lá que aprendi a cuidar de um jardim e a cozinhar o que eu mesma tinha plantado.

Também lá aprendi a fazer tricô. Mas... — Por trás das lentes, seus olhos se aguçaram. — Você quer saber é dos detalhes sobrenaturais, certo? Não essas lembranças de riponga.

— Eu me contento com o que conseguir.

— Eu tinha sonhos. Não eram exatamente projetos — explicou. — Não possuía nenhum tipo de ambição, mas sonhava com este lugar. Via em sonhos a Ilha das Três Irmãs, uma casa na beira de penhascos e uma mulher com longos cabelos ruivos.

Mac estivera fazendo um esboço do rosto de Lulu no caderno de anotações, mas neste momento parou e olhou para cima.

— Mia — completou ele.

— Não. Não era ela. — E, como ficar falando a respeito daqueles velhos tempos lhe trazia uma sensação de nostalgia, acendeu um incenso de baunilha. — Ela me aparecia chorando, nos sonhos, e me dizia que eu precisava tomar conta das crianças.

Mac fez uma anotação rápida. Tinha havido uma babá, e a irmã que se chamava Fogo deixara as crianças com ela, antes de se lançar no mar, de cima dos penhascos. *Reencarnação?*, escreveu ele no caderno. *Uma ligação direta com o círculo original?*

— Todas as vezes que eu tinha esse sonho, sentia necessidade de me colocar em movimento e de ir em frente mais uma vez. Para encurtar a história, fui parar em Boston, sem grana. Mas eu não me importava de ficar dura, naquela época. Alguém sempre me indicava a casa de alguma pessoa que tinha um colchonete velho onde eu podia descansar os ossos. Foi então que uma garota que chamava a si mesma de Botão de Ouro, veja só que nome maluco, disse que devíamos todos tomar a barca até a Ilha das Três Irmãs. Ela gostava de pensar que era uma bruxa, mas eu me lembro de que, na verdade, era filha de um advogado rico, cujo dinheiro ela estava torrando na faculdade. Tinha grana para pagar a passagem de todos nós, ida e volta, só com a mesadinha do papai. E eu fui nessa onda porque, afinal, era um passeio grátis. Viemos todos parar aqui na ilha. Depois eles voltaram para o continente. Eu fiquei.

— Por quê? — Perguntou Mac.

Lulu não respondeu logo. Apesar do seu relacionamento com Mia, com Ripley, agora com Nell também, e com a própria ilha, ela não gostava muito de falar de suas experiências com Magia. Sempre acabava se sentindo um pouco tola.

Mac, porém, continuava olhando para ela com aquele jeito bem quieto, típico. E Lulu aprendera a gostar muito dele.

— Ainda dentro da barca, eu soube que aqui era o meu lugar, assim que vi a ilha se aproximando. É claro que eu estava doidona — continuou ela. — Todo mundo no grupo estava. Botão de Ouro era uma idiota, mas sempre tinha erva da melhor qualidade. Vi a ilha chegando como se estivesse dentro de uma bola de cristal, tudo tão nítido e claro. Talvez fosse efeito da maconha, mas eu achei que aquele era o lugar mais maravilhoso que já tinha visto na vida. Olhei para cima e vi a casa nos penhascos, com o farol ao lado, e pensei: *Ora, cacete, é aqui mesmo! É aqui que eu tenho que estar; este é o meu lugar.* Resolvi me afastar de Botão de Ouro e dos outros assim que a gente desembarcou nas docas, e até hoje nunca mais voltei a pensar naquela cambada. Queria pelo menos saber o que diacho aconteceu com o grupo.

— E você foi trabalhar na casa da avó de Mia?

— Não foi logo assim, de cara. Eu nem estava procurando por um emprego, na verdade. Achava muito careta. — Retirou os óculos com cuidado, limpando as lentes. — Fiquei acampada na floresta por um tempo, comendo amoras ou o que conseguisse afanar das hortas alheias. Acho que estava em uma fase vegetariana. — Ela analisou o fato em silêncio, com um franzir da testa.

Era interessante olhar para trás e ver a si mesma novamente jovem, sem responsabilidades, descontraída, livre e leve.

— Aquilo não durou muito. Uma vez carnívora, sempre carnívora. Então... certo dia eu estava caminhando à beira do bosque e passou uma mulher chiquérrima, em um carro de bacana. Parou. Colocou a cabeça para fora da janela e me olhou de cima a baixo. Acho que ela devia andar pela casa dos 60, mas quando você está naquela fase da vida em que acha que 30 é o fim da linha, uma pessoa com 60 parece realmente muito velha.

Ela parou, rindo com vontade enquanto recolocava os óculos.

— Ora, que se dane, eu vou é tomar um cálice de vinho. Quer um pouco?

— Não, obrigado. Estou de carro.

— Você é um cara todo certinho, mesmo, não é, Mac? — Ela se encaminhou para a cozinha, gritando lá de dentro: — Eu nunca fui muito bonita de se olhar, mas depois de estar acampada por duas semanas devia estar parecendo uma pessoa mais madura. Tinha cabelos compridos e usava tranças. Não sei o que estava achando daquilo. Só sei que a tal senhora me pareceu muito velha, mas era uma figura linda de se olhar. Tinha os cabelos ruivos, muito escuros, presos e muito bem penteados. Tinha roupa de marquesa, parecendo uma dama que tinha acabado de chegar para o chá. Seus olhos eram escuros, muito escuros, e, quando eles se encontraram com os meus, juro que ouvi o estrondo das ondas quebrando nas pedras, tempestades, e *senti* o vento passar por dentro de mim, embora o dia estivesse quente e claro. E ouvi um bebê chorando.

Com o cálice de vinho na mão, Lulu caminhou pesadamente de volta e se jogou sobre o sofá estofado em cores berrantes e muito usado.

— Ela me mandou entrar no carro, sem mais nem menos. E eu entrei, sem mais nem menos. Nem pensei duas vezes. Aquela Sra. Devlin tinha muito poder, do mesmo jeito que a neta tem. Eu não sabia identificar que força era aquela; só sabia que *havia* algo. Ela me levou até a casa nos penhascos.

Nesse momento, Lulu permitiu que o sentimento inundasse a sua voz, junto com o vinho.

— Eu a adorava. Eu a respeitava muito e a admirava. Era família, mais do que se tivesse meu próprio sangue. Eles nunca tinham ligado muito para a minha existência, e eu acabei me acostumando com isso. A velha Sra. Devlin, porém, me ensinou muitas coisas. Passou para mim a paixão que tinha pelos livros. Confiava em mim. Ensinou-me a trabalhar para obter o meu sustento e achava que eu precisava engordar um pouco! Limpei aquele casarão tantas vezes que acho que conseguiria fazer isso novamente até dormindo.

— Você não sabia que ela era uma bruxa?

Lulu considerou a pergunta. Não era algo em que pensara muito.

— Foi uma coisa gradual. Acho que ela fez as coisas de tal forma que passou a ser natural para mim aceitar o fato. Talvez também fosse mais fácil na época aceitar tudo dentro daquela história hippie e metafísica de que a natureza é nossa mãe, esse tipo de doideira.

— E quando foi que soube a respeito da lenda?

— Isso foi gradual, também. A lenda faz parte da história da ilha, então você ouve uma coisa aqui, lê outra coisa ali. Trabalhando para a Sra. Devlin, eu me tornei parte da ilha antes que me desse conta.

— Então, quando Mia apareceu em sua vida, tornava-se uma coisa natural para você aceitar o poder dela.

— Se tiver que analisar isso, diria que a Sra. Devlin cuidou desse assunto também. Ela sabia como as coisas iam acontecer antes mesmo de acontecerem. Quando Mia nasceu, o filho da Sra. Devlin se mudou, com a mulher e o bebê, para a casa. Eu saquei logo que eles fizeram isso para ver se conseguiam um par de babás permanentes, de graça. Egoístas descarados.

Lulu fez uma pausa e a seguir tomou um gole grande de vinho.

— Na noite em que eles a trouxeram, foram até o hotel, no centro da ilha, para jantar, e a Sra. Devlin me levou até o antigo berçário. Mia era um bebê lindíssimo. Tinha os cabelos em um tom de vermelho-vivo e os olhos muito brilhantes. Braços e pernas compridos. A Sra. Devlin a pegou do berço, acalentou-a por alguns instantes e depois a entregou para mim. Fiquei apavorada. Não que eu nunca tivesse pegado um bebê nos braços ou que ela parecesse feita de cristal muito frágil ou precioso, nada disso. É que eu sabia. Naquele instante, eu soube que ela estava dando o bebê para mim, e a partir daquele momento nada mais seria igual na minha vida. Você já teve a sensação de desejar comer algo tão ardentemente que consegue até sentir o gosto em sua boca, mas, quando consegue, a ideia de dar a primeira dentada faz a sua barriga pular?

— Sim. — Mac colocou o caderno de anotações de lado e ficou escutando.

— Já tive essa sensação.

— Foi mais ou menos assim. Nós ficamos paradas ali; ela me entregando Mia depois, e eu, com os braços cruzados contra o peito, sentindo o coração bater como um martelo. De repente, uma tempestade apareceu do nada, exatamente como nos meus sonhos. O vento fustigava as janelas, os relâmpagos espocavam como flashes poderosos. Aquela foi a primeira e única vez em que vi a Sra. Devlin chorar.

"Tome o bebê, disse para mim. *Ela precisa de amor, proteção e de uma mão firme. Os pais não vão oferecer isso a ela; não conseguem. E, quando eu me for, ela vai ter apenas a você.* Eu disse que não sabia como cuidar de um bebê, mas ela simplesmente sorriu para mim e continuou com a criança nos braços esticados, na minha direção. Mia começou a se remexer, toda agitada, balançando as mãozinhas, e, antes de perceber, eu já estava com

ela em meus braços. A Sra. Devlin deu um passo para trás. *Ela é sua, agora,* disse ela, e eu jamais vou me esquecer daquilo. *Ela é sua, e você é dela.* E deixou que eu acalentasse a criança, até que Mia acabou adormecendo." Lulu começou a fungar, emocionada.

— Acho que este vinho está começando a me deixar meio derretida — explicou.

Muito emocionado com a história, Mac se inclinou e colocou a mão sobre a de Lulu, apertando-a com carinho e dizendo:

— É mesmo, Lu. A mim também.

O xerife Zachariah Todd esvaziou a máquina de lavar louça, uma das poucas tarefas que tinha a permissão de realizar na sua própria cozinha.

— Tudo bem, deixe-me ver se eu entendi direito. Mia contou a Sam o que aconteceu com ela na estrada, hoje de manhã. Ripley, que não sabia o que acontecera, se encontrou com Sam por acaso diante da casa de Mia e ficou sabendo de tudo, mas prometeu que não contaria a Mia que o tinha encontrado lá. Então, contou a Mia, no momento em que esta ia contar a ela. Nossa!... tudo o que havia acontecido, ou seja, que ela, no caso Ripley, ficou sabendo ao encontrar Sam casualmente na estrada, quando ele estava limpando a área.

— Isso, você está indo muito bem — encorajou Nell; Zack respirou fundo para não perder o fôlego, enquanto ela acompanhava o progresso da lasanha no forno.

— Espere, Nell, não me distraia, senão eu perco o fio da meada. Nesse ponto, Mac contou a Sam a versão que Ripley contou a Mia, enquanto Mia contava a você tudo o que aconteceu esta manhã. Depois, Ripley contou a você todo o resto da história, e que você passou para mim por motivos que me escapam à compreensão.

— Contei tudo a você porque o amo, Zack!

— Ah, certo. — Encostou a ponta do dedo no centro da testa. — Acho melhor ficar calado o tempo inteiro, assim não corro o risco de estragar alguma coisa.

— Bem, não é uma má ideia. — Ela ouviu os latidos denunciadores de Lucy, rápidos e alegres. — Alguém chegou. Vá em frente, pegue a bandeja na terceira prateleira. Estou experimentando algumas receitas novas para usar no casamento dos Rodger, no mês que vem. E trate de colocá-los em um lugar onde Lucy não alcance — completou. Ao se preparar para sair da cozinha, lançou um olhar para o seu gato e sussurrou: — Homens e cães, Diego. — Estalou a língua. — Temos que ficar de olho neles o tempo todo.

E por pensar assim, Nell ainda passou algum tempo guardando todos os utensílios que Zack tinha espalhado nos locais apropriados, antes de pegar uma garrafa de vinho e sair para receber seus convidados.

Mac e Ripley haviam trazido o pequeno cãozinho, e isso deixou Lucy em um estado de encantamento e terror, além de colocar Diego em um estado de visível indignação, o que o fez subir para o segundo andar da casa, com cara de poucos amigos.

Mia chegou logo depois, com um buquê de narcisos recém-colhidos, e logo se colocou à vontade, sentando-se no chão para relaxar, brincando de cabo-de-guerra com o pequeno Mulder, usando um pedaço de barbante.

— De vez em quando tenho vontade de arranjar um cão para mim. — E riu ao ver Mulder perder a força nos dentes que seguravam o barbante e cair para trás em uma cambalhota desengonçada. — Depois, lembro-me dos meus jardins. — Ela pegou no filhote, colocando-o acima da cabeça e olhando para o alto. — Aposto que você adoraria arrancar todas as minhas flores, não é?

— Sem falar nos sapatos que ele ia roer — disse Ripley, com voz amarga.

— Mas é claro que você tem centenas de pares extras.

— Sapatos são uma forma de auto expressão.

— Sapatos são feitos para caminhar.

Mia não ligou para Ripley e trouxe o filhote para baixo, esfregando o nariz em seu focinho.

— O que é que ela sabe sobre isso, hein?

Foi assim que Sam a viu ao chegar na porta, sentada no chão e rindo muito enquanto um gorducho filhote amarelo lambia suas bochechas. Sentiu uma fisgada na barriga e um aperto na garganta.

Ela parecia tão descontraída e feliz, com as pontas da saia comprida espalhadas em volta do corpo, sobre o tapete. Seus cabelos desciam em cascata pelas costas, e seus olhos brilhavam de prazer.

Ali, naquela mulher arrebatadoramente linda, ele viu uma cintilação da menina que havia ficado para trás.

Foi então que Lucy latiu alto, Mulder ganiu, e Mia parou de rir quando seu olhar seguiu a reação dos cães e pousou na porta de entrada.

— Lucy! — Zack ralhou com a cadela, e a seguir a segurou pela coleira enquanto abria a porta de tela para Sam entrar. — Nada de pular! — ordenou, enquanto os músculos de Lucy já se preparavam para oferecer um salto de boas-vindas. — Você também, nada de pular — disse a Sam bem baixinho. Até um cego era capaz de reparar no olhar faminto do rosto do visitante, que continuava fixo em Mia.

— Deixe-a, está tudo bem. — Sam passou a mão sobre a cabeça de Lucy, que imediatamente se deitou com a barriga para cima. Entregando a Zack a garrafa de vinho que trouxera, agachou-se para fazer festa na barriga exposta de Lucy. O filhote veio pulando, meio torto, querendo carinho também.

— O que você está fazendo aqui? — quis saber Mia.

Sam levantou as sobrancelhas diante do tom frio dela, mas antes que tivesse a chance de responder, Mac pulou em sua defesa.

— Eu pedi para que ele viesse. — Mac quase se encolheu diante do olhar acusador de Mia. — Todos nós somos parte disso, e cada um tem alguma coisa para contribuir. Precisamos cooperar uns com os outros, Mia.

— Está certo, você tem razão, é claro. — A descontração se fora. Em seu lugar, surgiram uma voz num tom frio e um sorriso forçado. — Foi indelicadeza de minha parte, Sam, desculpe. É que este aqui vem sendo o nosso pequeno clube noturno há algum tempo, e eu não esperava um novo membro.

— Tudo bem. — Sam pegou o barbante que Mulder trouxera e depositara a seus pés, com olhar esperançoso.

— O jantar vai estar na mesa em mais alguns minutos. — Com suavidade, Nell penetrou no ambiente tenso que se formara. — Quer vinho, Sam?

— Aceito sim, obrigado, Nell. Aqui no pequeno clube de vocês existe algum rito de iniciação que eu deva conhecer?

— Apenas uma pequena cerimônia na qual raspamos todo o cabelo da cabeça e do corpo do novo membro. — Mia provou o próprio vinho. — Mas isso pode ficar para depois do jantar. Vou lavar as mãos.

Antes que conseguisse se levantar, Sam já estava a seu lado, com a mão estendida para ajudá-la. Embora aparentemente o gesto fosse uma cortesia, uma oferta de paz, Mia se bloqueou de tal forma que quando sua mão e a de Sam se encontraram, não aconteceu nada além do encontro de uma palma com a outra.

— Obrigada — disse ela.

Mia conhecia a casa tão bem quanto a dela, mas mesmo assim subiu para o segundo andar, em vez de usar o lavabo do primeiro andar, mais próximo e conveniente.

Quanto mais distância, melhor, pensou ela. *Mais isolamento.*

Entrou no banheiro e fechou a porta, encostando-se contra ela. Aquilo era ridículo. Era um absurdo completo que aquele homem a afetasse daquela maneira. Corria tudo bem, ou quase, quando ela estava preparada, mas quando o via em momentos inesperados, momentos em que ela se encontrava muito receptiva, ele simplesmente a completava.

Queria colocar a culpa nele, mas sabia que isso era tolice e também um contrassenso: ficar remexendo em velhas feridas. O que passou, passou.

Aproximando-se da pia, estudou com cuidado o seu rosto no espelho. Ela parecia cansada, um pouco pálida e abatida. Bem, a verdade era que tinha sido um dia difícil. E a parte externa, pelo menos, era fácil de consertar.

Lavou as mãos e deixou a água escorrer pela torneira. Curvando-se, pegou um pouco da água com as mãos em concha e espalhou o líquido limpo e refrescante sobre o rosto. Em um dia normal, ela gostava de usar maquiagem. Os lápis de sobrancelhas, o rímel e os pincéis eram divertidos, e havia algo de confortavelmente feminino em usá-los.

Naquele momento, porém, o que pretendia fazer era mais simples, além de certamente mais rápido.

Ela secou o rosto tocando-o repetidas vezes com a toalha felpuda e então lançou sobre a face o seu encanto de glamour. Depois, voltou-se novamente para o espelho, com um olhar crítico. Muito melhor, decidiu. Parecia descansada, com uma sutil coloração saudável no rosto. Um pouco mais de cor, não tão sutil, contornava sua boca.

Afinal, dando um suspiro por sua vaidade, traçou uma curva cuidadosa com a ponta de um dos dedos sobre as pálpebras, tocando de leve as pestanas, da mesma forma que outra mulher usaria a sombra e o rímel para delinear os limites dos olhos. O contorno deles se acentuou.

Satisfeita com o resultado, ela deu uma última olhada no rosto enquanto acalmava as emoções. Depois desceu para se juntar aos outros.

Um grupo muito unido. Foi isso que Sam pensou, enquanto se deliciava com a surpreendente lasanha preparada por Nell Todd. A linguagem corporal de todos, os olhares, os pensamentos não totalmente externados e logo completados por alguém da mesa. Tudo servia para provar a ele que aquelas cinco pessoas formavam um grupo muito unido.

Pela linha de tempo que traçou em pensamento, Sam calculou que Nell estava na ilha havia menos de um ano e que Mac chegara no último inverno. Apesar disso, estavam tão completamente absorvidos uns com os outros que formavam uma unidade.

Um inimigo comum era parte da resposta para aquilo. Mas o que Sam percebia ali era mais do que simplesmente a intimidade que surge nos períodos de guerra.

Havia algo na maneira com que Mia aquecia o ambiente ao conversar com Mac ou quando o ouvia falar; na expressão divertida que aparecia em seu rosto. Era amor o que via ali, não daquele tipo que surge da paixão, mas algo profundo e real.

Notou momentos como esse por toda a mesa.

Nell servia uma segunda rodada de comida a Mac antes mesmo que ele pedisse. Zack cortava um pedaço de pão e o passava para Mia quase sem perceber, enquanto continuava a manter uma discussão amigável com a irmã sobre a profundidade dos arremessos do time dos Red Sox. Nell e Mia trocavam olhares de cumplicidade que as faziam rir de piadas não verbalizadas.

E tudo isso, toda essa descontração, tornou claro para Sam que, para construir uma ponte por cima de todos os anos em que ele estivera longe dali, seria necessário mais do que tempo e proximidade.

— Tenho a impressão de que o meu pai e o seu disputaram um torneio de golfe beneficente no mesmo grupo — comentou Mac. — Acho que foi no mês passado, em Palm Springs, ou em Palm Beach, agora não lembro. O nome da cidade tinha *Palm* no nome.

— É mesmo? — Sam jamais sentira muito interesse pelos eventos pseudobeneficentes de seu pai. E já haviam se passado muitos anos desde que deixara de ceder à pressão para participar de algum deles. — Já encontrei seus pais em diversas festas e acontecimentos em Nova York.

— É, nos mesmos círculos sociais.

— Mais ou menos — concordou Sam. — Não me lembro de ter encontrado você em nenhuma dessas ocasiões.

— Bem, aí é que está. — Mac apenas sorriu. — Você costuma jogar golfe?

— Não. — Sam sorriu de volta. —Você joga?

— Mac é muito desajeitado — interrompeu Ripley. — Se tentasse dar uma tacada em um campo de golfe, provavelmente lançaria seu dedão do pé no meio das folhagens.

— Triste, mas verdadeiro — concordou Mac.

— Na semana passada ele tropeçou ao descer os degraus do nosso terraço e se estabacou. Levou seis pontos.

— O cachorro ficou bem na minha frente, para me derrubar — disse Mac, tentando se defender. — Além do mais, foram só quatro pontos.

— Que teriam sido evitados se você tivesse ido me procurar, em vez de ir para a clínica.

— Ela pega no meu pé todas as vezes que dou uma topada ou termino com algum galo.

— O que acontece todos os dias. Na nossa lua de mel...

— Não vamos falar sobre isso em público, Rip. — O rubor começou a subir pelo pescoço de Mac.

— Bem, estávamos usando um banho de chuveiro como desculpa para uma rodada de sexo quente e ardente, e então...

— Pare com isso, Ripley! — Mac tentou tapar a boca da mulher com a mão, enquanto lhe dava uma cotovelada. — Além do mais, aquele suporte de toalhas estava solto.

— Ele arrancou tudo da parede com um espasmo poderoso e incontrolável. — Ela balançou as pestanas para cima e para baixo. — Meu herói!

— Enfim — completou Mac com um longo suspiro —, já que você é dono de hotel, Sam, é uma boa dica verificar se os suportes para toalha nos banheiros estão todos bem firmes.

— Vou anotar esse detalhe, especialmente para o caso de vocês dois resolverem passar um fim de semana na Pousada Mágica.

— Bem, se a reserva for feita pelo Zack e pela Nell — continuou Ripley—, nesse caso é melhor verificar a estabilidade da pia da suíte. Eles deixaram a pia do banheiro lá de cima toda bamba e desalinhada no dia em que resolveram...

— Ripley! — exclamou Nell, entre os dentes, horrorizada.

— Você precisa contar tudo para ela, meu bem? — reclamou Zack.

— Nunca mais! — Ignorando a gargalhada de Ripley, Nell empurrou a cadeira para trás e se levantou, anunciando alegremente: — Vou pegar a sobremesa.

— Não fazia ideia de que os banheiros haviam se transformado em zonas erógenas — comentou Mia, enquanto se levantava para recolher os pratos.

— Pois eu ficaria feliz de lhe mostrar o meu... banheiro — disse Sam, e Mia fez um gesto de desdém com os ombros enquanto seguia para a cozinha.

— Ela mal tocou na comida — continuou Sam, falando para o grupo, em voz baixa. — Só fingiu que comia,

— Ela está tensa — explicou Mac.

— Não há razão para que eu fique aqui, se isso a deixa sufocada,

— Sam, sabia que o mundo não gira em torno de você? — Ripley agarrou o cálice e bebeu o resto do vinho.

— Rip! — A voz de Zack era um aviso calmo. — Vamos deixar as coisas como estão para ver como é que ficam.

Concordando com a cabeça, Sam pegou o próprio prato vazio e se levantou, dizendo:

— Ela confia muito em você, Mac.

— É verdade.

— Talvez isso ajude a contrabalançar as coisas.

Sam estava mais calmo quando eles se reuniram novamente, na sala de estar. Jamais o que ele era tinha sido um problema. Sam era simplesmente aquilo que era. Por outro lado, seus dons jamais haviam sido discutidos abertamente. Ele não participava de nenhuma convenção de bruxos. Embora apenas quatro das seis pessoas ali reunidas fossem bruxas, por hereditariedade, tudo parecia muito com uma convenção.

— Todos aqui conhecem a lenda — começou Mac.

Ali estava o historiador, pensou Sam. O cientista. O homem atento aos detalhes e de raciocínio rápido.

— Durante os julgamentos das bruxas em Salem — começou Mac —, as três mulheres da aldeia, conhecidas pelos nomes de Fogo, Terra e Ar, conjuraram e arrancaram do continente o pedaço de território que se transformou na Ilha das Três Irmãs e fizeram daqui um refugio contra a perseguição.

— E, enquanto isso, pessoas inocentes foram caçadas e assassinadas — acrescentou Ripley.

Ali, o soldado, reconheceu Sam, enquanto coçava a cabeça do gato, que se dignara a vir ficar junto dele no sofá. Uma mulher de pulso forte. A Terra.

— Elas não poderiam ter evitado as mortes, mesmo que tentassem — contrapôs Zack. — E, se tivessem feito isso, muitos mais poderiam ter morrido.

Ali, Sam decidiu, estavam a razão, o bom senso e a autoridade.

— Se você modifica um dos ângulos do destino, muda todos os outros. — Mac concordou com a cabeça, continuando a falar. — Aquela que se chamava Ar se apaixonou e casou com um mercador que a levou de volta para o continente. Ela criou seus filhos e cuidou de sua casa. Mas ele jamais conseguiu aceitar o que ela era. Abusava dela e, por fim, acabou matando-a.

— Ela culpava a si mesma, na minha opinião, por não ser aquilo que o marido esperava. E por não ter se mantido fiel a si mesma, ao fazer uma escolha errada.

Essa era Nell, a que nutria, pensou Sam, quando ela falou. O gato se esticou debaixo de suas mãos, como se concordasse. Ela era o Ar.

— Ela salvou as filhas — continuou Mac —, mandando-as de volta para as irmãs, aqui na ilha. Mas o círculo diminuiu. Perdeu a força. Ela foi morta, e o horror daquilo, toda a fúria que a morte da irmã provocou, se ampliou dentro daquela que se chamava Terra, até que ela acabou se rendendo ao ódio, à raiva e à necessidade de vingança.

— Ela estava errada. — Ripley falava agora. — Compreendo o que ela sentiu e os motivos de ter sentido aquilo, mas estava errada. E pagou por isso. Ao usar seus poderes para matar aquele que tinha assassinado a irmã, ela destruiu a si mesma, e o mal que fez voltou para ela, triplicado. Acabou perdendo o marido, o homem que ela amava; jamais conseguiu rever as filhas e estilhaçou o que sobrara do círculo inicial.

— Mas ficou uma delas. — A voz de Mia surgiu clara, o olhar firme. — Ficou para manter o círculo.

Ali estavam o intelecto, o orgulho e a paixão. Não era de estranhar que ela mexesse tanto com ele, Sam pensou, porque Mia era o Fogo.

— O desespero consegue destruir até os mais fortes. — Nell colocou uma das mãos sobre a de Mia. — Mesmo se sentindo sozinha, mesmo com o coração partido, ela teceu uma rede de proteção em volta da ilha, feita para resistir durante trezentos anos.

— Antes de partir, porém, ela se certificou de que todas as crianças ficassem a salvo, nas mãos de uma babá amorosa. — Mac se lembrou de Lulu. — O que nos traz aos tempos de agora. — Franziu a testa ao experimentar o café. — Nós temos um círculo que ainda não foi quebrado.

— E você está preocupado que eu falhe quando a minha hora chegar. Nell enfrentou os demônios dela, e Ripley também passou pelo teste. — Naquilo que parecia um gesto gratuito, Mia afagou Mulder com o peito do pé. — De nós três, o meu conhecimento e a minha prática da Arte são os mais extensos.

— Concordo com você, mas...

— Mas o quê? — Mia levantou uma sobrancelha ao olhar para Mac.

— Eu fico pensando que, no outro lado da balança, o que você vai ter que enfrentar vai ser muito mais, digamos, traiçoeiro. Nell precisou enfrentar Evan Remington, um homem.

— Um saco de bosta — corrigiu Ripley.

— Seja lá como for, era humano. É claro que ela teve que reunir toda a coragem para enfrentá-lo, derrotá-lo e abraçar seu dom. Não estou querendo dizer que aquilo foi coisa pouca, entendam bem. O que estou explicando é que foi algo físico, palpável. Vocês estão me acompanhando?

— Era um homem com uma faca. — Sam falou pela primeira vez desde que Mac dera início à conversa; atraiu a atenção de todos. — Um sociopata, um psicopata, sei lá o termo que se usa para descrever esse tipo de manifestação do Mal. No meio da floresta, em uma noite escura. Não, realmente não foi pouca coisa. Foi preciso muita coragem, uma fé profunda e uma quantidade gigantesca de poder para fazer o que Nell fez. Mas Evan era a expressão do Mal com um rosto que ela conhecia.

— Exatamente! — Mac sorriu para Sam, como um professor que congratula um aluno aplicado. — No caso de Ripley...

— No caso de Ripley — continuou a própria Ripley —, eu tive que aceitar o Poder que rejeitara no passado e caminhar sobre uma linha divisória que parte de mim queria atravessar.

— Um turbilhão emocional — concordou Sam. — Isso pode afetar a sintonia do seu Poder, da mesma forma que afeta o tom de sua voz ou de seus atos. O dom não nos protege de falhas, nem de erros. Esse tipo de turbilhão foi criado sob medida para alguém emocional como Ripley, enquanto o de Nell lhe apareceu sob a forma de uma arma física poderosa. No caso de...

Ele parou de falar subitamente, olhando para Mac.

— Não, não pare, vá em frente — incentivou Mac, acenando com a mão. — É bom ouvir as coisas pelo ponto de vista de outra pessoa.

— Muito bem. A força que foi desencadeada séculos atrás usou Remington como fio condutor e depois se alimentou do corpo de um repórter que seguiu a rota de Nell por todo o país, até chegar aqui na ilha.

— Você não terminou a sua ideia, Sam — disse Mia, bem baixo.

— Sim. Eu me segurei. Manter o controle, segurar Poder contra Poder, sem cruzar aquela linha atraente, não é tarefa fácil. Requer muita convicção, paixão e força. Mesmo assim, no final das contas, Ripley, assim como Nell, enfrentou um homem. Não importa o que estava dentro dele; era apenas carne e osso.

— Parece que Sam e eu estamos andando em círculos em torno da mesma teoria.

— Então por que diacho não param de dar mil voltas para chegar direto no ponto? — reclamou Ripley.

— Certo. — E uma vez que Sam acenou com a mão para que Mac fosse em frente, este continuou. — O que atingiu Mia hoje de manhã não era de carne e osso. Não era um ser vivo, mas uma manifestação. Isso nos informa duas coisas. Talvez, apenas talvez, pelo fato de o círculo ainda estar intacto, e pelo fato de, por duas vezes, ele ter sido derrotado, o seu Poder diminuiu. Ele não pode mais possuir, entrar em um corpo. Consegue apenas enganar.

— Ou pode ser que esteja apenas reunindo suas forças. Esperando a hora e o local certos.

— Sim — concordou Mac. — Esperando pelas circunstâncias apropriadas. Não resta muito tempo, se pensarmos em termos de três séculos, para nenhum dos lados. Ele vai continuar forçando e pressionando, tentando enfraquecer o círculo e atacando Mia, mais especificamente. Ele vai tentar minar as fundações do seu Poder. Vai usar seus medos, suas dúvidas, qualquer fraqueza que encontre e que possa causar uma rachadura em sua proteção. E vai preparar um ataque sob medida para você — repetiu, concordando com Sam. — Isto é certo. Essa força vai tentar atacar você como fez há trezentos anos com sua antepassada. Através da solidão que ela sentia, do seu sentimento de perda, e do desespero de ter que viver sem a pessoa que mais amava e de quem mais precisava.

— Sei disso, estou bem consciente de tudo — concordou Mia. — Só que não estou sozinha, não perdi nada, nem ninguém. Meu círculo está intacto.

— Sim, mas... eu não acho que o círculo possa ser considerado seguro, completo e inteiro, até que seu passo seja dado. — Já que estava pisando em terreno perigoso, Mac parou de falar um instante, antes de continuar.

— Até chegar o seu momento, vai existir uma vulnerabilidade, e é nesse ponto que a pressão vai ser maior. A força só precisava quebrar Nell, mas falhou. Tentou seduzir Ripley, mas também falhou. No seu caso...

— No meu caso, precisa provocar a minha morte — completou Mia, calmamente. — Sim, eu sei disso. Sempre soube que ia ser assim.

Quando Mia se preparava para ir embora, Nell a segurou.

— Não fique assim tão preocupada, irmãzinha. — Mia apertou o rosto sobre o cabelo de Nell. — Sei como me proteger.

— Eu sei disso. Só queria que você ficasse aqui conosco. Sei que parece idiotice, mas gostaria de que você ficasse com uma de nós até tudo isso ter realmente acabado.

— Eu preciso dos meus penhascos. Vou ficar bem, eu lhe garanto. — Ela deu um aperto no braço de Nell. — Abençoada seja, minha irmã.

Ela acabou ficando mais um pouco, mais tempo do que os outros, na esperança de evitar outras conversas. Só que, ao sair da casa de Nell e colocar o pé na rua, viu Sam encostado em seu carro.

— Eu vim a pé. Que tal me dar uma carona?

— Está uma linda noite para uma caminhada curta.

— Uma carona, Mia. — Ele a segurou pelo pulso quando ela tentou passar por ele. — Quero muito falar com você, pelo menos por um minuto. A sós.

— Bem, acho que estou mesmo lhe devendo um favor.

— Está?

Andando em volta do veículo, ela entrou e se instalou atrás do volante. Sam entrou. Mia ficou parada por alguns segundos antes de dar partida no carro, explicando:

— Devo-lhe um favor por limpar a sujeira que deixei na estrada hoje de manhã. — Fez uma curva bem fechada. — Ripley me contou que se encontrou com você lá. Muito obrigada.

— De nada.

— Bem, já agradeci, e até que não doeu tanto assim. Agora, sobre o que você queria conversar comigo?

— Estive observando você e Mac. Há alguma coisa entre vocês dois.

— É mesmo? — Deliberadamente, tirou a atenção da pista o tempo suficiente para balançar as pestanas. — E você acha que eu estou tentando arrastar o marido da minha irmã para um caso de amor selvagem e ilícito?

— Se fosse o caso, já o teria fisgado.

— Que elogio maravilhoso! — Ela riu. — Mesmo considerando que você está errado. Ele é um doce de pessoa e está completamente apaixonado pela mulher. Mas você acertou numa coisa. Existe realmente alguma coisa entre mim e ele. Você sempre foi bom em pescar no ar a atmosfera do ambiente e as emoções.

— E o que há entre vocês?

— Somos primos.

— Primos?!

— Acontece que a neta da irmã mais velha se casou com um MacAllister, que vem a ter o sobrenome materno da família de Mac.

— Ah... — Sam fez o possível para tentar esticar as pernas dentro do pequeno carro. — Então ele tem o seu sangue. Isso explica muitas coisas. Senti uma espécie de conexão no momento em que o conheci, mas não consegui identificar exatamente qual era. Também senti uma ligação forte com Nell, mesmo quando ela queria me jogar em um buraco bem fundo e me deixar lá até apodrecer. Adoro seus amigos.

— Bem, isso me deixa aliviada.

— Não deboche, Mia. Estou falando sério.

Ela sabia que aquilo era verdade; suspirou, tentando explicar.

— É que eu estou muito cansada. Esse assunto sempre me deixa mal-humorada.

— Eles estão muito preocupados com você. Com a maneira de como vai lidar com as coisas.

— Eu sei. E sinto muito por isso.

— Eu não estou preocupado. — Fez uma pausa ao ver que ela parara o carro na porta do chalé. — Jamais conheci outra mulher, bruxa ou não, que estivesse mais ligada à vida. Sei que você nunca vai desistir dela.

— Não, não vou. Mas isso não quer dizer que não agradeço a confiança em mim, particularmente depois de um dia longo e difícil. Boa noite, Sam.

— Entre por um instante.

— Não.

— Entre, Mia. — Ele enfiou os dedos por dentro dos cabelos dela, massageando-lhe a nuca. — Entre e fique comigo.

— Bem que eu gostaria de ficar com alguém esta noite — avaliou ela. — Para ser confortada e acariciada. Para ser tocada e possuída. Portanto, não vou entrar.

— Por quê?

— Porque isso não me faria feliz. Boa noite, Sam.

Ele poderia ter pressionado um pouco mais, e ambos sabiam disso. Mas um pouco do glamour no rosto de Mia estava desaparecendo lentamente, e Sam notou traços de fadiga lançando sombras em seu semblante.

— Boa noite, Mia.

Saltando do carro, ele a viu se afastar. E a manteve no pensamento até sentir que havia chegado a salvo em sua casa sobre os penhascos.

Capítulo Oito

Tudo na vida era uma questão de estratégia. Tanto nos negócios, pensou Sam, quanto nos relacionamentos. Às vezes, tudo se resumia a conseguir sobreviver a um só dia. Fiscalizando a reforma dos quartos do hotel, ficou satisfeito pelo trabalho estar correndo dentro do prazo.

Sabia alguma coisa sobre construção e projetos. Anos antes, chegara a considerar a hipótese de sair das Empresas Logan e construir seu próprio hotel. Na faculdade, fizera vários cursos extras na área de arquitetura e design de interiores; até mesmo trabalhara durante um verão inteiro como operário em uma equipe de construção.

Isso lhe trouxera conhecimento prático e muitas habilidades elementares, além de um respeito saudável pelo trabalho braçal.

No entanto, seus planos de montar sua própria empresa foram aos poucos desaparecendo, pois todos os projetos que ele imaginava ou tentava colocar no papel acabavam se mostrando cópias exatas da Pousada Mágica.

Por que clonar o que já existia?

Depois de compreender e aceitar que queria o hotel, o resto foi apenas uma questão de paciência, astúcia e cuidadosa estratégia. Tinha sido importante, nessa fase, não deixar transparecer para o seu pai que a Pousada Mágica era o único bem da família Logan que ele cobiçava.

O prédio teria ido para Sam de qualquer forma, por herança, mas se Thaddeus Logan tivesse descoberto que aquilo se transformara em uma espécie de objetivo de vida para o filho, teria certamente colocado o hotel fora do seu alcance, para pressionar Sam a assumir um interesse mais pessoal em outras áreas do império familiar.

Então, a cenoura ficaria eternamente pendurada na ponta de um graveto muito longo e espinhoso, durante a vida inteira de seu pai. Era assim que ele fazia as coisas, e Sam sabia disso muito bem. Não era um homem de oferecer recompensas; era mais do tipo que controlava tudo e segurava as vantagens. Uma filosofia que angariava resultados sem se preocupar com afeição.

Apesar disso, Sam não estivera disposto a se encarapitar como um abutre no alto de um galho seco de árvore, esperando o pai morrer para reivindicar o que queria.

Durante quase seis anos, manteve o seu desejo pelo hotel bem junto do corpo, como um jogador de pôquer com boas cartas. Trabalhara duro, aprendera muitas coisas e, sempre que conseguira espaço para isso, implementara algumas das próprias ideias, estabelecendo novos campos paralelos lucrativos para as Empresas Logan.

No final, tudo se resumira em distrair a atenção do pai, sempre o rodeando até trazer à tona a oportunidade do negócio no momento certo e estar com o dinheiro na mão para concretizá-lo.

Historicamente, os Logan acreditavam piamente no velho ditado de que nada na vida vem de graça, a não ser, Sam pensou, a herança pessoal. Portanto, foi obrigado a pagar o justo valor de mercado pela parte do hotel que, por lei, ainda pertencia a seu pai.

Sam não media os custos, especialmente quando se tratava de conseguir o que desejava.

Tentaria também não medir os custos para reconquistar Mia.

Pretendia ser paciente, dentro de certos limites. Iria, é claro, ser astuto. Mas faltava ainda, era obrigado a admitir, planejar uma estratégia mais definida para o caso.

A sua abordagem inicial, do tipo *Querida, voltei!*, não funcionara. E os motivos que o levaram a ser idiota o suficiente para imaginar que isso poderia funcionar com Mia estavam além da sua compreensão. *Vamos nos beijar e descontar o tempo perdido* também não dera muito certo. Ela não o estava deixando na geladeira em todas as ocasiões, mas também não estava facilitando o jogo.

O que ele queria era vê-la a salvo. Queria a ilha onde nascera em segurança. E queria ter Mia de volta.

A ideia de que talvez não fosse capaz de conseguir as três coisas ao mesmo tempo não descia bem por sua garganta. O fato é que a responsabilidade de libertar a ilha de um desastre que levara quase trezentos anos para ser planejado estava agora nas mãos deles. E não podia ser ignorada.

Mac não mencionara a sua teoria durante a reunião na casa dos Todd na noite anterior, mas Sam imaginava que ele já discutira o assunto, ou acabaria por fazê-lo, com Mia, em particular. No final de tudo, rejeitá-lo talvez fosse a resposta dela. Poderia ser a *única* resposta.

Mas deixar o barco afundar sem lutar era contra a sua natureza.

Portanto, tudo voltava ao ponto inicial. Estratégia, pensou enquanto analisava a sala de estar da suíte ainda vazia; as paredes haviam sido recentemente revestidas com tecido chamalote verde-claro, e toda a mobília fora lixada até chegar à tonalidade original da madeira, depois envernizada até exibir um brilho transparente, quase dourado.

Ainda pensando, caminhou devagar pelo quarto e foi até uma porta lateral, onde o espaço de um segundo cômodo havia sido sacrificado para dar lugar à expansão do banheiro e do closet principal. As torneiras ainda estavam por ser instaladas, mas ele escolhera pessoalmente a generosa banheira de hidromassagem, o vidro canelado para o boxe, que seria cercado por numerosos jatos de água, e o formato em curva das bancadas.

Usara cores quentes ali, muito granito polido e cobre. Seriam ainda colocadas amenidades em jarras de antigos boticários.

Uma mistura de tradição, conforto e eficiência.

Aquilo era o tipo de coisa que poderia interessar Mia, avaliou. Um ramo de negócios com lucro constante e serviço impecável.

Continuou a sorrir para si mesmo e tirou o celular do bolso. Tão depressa quanto retirara, porém, voltou a guardá-lo. Uma ligação pessoal não era a maneira correta de marcar uma reunião de negócios.

Desceu direto para o escritório e pediu à secretária que fizesse uma ligação para a Sra. Devlin.

Sam conseguiu deixá-la intrigada. O rapaz que ela achava que conhecia tão bem se transformara em um homem cheio de reviravoltas inesperadas e peças que não encaixavam. Um jantar de negócios? Mia ficou analisando o convite enquanto ainda segurava o fone que acabara de colocar no gancho. À escolha dela, no horário que achasse mais adequado. E franziu a testa, ainda olhando para o telefone. A voz dele lhe passara a impressão exatamente disso, muito correta, direta e profissional.

Um encontro de negócios, durante um jantar no hotel, para discutir uma proposta que ele tinha esperança de ser benéfica para os dois estabelecimentos.

O que será que ele tinha escondido sob a manga?

Por pura curiosidade, ela se sentira impelida a concordar com o encontro, de imediato, embora tivesse se mostrado astuta o suficiente para não se colocar disponível para a mesma noite. Concordara graciosamente em reorganizar sua agenda para encaixá-lo na noite seguinte.

Não faria mal algum tentar saber se havia alguma coisa para a qual devesse estar preparada. Pegando a bola de cristal em uma das prateleiras de seu escritório, colocou-a com cuidado no centro da escrivaninha.

Com as mãos em volta dela, concentrou-se e reuniu seus poderes. A superfície de vidro começou a esquentar. Névoas que cobriam formas imprecisas nadavam dentro da esfera e começaram a brilhar com uma luz que parecia vir das profundezas do globo de cristal.

Imagens mais nítidas começaram a se formar por entre a névoa e foram sendo captadas por seus olhos.

Mia viu a si própria exatamente como fora um dia. Jovem, tão jovem, deitada nua na caverna, agasalhada apenas pelos braços de Sam.

— Não quero o ontem — sussurrou ela. — Mostre-me o amanhã. Limpe o passado e mostre-me o futuro, para que eu consiga ver o que pode vir a ser.

Seu jardim, exuberante e em pleno verão, sob a luz brilhante de uma lua cheia. Enquanto olhava, o escritório foi invadido por um suave perfume de baunilha que vinha dos girassóis e pelo aroma penetrante do cravo-da-índia. Ela usava um vestido longo e largo, branco, para servir de eco à luz da lua.

Ele estava junto dela em meio àquele oceano de flores e estendia a mão em sua direção. Na palma estendida segurava uma estrela, um feixe de luzes coloridas que pulsavam ritmicamente.

Estava sorrindo no momento em que atirou a estrela para o alto, provocando uma chuva de luzes e cores, que explodiram acima de suas cabeças. Conforme as luzes iam caindo em volta deles, na bola de cristal, Mia sentiu a emoção invadi-la, a mesma alegria extrema da mulher na imagem à sua frente.

Aquele sentimento foi aumentando dentro do seu próprio coração, como uma canção.

E então, como depois de um relâmpago, ela se viu sozinha na beira do penhasco, enquanto uma tempestade medonha rugia à sua volta. Os raios atingiam o solo em volta dela, em flechas flamejantes. Sua ilha estava completamente coberta por uma névoa fétida. O arrepio que isso lhe provocou ultrapassou os limites da imagem e a atingiu em seu plácido escritório, congelando-lhe os ossos.

Do meio da escuridão, um lobo preto pulou sobre ela. Seus dentes de repente estavam cravados em sua garganta, enquanto ela sentia-se cair em direção ao mar revolto.

— Chega! — Passou a mão sobre o globo de cristal, que, em um segundo, era novamente apenas uma linda bola de cristal.

Recolocando o globo na prateleira, Mia se sentou. Suas mãos estavam firmes, e sua respiração, lenta e regular. Ela sempre soube que olhar para o futuro poderia significar assistir à própria morte. Ou, pior, a morte de algum ente querido.

Era esse o preço que o Poder cobrava. A Arte não pedia sangue, mas mesmo assim apertava o coração até transformá-lo em uma massa de dor latejante.

Então, pensou ela, o que estava reservado em seu futuro, afinal? Amor ou Morte? Ou será que, aceitando o primeiro, este traria a segunda?

Isso ela veria depois. Aprendera muito naqueles trinta anos como bruxa, pensou enquanto ligava o computador para dar início aos trabalhos do dia. E uma coisa ela sabia. Uma pessoa deve fazer tudo que puder para proteger, respeitar, aceitar as alegrias e as tristezas da vida. E então, por fim, terá aceitado o seu destino.

— Pensei ter ouvido que não era um encontro pessoal — resmungou Lulu.

— Não é um encontro. — Mia estava prendendo o brinco na orelha esquerda. — Trata-se de um jantar de negócios.

— Se é apenas um jantar de negócios — fungou, bem alto —, por que está usando esse vestido?

Mia pegou o segundo brinco e o deixou pendendo da mão por um instante, antes de responder:

— Porque gosto dele.

Ela sabia que seria um erro trazer a muda de roupa para o trabalho, em vez de passar em casa. Mas assim ela ganhara tempo e energia. Além do mais, não havia nada de errado com o seu vestido pretinho básico, curto, muito curto.

— Quando uma mulher coloca um vestido desses, é porque deseja que um homem fique imaginando o que há por baixo dele.

— Não diga! — Mia simplesmente piscou repetidamente.

— E não se faça de engraçada comigo. Ainda posso lhe dar umas palmadas no traseiro, se for preciso.

— Lu, eu não tenho mais 10 anos.

— E, se quer saber, está mostrando menos juízo do que quando tinha.

Um longo e sofrido suspiro não ia adiantar. Explicar que *não tinha* sido ela que marcara o encontro serviria apenas para levar a uma nova discussão. E já que era impossível ignorar a mulher rabugenta que estava espremida com ela no banheiro, Mia tentou outra abordagem. Virou-se para Lulu e perguntou:

— Já terminei de fazer o dever de casa e arrumei o meu quarto. Agora posso ir brincar lá fora?

Os lábios de Lulu se torceram, com vontade de rir, mas ela conseguiu mantê-los firmes e fechados, formando uma linha fina e reta.

— Nunca precisei pegar no seu pé para arrumar o quarto. Costumava até ficar preocupada, porque você era uma menina que fazia tudo com capricho e era organizada demais para a idade.

— Então não precisa pegar no meu pé agora, também, porque sei muito bem como lidar com Sam Logan.

— E você acha que se mostrar cheia de curvas nesse vestido colante, com metade dos peitos de fora, é saber lidar com ele?

Mia olhou para baixo. Seus seios, em sua opinião, estavam bem colocados e exibidos de forma elegante. Suas pernas, lisas e macias, estavam de fora só até o meio da coxa.

— É, Lulu, eu acho.

— Pelo menos está usando calcinha?

— Ai, pelo amor de Deus! — Mia agarrou o bolero curto, também preto, e o soltou do cabide acolchoado.

— Eu lhe fiz uma pergunta.

Tentando manter a paciência, Mia colocou o bolero. Sua bainha ficava a poucos centímetros acima da borda do vestido, transformando o pequeno vestido preto em uma espécie de terninho sexy.

— Acho essa sua pergunta muito estranha, sabia? Especialmente vindo de uma ex-hippie da geração paz e amor. Aposto que você provavelmente nem tinha calcinha, de 1963 até 1972.

— Tinha, sim. Um par de calcinhas muito bonitas, com um padrão de raios desbotados, que eu usava em ocasiões especiais.

Sem conseguir evitar, Mia se jogou sobre a cadeira e caiu na gargalhada.

— Ai, Lu!... Que imagem interessante isso está criando em meu pequeno e fervilhante cérebro. Que tipo de ocasião especial pediria um par de calcinhas estampadas com raios desbotados?

— Não mude de assunto, responda à minha pergunta.

— Bem, não estou usando roupa de baixo assim tão festiva, mas estou usando calcinha, sim, e bem dentro da moda. Assim, se eu me envolver em algum acidente, estarei a salvo.

— Não me preocupo com nada que aconteça por acidente. O que me preocupa é o que possa acontecer de propósito.

Colocando-se de pé, Mia se inclinou e colocou o rosto tão familiar de Lulu entre as mãos. Ela não tinha afinal que buscar paciência, compreendeu naquele instante. Precisava apenas da lembrança do amor que Lulu tinha por ela.

— Não precisa se preocupar. Prometo.

— Minha obrigação é me preocupar — murmurou Lulu.

— Então descanse. Vou apenas aproveitar um jantar adorável, descobrir que tipo de negócio Sam está planejando e curtir o benefício paralelo de levá-lo à loucura.

— Você ainda tem uma quedinha por ele.

— Eu nunca tive uma *quedinha* por ele. Eu o amava! — Os ombros de Lulu caíram, em desânimo.

— Ah, minha querida — falou, levantando a mão e espalhando os cabelos de Mia —, eu gostaria tanto que ele tivesse ficado lá na maldita Nova York.

— Bem, ele não ficou. E eu não sei exatamente se o que estou sentindo agora é apenas um restinho do sentimento que antigamente me preenchia, algo que está acontecendo agora ou é uma carência pelos anos que se passaram. Será que eu não devo descobrir?

— Sendo do jeito que é, você vai ter que fazer isso. Só que eu gostaria muito de ver você deixá-lo de quatro e dar um belo chute na bunda dele, antes.

Mia se virou e colocou no pescoço um colar de ouro trabalhado, do qual pendia uma fina fileira de pérolas que desciam sensualmente até o vale entre os seios.

— Se este vestido não o deixar de quatro, não sei o que o fará.

— É, talvez você não seja tão idiota, afinal. — Lulu abriu um sorriso, jogando a cabeça um pouco para o lado.

— Aprendi tudo com a melhor professora. — Mia pintou os lábios em um tom de vermelho-assassino, balançou e jogou para trás sua juba flamejante e se virou de repente. — Então, como estou?

— Uma devoradora de homens.

— Perfeito!

Mia avaliou que o cálculo do tempo para a sua chegada tinha sido perfeito, Precisamente às sete horas, ela entrou no saguão da Pousada Mágica. O jovem atendente do balcão olhou para ela com os olhos arregalados e deixou cair no chão a pilha de papéis que tinha nas mãos. Satisfeita, Mia lançou-lhe um olhar arrasador e entrou quase deslizando no Feiticeiro, o principal salão de jantar do hotel.

Houve um momento de surpresa quando ela olhou em volta do salão e notou as diferenças. Sam andara ocupado, reconheceu, sentindo uma relutante fisgada de orgulho.

As toalhas brancas em estilo padrão haviam sido substituídas por outras, em um tom de azul-escuro. A porcelana sobre elas exibia um branco imaculado que formava um belo contraste. Os velhos vasos de vidro transparente haviam sido removidos, e agora potes e jarras de latão e cobre exibiam uma revolução de lírios brancos, que formavam feixes cintilantes e aromáticos. Os copos de cristal trabalhado tinham um ar solene, quase medieval.

Cada uma das mesas fora contemplada com um pequeno caldeirão de cobre. Luz de velas tremeluzia de candelabros com o formato de estrelas e luas crescentes.

Pela primeira vez desde que Mia se lembrava, o salão refletia e honrava o seu nome. Impressionada, aprovando tudo, ela finalmente entrou. E sentiu um choque forte e repentino.

Na parede ao fundo, havia uma pintura em tamanho natural de três mulheres. As três irmãs, com a floresta ao fundo e um céu noturno maravilhosamente estrelado, olhavam para ela, realçadas por uma moldura trabalhada, em tom de ouro velho. Usavam longos mantos brancos; as dobras de suas roupas e as pontas de seus cabelos pareciam se movimentar sob o efeito de um vento que quase podia ser sentido.

Ela viu os olhos azuis de Nell, os olhos verdes de Ripley. E o seu próprio rosto.

— Gostou? — perguntou Sam, que chegara por trás dela.

— É deslumbrante! — Ela engoliu para que a voz pudesse sair mais clara.

— Eu o tinha encomendado há quase um ano. Chegou hoje,

— É um trabalho maravilhoso. As três modelos...

— Não houve modelos. A pessoa que pintou trabalhou a partir das minhas descrições. A partir dos meus sonhos.

— Entendo. — Mia se virou para ele. — Ela ou ele possui muito talento.

— É ela. Uma pintora que trabalha com temas relacionados a Magia e mora no SoHo, em Nova York. Acho que conseguiu capturar na tela... — Parou de falar subitamente ao desviar o olhar da pintura para Mia. Todos os pensamentos em sua cabeça se espalharam e se transformaram em uma expressão de puro e primitivo desejo. — Você está maravilhosa!

— Obrigada. Gostei, e muito, das modificações que fez no restaurante.

— É um começo. — Aproximou-se para segurar a mão dela, só então notando que a palma da sua própria estava úmida. — Estou trabalhando em um projeto para instalar um novo sistema de iluminação no salão. Alguma coisa em latão, que se pareça com lanternas antigas. E também estou pensando em... bem, por que não nos sentamos, antes que eu comece a aborrecê-la com meus planos?

— Ao contrário, estou gostando. — E se deixou guiar até um canto reservado, uma espécie de cabine privativa, onde, ela notou logo que entrou, uma garrafa de champanhe já os aguardava dentro de um balde de gelo.

Ao entrar, deliberadamente despiu o bolero. Sentiu que a visão dele se embaçou; porém, verdade seja dita, seu olhar permaneceu basicamente pousado no seu rosto.

— Está quente aqui — disse ela, cumprimentando, com a cabeça, o garçom, que já começava a servir o champanhe. — A que vamos beber?

Sam se sentou e pegou a própria taça, perguntando:

— Quero saber só uma coisa, antes do brinde. Você está tentando me matar?

— Não. Só colocá-lo de quatro para chutar sua bunda.

— Ah, bom. Eu não me lembro de nenhuma mulher que tenha feito minhas mãos suarem desde, bem, desde você mesma. Agora, me dê alguns instantes para um pouco de sangue voltar para a cabeça. — Quando ela riu, ele bateu com a borda da sua taça contra a dela. — Aos nossos negócios em comum.

— Temos algum?

— É disso que vamos tratar neste encontro. Antes, porém, com relação ao jantar, já fiz o pedido. Acho que me lembro bem do seu gosto. Se o que pedi não for do seu agrado, mando vir um cardápio.

Suave, ela pensou. Muito gentil. Ele tinha aprendido como e quando polir todas as arestas. Quando lhe interessava.

— Não me importa uma eventual surpresa. — Ela se recostou, deixando o olhar deslizar por todo o salão. — Os negócios vão bem.

— Vão mesmo. Mas tenho planos de melhorá-los ainda mais. As reformas de todos os quartos do primeiro andar deverão estar prontas dentro de duas semanas, e a nova suíte presidencial está de arrasar.

— Já ouvi dizer. O seu empreiteiro e o meu são a mesma pessoa.

— *Também* ouvi dizer. E quando é que você planeja começar as obras da sua expansão?

— Logo. — E, dando uma olhada na imensa variedade de aperitivos colocados sobre a mesa por garçons silenciosos, escolheu um canapê coberto com patê de lagosta. — Espero manter a inconveniência da obra em nível mínimo, para os meus clientes. Mesmo assim, durante a parte barulhenta do trabalho, imagino que você vai herdar uma boa parte da minha clientela da hora do almoço. — Ela fez uma pausa de efeito, antes de completar. — Temporariamente, é claro.

— Os melhoramentos vão até beneficiar o meu negócio, e vice-versa.

— É, acho que concordo com você.

— Por que então não exploramos isso? Estou pensando em deixar alguns livros de interesse local, talvez alguns best-sellers do momento, nas suítes mais luxuosas. Um cartão discreto ou um marcador de livros poderia fazer propaganda da sua loja.

— E o que mais? — quis saber Mia, esperando pelo principal.

— Você recebe muitos visitantes que ficam um dia só na ilha. Aqui, mais uma vez tendo sempre em vista os interesses locais, que tal se eles comprassem um livro em especial, à sua escolha, um livro sobre a história da ilha ou algo desse tipo? A compra desse livro daria ao cliente a oportunidade de ganhar um fim de semana grátis na Pousada Mágica. Eles preenchem um cupom com nome e endereço, nós sorteamos um deles uma vez por mês na alta temporada, e alguém se dá bem.

— E, de quebra, ficamos com todos aqueles nomes em nossa listagem de clientes, para enviar propaganda pelo correio.

— Sabia que você ia chegar lá. — Ele serviu mais champanhe. — Você vende seus livros, eu consigo um pouco mais de turistas para o hotel, e nós dois ampliamos a nossa base postal de clientes com bom potencial. Férias — continuou ele, selecionando uma delicada casquinha de siri —, hotéis, livros para ler na praia. Depois, há ainda as viagens de negócios. Mesmo esquema. Estou trabalhando para atrair mais convenções. Eu as consigo, e, como parte do pacote de boas-vindas, teremos um cupom de descontos para a "Livros e Quitutes", o que vai levar os clientes para dentro de sua loja, do outro lado da rua.

— E então, ao preencherem o cupom do sorteio mensal, eles voltam a você, para uma estada de fim de semana.

— Na mosca!

— O custo para cada um de nós vai ser irrisório. — Mia considerava a proposta em voz alta, enquanto uma salada verde, à base de favas e vagens, era servida. — É só uma questão de papelada. Uma ideia boa e bem simples. Na verdade, simples até demais para justificar um jantar de negócios, como este, apenas para discuti-la.

— Há mais. Já pesquisei e soube que você não promove, regularmente, eventos com a presença de autores.

— Apenas uma ou duas vezes por ano, e sempre quando o livro é de interesse local. — Ela encolheu os ombros. — A Ilha das Três Irmãs e a "Livros e Quitutes" ficam muito fora do circuito de turnês para lançamento de livros e noites de autógrafos. As editoras não enviam autores para lançar livros em ilhas remotas da costa da Nova Inglaterra, e a maioria dos autores não está disposta a pagar para vir até aqui e trabalhar.

— Podemos mudar isso.

Dessa vez ele conseguiu atrair-lhe a atenção. Olhando para Sam, Mia aceitou o pedaço de pão no qual ele passara manteiga, sem reparar que ele a estava enchendo de comida desde que chegara.

— Podemos?

— Fiz alguns contatos em Nova York. Ainda tenho alguns truque na manga, mas basicamente estou tentando convencer algumas pessoas-chave de que enviar um autor em turnê de lançamento aqui para a Ilha das Três Irmãs pode muito bem valer a pena, em termos de tempo e dinheiro. Particularmente, se considerarmos que a Pousada Mágica vai oferecer acomodações de primeira classe por preços corporativos muito generosos. Além do mais, temos a conveniência de uma livraria independente e com muita classe bem ali, do outro lado da rua. O que você tem que fazer é simplesmente montar uma proposta com detalhes sobre o que a "Livros e Quitutes" faria para receber e promover um autor, como poderia reunir uma boa quantidade de pessoas para o evento e fazer os livros saírem da loja como pão quente. Se conseguirmos armar esse esquema pelo menos uma vez, com sucesso, outros autores vão ficar pulando no cais tentando entrar na barca, para vir até aqui.

Mia sentiu uma ligeira pontada de empolgação com a ideia, mas se manteve fria, tentando analisar a ideia sob todos os ângulos.

— Ocupar uma das suas suítes algumas vezes por ano a um preço baixo não vai trazer nenhum benefício para os seus negócios.

— Talvez eu esteja apenas tentando ajudar uma vizinha, por assim dizer.

— Então, já deveria saber que a sua vizinha não é assim tão fácil de enrolar, ou ingênua.

— Não, ela é apenas a mulher mais linda que já encontrei na vida.

— Obrigada. Agora, vamos lá, qual é a vantagem dessas ideias para o hotel?

— Certo, vamos deixar o charme de lado. — Ele se inclinou na direção de Mia. — Há um monte de editoras pelo país, com uma porção de autores e inúmeros livros, que precisam de badalação. Esse é o primeiro ponto. O segundo é que os editores promovem muitas convenções e simpósios de vendas. Se eu conseguir fisgar o interesse de um editor por causa de um evento ou lançamento bem-sucedido, isso vai pesar na balança na hora de organizar um simpósio grande para a empresa. Se conseguir isso, vou atrair muitos outros negócios desse tipo, repetidas vezes. — Ele levantou o copo com água apontando-o para ela. — E você também. Se fizer um bom trabalho na promoção de um evento de sucesso, com um autor importante.

— Sei muito bem como organizar uma noite de autógrafos. — Ela continuou a comer sem pensar, porque sua cabeça já estava nos detalhes. — Sam, se você conseguir mexer, da primeira vez, seus pauzinhos para, digamos, julho ou agosto, ou até mesmo início de setembro, garanto que encho aquela loja de gente. Traga-me um romance, um livro de mistério, ou um bom suspense, e aposto que vendemos pelo menos cem exemplares no dia do evento e mais uns cinquenta na semana seguinte.

— Coloque a proposta no papel.

— Você vai tê-la nas mãos amanhã mesmo, antes do fim do expediente.

— Bom! — Ele comeu um pouco de salada. — O que você acha de trazermos John Grisham?

Com um olhar divertido para si mesma e para ele, Mia pegou novamente a sua taça e começou a balançá-la suavemente, dizendo:

— Não tente brincar comigo, espertinho. John Grisham jamais participa de turnês, e os livros dele sempre são lançados em fevereiro, nunca em julho ou agosto. Além do mais, você não está com essa bola toda para conseguir John Grisham.

— Certo. Estava só testando. Que tal Caroline Trump?

— Ela é muito boa. — Os lábios de Mia se apertaram. — Li os três primeiros livros dela. Histórias românticas com um bom suspense, muito envolventes. O editor dela está fazendo um bom trabalho de divulgação, e eles estão pensando em lançar o seu novo trabalho em grande estilo, com edição de luxo, neste verão. Lançamento em julho. — Ela considerou tudo, avaliando com cuidado o rosto de Sam. — Você pode mesmo me conseguir Caroline Trump?

— Traga a proposta.

— Eu julguei mal você. — Ela se recostou novamente. — Imaginei que tinha inventado um encontro de negócios apenas para me trazer até aqui. Achei que teria algum pequeno esquema armado para me apresentar e me envolver em uma tentativa de sedução, mas nada que fosse realmente plausível.

— Se eu não estivesse com alguma coisa viável, teria arranjado algum pretexto para trazê-la até aqui. — Ele acariciou as costas da mão dela com os dedos. — Mesmo que isso significasse apenas uma oportunidade de ficar olhando para você durante uma hora.

— Pensei também — continuou ela — que em algum momento durante a conversa você me faria lembrar, sutilmente, de que há um grande número de quartos remodelados e vazios lá em cima, e iria então propor que fizéssemos a estreia de um deles.

— Realmente, cheguei a pensar nisso. — Ele relembrou o que ela lhe dissera quando estavam sentados dentro do carro, na porta do chalé amarelo. — Só que isso não faria você feliz.

Mia prendeu a respiração por um segundo, antes de responder:

— Puxa, só queria descobrir se o que você acaba de dizer foi sincero ou apenas tremendamente esperto.

— Mia...

— Não. Não sei o que está acontecendo entre nós. Não consegui ver, e bem que tentei. Por que tem de ser assim, e mesmo quando a gente sabe que não adianta, sempre tenta se enganar, achando que tudo ficaria bem se descobríssemos com antecedência o que vai ocorrer?

— Não sei. Também não consegui ver nada. — Quando ela olhou para ele, Sam quase suspirou. — Nunca fui tão bom quanto você em afastar o agora para conseguir enxergar os caminhos alternativos do futuro, mas eu tinha que tentar.

Mia olhou para o imenso quadro que retratava as irmãs.

— A única coisa que está gravada na pedra e não pode ser modificada é o passado. O que posso prometer a você, Sam, é que não tenho a mínima intenção de deixar o que elas iniciaram ser destruído. Esta ilha é o meu lar. Tudo o que importa em minha vida está neste pedaço de terra. Estou melhor agora do que quando você partiu e pior do que estarei quando tudo tiver terminado. Essa é a única coisa que sei.

— E você acha que ficar comigo vai diminuir o que pretende realizar?

— Se achasse, não estaria sentada aqui agora, com você. — Os lábios dela se curvaram em um sorriso quando as entradas foram servidas. — Até tinha planejado dormir com você.

— Cristo! — Ele colocou a mão sobre o coração. — Chamem um médico!

— Imagino que, antes de este encontro terminar, acabaremos fazendo isso. — O riso dela era baixo e intimista. — Mas, já que estamos sendo tão amigáveis, vou lhe dizer com toda a franqueza que quero muito que você sofra antes.

— Pode acreditar — disse ele com sentimento, pegando o copo com água. — Vamos voltar aos negócios, antes que eu comece a chorar aqui mesmo e perca o respeito da equipe do restaurante.

— Tudo bem, então me conte a respeito dos outros planos para o hotel.

— Quero que tudo valha a pena. Quero que as pessoas que ficarem hospedadas aqui levem com elas a lembrança de uma boa experiência. Passei seis meses na Europa, alguns anos atrás, circulando por toda parte, estudando e dissecando os menores hotéis. Tudo é uma questão de bons serviços, em primeiro lugar. Acima de tudo, porém, igualmente importantes são os detalhes. Os esquemas cromáticos, o fino acabamento dos lençóis. O hóspede consegue alcançar o telefone sem ter que se levantar da cama? Será que dá para pedir um bendito sanduíche às duas da manhã ou conseguir alguém que tire essa mancha da gravata antes da minha reunião de amanhã cedo?

— Qual a maciez das toalhas? — completou Mia. — Qual a firmeza do colchão?

— E assim por diante. Aparelhos de fax dentro do quarto e acesso à internet para os homens de negócios. Champanhe de cortesia e rosas frescas para os recém-casados. Uma equipe que sempre cumprimente os hóspedes pelo nome. Flores colhidas na hora, roupas de cama trocadas na hora, frutas colhidas na hora. Vou até mesmo contratar um *maître d'étage*, para funcionar como mordomo nas suítes mais luxuosas.

— Ora, ora...

— E cada hóspede, logo na chegada, vai receber um brinde qualquer, um agrado, que será entregue diretamente no quarto. Pode ser uma cesta de frutas, água mineral importada ou champanhe acompanhado de caviar, dependendo do padrão do quarto. Todas as acomodações do hotel vão ser completamente reformadas antes de estarmos funcionando a todo vapor, e cada um dos aposentos será personalizado e único. Estou batizando cada um deles, de modo que os hóspedes vão poder escolher entre ficar no Quarto das Rosas ou na Suíte Trinity, por exemplo.

— Esse é um toque interessante — concordou ela. — Mais pessoal.

— Exato. Já temos um banco de dados, mas vamos trabalhar melhor com esse material, para favorecer os hóspedes habituais. Dessa forma, faremos tudo para colocá-los sempre em seus quartos favoritos. Vamos aumentar o padrão dos agrados, conforme as visitas forem mais frequentes, mantendo sempre um arquivo com as preferências específicas. E, para o ginásio, a piscina e o salão de ginástica, nós vamos... — Parou de falar de repente. — O que foi?

— Nada. — Mas ela não conseguiu deixar de sorrir para ele. — Continue.

— Não. — E foi ele quem sorriu dessa vez. — Acabei me empolgando demais.

— Você sabe o que quer e como pretende conseguir. É muito atraente.

— Levou muito tempo para conseguir chegar até aqui. Você sempre soube o que eu queria.

— Talvez soubesse. Só que planos e intenções mudam.

— Às vezes voltam ao ponto de partida. — Colocou a mão sobre a dela, suavemente.

— E outras vezes simplesmente mudam. — Gentilmente ela deixou a mão escorregar e sair por baixo da dele.

Sam voltou ao trabalho, assim que Mia saiu do restaurante, mas não conseguiu mais se concentrar. Foi para casa, mas também não conseguiu relaxar.

Estar com Mia era tanto uma tortura quanto um prazer. Observar as expressões que passavam por seu rosto quando ela se mostrava interessada o bastante para não se fechar, baixando a guarda, era pura fascinação.

Querer estar com ela era como uma droga em seu sangue.

Por fim, ele trocou de roupa e foi dar uma volta pelo bosque escuro. Foi direto até o círculo e sentiu a vibração da Magia de Mia subir do solo e se misturar com a de Nell e de Ripley.

Preparando-se, com toda a concentração, colocou o pé no centro do círculo e deixou que o Poder delas se misturasse com o seu, lavando-lhe a alma como a força de um jato d'água.

O que é meu se junta ao de vocês, e a noite nos assiste
Com o Poder dividido, o elo se fortalece e resiste.

O facho de luz que vinha da terra aumentou de intensidade, espalhando-se em torno do círculo, tão forte quanto o sol.

Para conquistar seu coração, eu enfrento o fogo
E tudo o que o destino conspira e põe em jogo
Pelo fogo, ar, terra, água e por esta ilha
Quero ficar ao lado da que é sua filha
Espero sereno o que quis desde menino
Que ela me aceite e cumpra nosso destino.

Respirando mais profundamente, ele abriu os braços.

Esta noite, enquanto o luar brilha, aqui me ponho
Ela está a salvo, dentro de um lindo sonho
Aqui e agora eu invoco, através da escuridão
Aquele que se alimenta da dor e podridão
Saiba que represento as três irmãs assim
E o desafio agora a aparecer para mim.

A terra tremeu e o vento chicoteou o ar. O fogo que surgia do círculo, porém, continuava estável e forte, lançando-se como uma flecha em direção ao céu noturno.

Do lado de fora do círculo, uma névoa preta começou a surgir, bem próxima do chão, e se aglutinou até tomar a forma de um enorme lobo preto, com uma cicatriz em forma de pentagrama marcando-lhe o focinho.

Então, pensou Sam, vamos acertar nossas diferenças, agora.

Para aquele que deseja atirar-lhe a vida fora
Dentro deste circulo, um voto eu faço agora
Por todos os poderes que vivem aqui dentro
Que ela se liberte dessas garras, neste centro
Vou transformá-lo em poeira e esmagá-lo neste chão
Por qualquer meio, seja justo e honrado... ou não.

Sam observou enquanto o lobo andava em volta do círculo, rosnando.

— Acha que tenho medo de você? Você não é nada! Apenas um monte de névoa preta e de fedor.

Sam colocou a mão para fora da proteção do círculo, e a luz em volta dele diminuiu de intensidade. Em sinal de desafio, colocou o pé para fora também, saindo por completo do anel de proteção.

— Agora é Poder contra Poder! — murmurou, enquanto sentiu o ar do lado de fora do círculo formar um redemoinho escuro e nojento.

Sam viu quando o lobo se preparou para atacar, sentiu o movimento e notou a força dos seus músculos. Ele pulou direto em sua garganta. O peso do animal foi um choque, assim como a dor aguda e penetrante no ombro, onde as garras se enterraram.

Usando os músculos e a Magia, Sam arremessou o lobo para longe, e a seguir pegou a faca ritual que trazia presa ao cinto.

— Vamos acabar com isso — disse com raiva, entre dentes.

Dessa vez, quando o lobo arremeteu, Sam girou o corpo e rasgou a carne do animal que pulava, em toda a sua parte lateral.

Ouviu-se um som horrível, mais um grito de pavor do que um uivo. Gotas grossas de sangue negro pingaram no chão, fervilhando como se fosse óleo quente. E tanto o lobo quanto a névoa desapareceram.

Sam se agachou e analisou com atenção a cicatriz recente que acabara de ser aberta sobre a terra, e depois olhou para a ponta da lâmina de sua faca, totalmente manchada. Instintivamente, passou a mão sobre o ombro atingido, no lugar onde a camisa e a carne tinham sido laceradas.

Então, pensou ele, os dois sangraram, mas apenas um gritou e fugiu.

— Venci o primeiro round — murmurou, enquanto se preparava para limpar o chão.

Capítulo Nove

À s dez horas da manhã seguinte, Mia já estava finalizando a sua proposta para o evento literário. Compensara a considerável frustração sexual da noite anterior mergulhando no projeto assim que chegou em casa e trabalhando nele até depois da meia-noite.

Depois, espalhara gengibre e calêndula sobre o esboço do projeto para atrair sucesso nos assuntos comerciais. Colocando um ramo de alecrim debaixo do travesseiro, para garantir um sono reparador, acabou por se livrar da carência.

Ela sempre tinha sido boa em canalizar as energias e direcioná-las para a tarefa que exigia atenção mais imediata. Logo depois do seu período de profundo pesar pela partida de Sam, aquela força de vontade a tinha ajudado na faculdade e, depois, o mundo dos negócios e na vida.

A força tinha, durante anos, feito com que ela olhasse sempre para a frente, tanto nos assuntos práticos quanto nos prazerosos, mesmo sabendo perfeitamente que a teia de proteção em volta de sua casa estava ficando mais tênue.

No entanto, apesar disso, continuara sonhando. Com Sam e como teria sido estar com ele, na época. E como seria ficar com ele, agora. A dor física a jogara de um lado para o outro sobre os lençóis, até que se enroscou neles.

Sonhou com o lobo marcado no focinho, caminhando pela floresta. Uivando na ponta dos penhascos. E uma das vezes o ouviu uivar de dor e ódio. E em seu sono chamou por Sam, como se o seu nome fosse um mantra.

Mesmo assim, acabara dormindo, e acordou em um dia brilhante e de sol forte, que prometia ser perfeito.

Cuidou das flores antes de qualquer outra coisa, quando o céu ainda estava cintilando com os tons vermelhos e dourados do amanhecer. Agradeceu e rendeu homenagens aos elementos que lhe garantiam a beleza dos jardins e o dom dos seus poderes.

Em seguida, preparou uma xícara de chá de menta, para atrair dinheiro e sorte, e o bebeu, de pé, à beira do penhasco, ouvindo o mar enfurecido se lançar sobre as rochas lá embaixo.

Era ali o local onde Mia se sentia mais próxima de sua antepassada, e naquele lugar sempre conseguia sentir o núcleo de uma força que parecia feita de ferro, bem como o gosto amargo da solidão dilacerante.

Algumas vezes, quando ainda era muito jovem, Mia olhara para o mar, alimentando a esperança de ver o corpo liso e escuro de um *selkie* boiando sobre as ondas. Acreditara na velha ideia do *felizes para sempre* e tecera em sua cabeça a doce história de que o amante da irmã que se chamava Fogo havia voltado para ela, que seus espíritos haviam se reconhecido. E se amado. Naquele momento e para sempre.

Ela já não acreditava mais nisso, e lamentava. Mas aprendera, e muito bem, que algumas perdas eram capazes de despedaçar uma pessoa, reduzindo-a a pequenos cacos e esmagando-lhe o espírito, transformando-o em pó. E mesmo assim a pessoa era capaz de seguir em frente, e se reconstruir, remendando a alma. As pessoas sobreviviam. Se não *felizes para sempre*, pelo menos levavam a vida adiante de forma satisfatória.

Tinha sido ali no penhasco que ela jurara e fizera os votos de proteger o que lhe havia sido confiado. Tivera 8 anos na época e muito orgulho de ser o que era. E a cada ano, desde então, nas noites do solstício de verão e de inverno, ficava sobre o penhasco e renovava os votos.

Naquela manhã, porém, Mia estava de pé sobre o penhasco e simplesmente agradeceu pela beleza do dia e foi se vestir para trabalhar.

Não se abalou ao dirigir pelas curvas da estrada, junto dos abismos, mas se manteve atenta.

Na escrivaninha, releu a proposta, procurando por erros ou qualquer detalhe que pudesse ter passado despercebido. Sua testa franziu ao ouvir alguém bater à porta. Embora ela tivesse ignorado, deliberadamente, a interrupção, Ripley entrou no escritório.

— Estou ocupada. Volte mais tarde.

— Aconteceu uma coisa importante. — Como não era de fazer cerimônia ou se intimidar com uma recepção fria, Ripley entrou e se jogou sobre uma cadeira.

Isso deixou Mia irritada o suficiente para levantar os olhos. Foi quando viu Nell na porta.

— Nell, hoje não é o seu dia de folga?

— E você acha que eu a teria arrastado até aqui no dia de folga — Ripley tomou a dianteira, antes que Nell pudesse responder —, se não fosse por algo muito importante?

— Tudo bem. — Com ar de arrependimento sincero, Mia deixou o trabalho de lado. — Entre, Nell, e feche a porta. Você teve alguma visão, Ripley?

— Eu, hein? — Ripley fez uma careta. — Nem tentei, mas também não foi isso. O assunto não tem nada a ver com essa história de *hocus pocus*. Pelo menos, não diretamente. É que eu ouvi Mac falando no telefone logo cedo e notei que ele estava tentando *evitar* que eu o ouvisse.

— Ripley, eu não posso ficar me intrometendo nos seus problemas domésticos durante o expediente.

— Ele estava conversando com Sam. Ah! Estou vendo que isso deixou suas antenas ligadas — comentou.

— Bem, não é tão surpreendente assim que eles estivessem conversando. — Pegou então na proposta, franzindo a testa novamente ao olhar para os itens que destacara. Finalmente, desistiu e a colocou sobre a mesa novamente. — Tudo bem. Sobre o que é que eles estavam conversando?

— Não sei exatamente, mas tem alguma coisa estranha. Mac estava realmente muito interessado. Chegou até a sair de casa com o telefone, como quem não quer nada. Mas eu saquei que aquilo era para eu não ouvir.

— Como é que você sabia que era o Sam?

— Porque ouvi quando Mac falou que ia dar então uma passada lá no chalé hoje mesmo, antes do almoço.

— Escute, por que não vai direto ao assunto?

— Estou chegando lá. Logo depois ele quase me expulsou para eu ir logo para o trabalho, tentando não deixar muito óbvio que estava doido para me ver sair. "Beijinho, beijinho, tchau, tchau, vai logo, meu bem!" E eu fui, porque já estava planejando passar pelo chalé durante a ronda.

Só que, antes disso, dei uma passada na delegacia, e eis que Zack está no telefone, também. Interrompe a conversa no meio de uma frase assim que me vê entrar e dá um "oi" para mim, bem alto, pronunciando com todo o cuidado o meu nome.

Ela, amarrando a cara ao se lembrar da cena, continuou:

— Bem, descobri, na hora, que ele estava conversando ou com Mac ou com Sam. *Então*, ele começou a me passar um monte de trabalho sacal para fazer, assuntos pendentes e relatórios, para me deixar presa na delegacia durante duas ou três horas. Disse que tinha de sair para *resolver umas coisas*. Esperei até ter certeza de que ele se mandou, e depois fui com o meu carro até o chalé. Chegando lá, adivinhe o que eu vi?

— Espero — disse Mia — que você me conte de uma vez, para acabar logo com esse suspense.

— Vi a viatura e o Land Rover de Mac — anunciou Ripley. — Peguei Nell na mesma hora e agora vim pegar você, porque garanto que eles não estão jogando pôquer nem assistindo a filme pornô lá dentro.

— Não; eles estão planejando alguma coisa juntos, sem a gente — concordou Mia. — Alguma coisa muito masculina para as pobres mulheres frágeis.

— Se é isso mesmo — disse Nell —, Zack vai se arrepender muito.

— Vamos simplesmente até lá para descobrir, está bem? — Mia pegou as chaves do carro. — Vou avisar Lulu de que tenho que sair e vou logo atrás de vocês.

Mac estava agachado no chão, correndo o sensor de seu aparelho portátil por toda a área.

— Tem só energia positiva por aqui — murmurou. — Qualquer negatividade já foi toda dissipada. Da próxima vez me chame antes. Eu podia ter colhido uma amostra.

— Estava meio tarde para fazer experiências científicas — ironizou Sam.

— Nunca é tarde para a ciência. Você sabe desenhar? Consegue fazer um esboço da manifestação?

— Não consigo desenhar nem uma linha reta. Mas era a mesma imagem que Mia descreveu. Um lobo preto, de tamanho gigantesco, com a marca do pentagrama no focinho.

— Foi muita esperteza dela marcá-lo quando o tiveram sob domínio, na areia da praia, no último inverno. — Mac se colocou de cócoras. — Torna a identificação mais fácil e diminui o poder dele.

— É, mas eu lhe garanto que ele não era nenhum gatinho meigo, na noite passada — disse Sam, esfregando o ombro.

— Ele tirou sua energia extra de alguma coisa, provavelmente de você. Aposto que você estava pau da vida quando veio até aqui, hein?

— O filho da mãe tentou atirar Mia do alto de um precipício. O que é que você acha?

— Talvez o turbilhão emocional sobre o qual falamos naquela noite na casa de Zack seja um elemento primário na equação. Se você tivesse...

— Eu acho — interrompeu Zack — que Sam deveria, antes de qualquer outra coisa, ir tratar desse ombro. Depois disso poderíamos parar de inventar teorias e ir atrás do safado. Se ele conseguiu ferir Sam, pode ferir mais alguém. Não quero um bicho desses solto aqui na minha ilha.

— Você não vai conseguir seguir os rastros dele e depois sacrificá-lo como se fosse um cão raivoso — explicou Mac.

— Pelo menos posso tentar.

— Ele não vai aparecer para nenhuma pessoa que não esteja conectada com a energia dele. — Sam franziu a testa ao olhar para o chão, que ficara totalmente limpo. Passara a maior parte da noite pensando naquilo. — Pelo menos, acho que não.

— Não vai, você tem razão, Sam. — Mac se levantou. — Essa entidade precisa se alimentar do Poder e das emoções daqueles que estão ligados ao círculo original.

— Mas há muitos habitantes da ilha que possuem ligação com o círculo original, mesmo que esteja diluída — lembrou Zack.

— Sim, mas essa força não quer nenhum deles. Não precisa deles.

— Mac está certo, Zack. Ele agora tem apenas um foco de interesse, um objetivo, e não pode desperdiçar a própria energia, espalhando-a por aí. Sua magia é limitada, mas sagaz. Antes, tentou se fortalecer com as emoções de Ripley. Desta vez se alimentou com as minhas. Não vai acontecer de novo.

— Ah, isso é verdade. Você sempre foi do tipo estouradinho — murmurou Zack. — Quis que ele aparecesse para você.

— Pois funcionou! — replicou Sam. — O problema é que eu não o feri tão fundo assim. Acho que deveria atraí-lo novamente. Mais um ataque, e eu poderia conseguir levá-lo para dentro do círculo, para tentar segurá-lo lá dentro.

— Ele não quer atingir você — disse Mac, com calma.

— Dane-se! Não vou ficar vendo de camarote enquanto ele está por aí, aguardando a primeira oportunidade para voar na garganta de Mia. É isso que ele quer, foi o que senti vindo dele. Vai ter que passar por cima de mim; isso não vai acontecer. Ela que faça a escolha que quiser fazer, mas enquanto isso eu vou tentar arrancar o coração dele fora.

— Viu só, Mac? — comentou Zack, depois de uma pausa. — Ele é mesmo esquentadinho.

— Não enche você também!

— Tudo bem, tudo bem. — Mac se colocou entre os dois e deu batidinhas no ombro de ambos, para conservar a paz. — Vamos manter a cabeça no lugar.

— Ora, ora, não é lindo? — Da voz de Mia escorria mel. — Os meninos foram passear no bosque enquanto seu Lobo não vem.

— Droga! — murmurou Zack depois de olhar para os olhos furiosos de Nell. — Ferrou!

Ripley enfiou os polegares no cinto, bateu com os dedos nos bolsos e deu alguns passos à frente. Parou diante de Mac, dizendo, como no antigo seriado de TV:

— Lucy, meu bem, você não lavou a louça!

— Não peguem no pé deles. Fui eu que pedi para que viessem até aqui.

— Ah, pode deixar que a gente vai chegar em você — prometeu Ripley, olhando para Sam. — Vamos pegar os três, mas pela ordem.

— O que aconteceu aqui? — quis saber Mia, adiantando-se um pouco e sentindo as vibrações de Poder.

— É melhor desembuchar logo! — aconselhou Zack. — Pode acreditar. Estamos lidando com esse trio há mais tempo que você.

— Vamos lá para dentro e...

— Quero saber o que aconteceu aqui! — repetiu Mia, empurrando o peito de Sam quando este tentou passar ao lado dela.

— Vim dar uma volta pelo bosque.

— Você usou o círculo! — O olhar dela se desviou ligeiramente do rosto dele e observou o solo.

— Bem, ele estava ali.

Parte dela se ressentiu por ele ter podido usar o que pertencia às três. Isso tornava a conexão mais forte e provava que a ligação dele com ela, e com Ripley e Nell, era inegável.

— Tudo bem — continuou ela, com a voz mais calma. — O que houve?

— Encontrei aquele seu lobo diabólico do inferno.

— Você?! — Ela levantou a mão, como quem procura entender, mais para se segurar do que para manter Sam calado. Porque a primeira reação dela ao ouvir aquilo foi um embrulho no estômago. Tentou ignorar a sensação, pois não conseguia vencê-la, e se obrigou a pensar naquilo. De repente, sentiu a fúria crescer e superar o medo.

— Você o invocou! Deve ter vindo até aqui no meio da noite, sozinho, e chamou por ele, querendo bancar o justiceiro arrogante.

Ele não sabia que Mia ainda possuía o mesmo temperamento forte e indomável. Ou que ainda conseguia, como no passado, desencadear a raiva dele.

— Foi isso mesmo. Gosto de imaginar que foi assim no estilo de Gary Cooper, nos faroestes antigos.

— Então isso é uma piada para você? Uma *piada.* — A fúria a dominou por completo. — Como ousa vir até aqui e invocar o que é meu? Acha que pode se colocar no meio do que tenho que fazer, enquanto eu me encolho de lado, retorcendo as mãos de nervoso?

— Farei o que for preciso.

— Pois saiba que você não é o meu escudo, nem meu salvador. O que tenho dentro de mim não é menor do que há dentro de você. — Ela o empurrou, obrigando-o a dar um passo para trás. — Não vou tolerar a sua interferência nesse assunto! Você só está metendo o bedelho aqui porque isso o faz se sentir uma espécie de herói, e eu...

— Vá com calma, Mia. — E no mesmo instante em que falou, Zack reconheceu o olhar penetrante que ela lhe lançou. Vendo o olhar de uma mulher pronta para arrancar o coração de um homem com os dentes, Zack simplesmente levantou as mãos e saiu de lado.

A partir daquele momento, decidiu, Sam estava por sua própria conta.

— Você acha que eu preciso de sua ajuda, Sam? — Ela ficou caminhando lentamente em volta dele, cutucando-lhe o peito com o dedo.

— Pare de me cutucar!

— Você acha que só porque não possuo um pênis sou incapaz de vencer minhas próprias batalhas? Então, você coloca sua armadura máscula, chama seus amigos idiotas para discutirem como proteger as damas indefesas?

— Eu nunca a tinha visto desse jeito! — sussurrou Nell para Ripley, enquanto, fascinada, admirava Mia, que continuava a empurrar Sam para trás, com o dedo.

— Não é muito comum — Ripley falou, com o canto da boca. — Mas, quando acontece, é muito legal de se ver. — Ela olhou para as nuvens, que estavam se movimentando, bem baixas, escuras como bolas de chumbo, bem acima deles. — Caramba! Ela está muito brava!

— Já falei para parar de me cutucar! — Sam agarrou com dedos poderosos o punho dela, que continuava a bater em seu peito. — Se já acabou com o chilique, tome cuidado comigo! — avisou, enquanto um trovão ribombou logo acima deles.

— Seu arrogante, estúpido, isso é um insulto! Vou lhe mostrar o meu chilique! — Ela usou a mão livre para empurrá-lo novamente, pressionando-lhe com força o ombro ferido, e notou a cara de dor dele. — O que aconteceu com o seu ombro?

— Já cuidamos disso.

— Tire a camisa, agora mesmo!

— Bem, querida. — Ele tentou abrir um sorriso. — Se você quer resolver as coisas desse jeito, por mim tudo bem. Só que estamos com plateia.

Mia resolveu o assunto esticando a mão e rasgando a camisa.

— Ei! — Ele se esquecera de como ela podia ser rápida.

As marcas das garras do lobo, que formavam sulcos profundos em sua carne, estavam abertas e com um aspecto horrível. Com um curto grito de pavor, Nell tentou dar um passo à frente, mas Ripley a impediu, dizendo:

— Deixe que ela resolve isso.

— Você saiu de dentro do círculo. — O medo em sua voz voltou, misturado com a raiva. — Você se deixou desprotegido de propósito, para ser atacado.

— Foi um teste. — Com a dignidade ferida e sentindo muita dor, Sam puxou o que sobrara da camisa rasgada, tentando colocá-la no lugar para cobrir a ferida. — E funcionou.

Ela se virou de costas para ele. Como Zack era o que estava mais perto, foi ele quem levou o primeiro empurrão.

— Você se esqueceu, Zack, de que foi Nell quem o colocou de joelhos, aqui neste lugar, mesmo quando ele estava com uma faca encostada em sua garganta?

— Não — respondeu ele, baixinho. — É uma coisa que jamais vou esquecer.

— E você! — Mia girou o corpo e se dirigiu a Mac. — Você presenciou o momento em que Ripley lutou uma guerra particular contra as forças do Mal e as derrotou.

— Eu sei. — Mac colocou dentro do bolso o sensor que a explosão de raiva tinha derretido. — Ninguém aqui está subestimando o que vocês três são capazes de fazer, Mia.

— Ah, não? — Seus olhos furiosos passavam de um para o outro, e então Mia deu um passo para trás e se colocou ao lado de Nell e Ripley. — Nós somos as Três! — Levantou as mãos, e raios de luz, brilhantes e quentes como fogo, foram lançados das pontas de seus dedos. — E o Poder que possuímos está muito além do de vocês!

Ela virou as costas e foi embora.

— Bem — disse Mac, soltando um suspiro. — Puxa!

— Muito científico, gostosão — disse Ripley, enfiando as mãos nos bolsos e olhando direto para Sam. — Você a deixou assim, então é melhor arrumar um jeito de aliviar a barra, agora. E já que é idiota o suficiente para fazer o que fez a noite passada, também deve ser idiota o bastante para ir atrás quando ela está cuspindo marimbondos.

— Acho que você tem razão.

Mia já estava na saída do bosque quando Sam a alcançou.

— Espere só um minuto, droga. — Ele a pegou pelo braço, soltando um gemido quando uma carga de eletricidade lhe deu um choque nos dedos. — Pare com isso, Mia!

— Não toque em mim!

— Vou fazer bem mais do que tocar em você em poucos instantes. — Mas ele manteve as mãos junto do corpo até ela chegar no carro.

Mia abriu a porta com força. Sam a fechou com um empurrão.

— Fugir correndo não vai resolver nada.

— Você tem razão. — Ela jogou o cabelo para trás. — Só que essa geralmente é a *sua* solução.

Sentindo uma fisgada de dor no estômago, ele concordou.

— E você, Mia, acaba de demonstrar que é bem mais esperta e madura do que eu. Vamos resolver esse assunto longe de inocentes transeuntes. Vamos dar uma volta de carro.

— Quer dar uma volta de carro? ótimo! Entre.

Abriu a porta do carro novamente, acomodando-se atrás do volante. Quando ele estava acabando de se sentar ao lado dela, ela partiu com o carro.

Manteve a velocidade baixa enquanto passava pelo centro da pequena cidade. Assim que alcançou a estrada costeira, porém, pisou com força no acelerador.

Queria velocidade, queria o vento soprando em volta do carro e o desafio do perigo. Tudo isso talvez ajudasse a aliviar um pouco a raiva que sentia e fazê-la encontrar o próprio centro novamente.

Os pneus cantavam enquanto ela entrava nas curvas a toda velocidade. E ao sentir que Sam estava começando a ficar tenso ao seu lado, aumentou-a ainda mais. Girava bruscamente o volante a cada curva, e o carro trepidava, enquanto tentava se manter na pista, a poucos centímetros de sair do asfalto.

Ele fez um som indistinto com a garganta. Deliberadamente, ela lhe lançou um olhar gelado, perguntando:

— Algum problema?

— Não. — Nenhum problema, pensou ele, se você considera uma coisa divertida a ideia de correr a mais de 120 por hora em uma estrada cheia de curvas e à beira de despenhadeiros, com uma bruxa extremamente revoltada atrás do volante.

À medida que a estrada ia subindo, ele mantinha os olhos grudados na casa de pedra sobre os penhascos. Naquele momento, aquela imagem representava o nirvana. Tudo o que ele tinha a fazer era conseguir se manter vivo até chegar lá.

No momento em que ela conseguiu chegar na entrada da casa, ele precisou respirar bem fundo algumas vezes para fazer com que seus pulmões voltassem a funcionar normalmente.

— Tudo bem, você me convenceu — disse ele, resistindo bravamente à tentação de enxugar as mãos molhadas de suor nas calças. — Conseguiu provar que é capaz de tomar conta de si mesma, até quando o seu controle fica abalado.

— Ora, agradeço tanto... — disse ela, com o sarcasmo escorrendo como ácido enquanto saltava do carro. — Entre! — Ela falou bruscamente. — Essa ferida precisa de cuidados.

Embora não estivesse certo de que deixá-la colocar as mãos na sua ferida, naquele momento, fosse uma decisão sábia, ele a seguiu até a entrada, comentando:

— O lugar está muito bonito.

— Não estou interessada em conversa-fiada.

— Então não responda — sugeriu ele, enquanto entrava atrás dela. As cores eram fortes e expressivas, e o chão bem encerado e brilhante. Todo o ar parecia vivo, com um envolvente perfume que parecia dar boas-vindas.

Ela fizera algumas mudanças no interior da casa, notou ele. Muito sutis, muito ao jeito dela, misturando elegância com charme. Extremo bom gosto com simplicidade. Embora ela caminhasse a passos largos em direção à cozinha, ele diminuiu o próprio ritmo.

Esse distanciamento daria a ambos uma oportunidade de se acalmarem.

Ela mantivera a mobília antiga, toda entalhada, que já estava na família havia gerações. Adicionara, porém, algumas texturas modernas de veludo e almofadões confortáveis. Havia tapetes que ele não reconhecia, mas, pelo aspecto antigo, Sam imaginou que deveriam ter ficado enrolados no sótão e então sido desencavados quando a casa passara para Mia.

Ela usava velas e flores em abundância. Havia jarros cheios de pedras coloridas, pedaços de cristais brilhantes e também lindas figuras místicas, que ela sempre colecionara. E livros. Havia livros em todos os cômodos por onde ele passou.

Quando Sam entrou na cozinha, ela já estava pegando alguns jarros de vidro em um armário com portas altas. Havia potes e panelas de cobre polido e galhos de ervas pendurados, secando, que exibiam delicados tons esmaecidos e aromas penetrantes. A vassoura pendurada na porta dos fundos era muito velha, e o fogão industrial parecia muito novo.

— Você andou fazendo algumas mudanças por aqui. — Ele tamborilou os dedos sobre a bancada de granito cinza-claro.

— Andei. Sente-se e tire a camisa.

Em vez disso, ele foi até a janela e olhou para fora, na direção dos jardins.

— Parece uma ilustração retirada de um livro de contos de fadas.

— É que eu gosto de flores. Sente-se, por favor. Ambos temos que voltar ao trabalho, e quero acabar logo com isso.

— Fiz o que pude na noite passada. Tem que deixar curar.

Ficou então simplesmente parada olhando para ele, com o vidro da cor de papoula na mão.

— Certo, certo. Imagino que agora você vai rasgar um pedaço da anágua para fazer uma bandagem.

Com pouca sutileza, ele arrancou o resto da camisa rasgada e se sentou na ponta da mesa.

A visão daquelas feridas profundas em carne viva fez o estômago dela dar um nó. Ela detestava ver qualquer coisa, qualquer pessoa, com dor.

— O que colocou sobre essas feridas, Sam? — Ela se inclinou para a frente, cheirando, para logo em seguida torcer o nariz. — Já vi que foi alho, pelo cheiro. Só podia ser.

— Funcionou. — Ele preferia perder metade da língua a admitir que as feridas estavam doendo muito e latejando como um dente inflamado.

— Não muito. Fique parado. Relaxe — ordenou. — Não tenho intenção de machucar você, pelo menos até ter curado essas feridas. Relaxe.

Ele fez o que ela mandou; sentiu a Magia penetrar dentro dele, através de seus tecidos, os dedos dela, embebidos em um bálsamo cremoso, sobre a carne aberta.

Dava para ver o efeito, a cor da pele que ia ficando mais vermelha e quente. Dava para sentir a energia, aguda e doce ao mesmo tempo, como a primeira mordida em uma ameixa suculenta. O aroma forte dela e das papoulas começou a embaçar seus sentidos.

Deixando-se levar, ele a ouviu entoar um cântico. Sem pensar, virou a cabeça e esfregou a bochecha contra a parte anterior do braço dela.

— Eu vejo você nos sonhos. Escuto a sua voz dentro da minha cabeça. — E enquanto alisava o rosto de encontro à textura lisa como seda do seu poder, ele continuava a falar em idioma galês, a língua do seu sangue. — Sinto até dor, mesmo quando estou a seu lado. É sempre você.

Quando sentiu que ela se preparava para se afastar dele, lutou para mantê-la junto de si. Mas ela escorregou para longe, e ele ficou piscando, confuso, oscilando sobre a cadeira.

— Shhh... — Os dedos dela eram suaves enquanto acariciavam seus cabelos. — Espere apenas mais um momento.

Quando sua mente começou a clarear, ele deu um murro na mesa, reclamando:

— Você me colocou em transe. Não tinha o direito de fazer isso!

— Seria muito doloroso se eu não o fizesse.

Mia jamais conseguira aguentar a visão de alguém sentindo dor. Virando-se de costas para ele, tampou os jarros de vidro cuidadosamente e esperou algum tempo até se acalmar por completo. Ao diminuir a dor dele, acabou trazendo um pouco de dor para si. As palavras em idioma galês tinham tocado profundamente o seu coração.

— Além do mais, Sam, você devia ser a última pessoa a falar em direitos. Não consegui fazer desaparecer por completo as marcas. Acho que está além da minha capacidade. Mas elas vão sarar bem depressa, agora.

Sam virou a cabeça para ver o ombro. Mal conseguia notar as manchas das feridas; não sentia desconforto algum. A surpresa o fez estudar demoradamente o rosto de Mia.

— Você se aprimorou.

— Gastei uma parcela considerável do meu tempo estudando e refinando meus dons. — Recolocou os jarros no lugar para a seguir colocar simplesmente as mãos sobre a bancada. — Estou muito chateada com você... Preciso de um pouco de ar.

E saiu pela porta para dar uma volta lá fora.

Foi até o pequeno lago e ficou observando o peixinho dourado circulando entre os lírios. Ao ouvir Sam se aproximar, vindo por trás, colocou as mãos em torno dos cotovelos.

— Então fique bem zangada. Cuspa e xingue. Isso não vai mudar nada. Eu sou parte disso tudo, Mia, quer você goste ou não.

— Impulso e machismo não são parte disso, quer você goste ou não.

Se ela achava que ele ia pedir desculpas pelo que fizera, ia ter que ficar esperando durante muito tempo.

— Eu vi uma oportunidade, Mia, uma possibilidade, e assumi um risco calculado.

— Esse risco quem tinha que assumir era eu. — Ela se virou de repente para ele. — O risco era meu, não seu.

— Você sempre tem certeza de tudo, não é? Sempre foi muito segura de si, não é mesmo? Não consegue aceitar que possa haver outra maneira?

— Eu não questiono porque *sei* qual é a forma certa. — Ela apertou o punho de encontro à barriga. — Sinto aqui dentro. — Levou a mão ao coração. — Você não pode resolver o que cabe a mim resolver, e mesmo que pudesse...

— Mesmo que pudesse?...

— Eu não permitiria. É um direito só meu.

— E meu também — replicou ele. — Se tivesse sido capaz de acabar com ele na noite passada, Mia, eu o teria feito.

— Mas você sabe que não é assim que as coisas são. — Ela parecia mais cansada do que zangada, naquele momento. — Você *sabe disso*. — Puxou os cabelos para trás, saindo dali e começando a vagar por um dos caminhos do jardim, onde as finas hastes compridas das íris pareciam se abrir em leque, à espera do momento certo para florescer. — Quando você modifica uma coisa, potencialmente modifica mil outras. Quando tira uma peça do lugar indiscriminadamente, se arrisca a destruir todo o conjunto. Existem regras, Sam, e motivos para elas.

— Você sempre foi muito melhor nessa coisa de regras do que eu. — Havia uma ponta de amargura em sua voz, e Mia conseguia sentir, enquanto ele falava. — Como é que pode esperar que eu fique de fora, apenas observando? Acha que eu não noto que você tem comido mal, tem dormido mal? Posso sentir sua luta contra o medo, e isso me machuca por dentro.

Mia virou o rosto enquanto ele falava. Lembrava-se bem daquela raiva feroz e escura, tão típica dele, aquela paixão inquieta. Foi o que a tinha atraído em direção ao rapaz. E, por Deus, era o que a atraía imensamente agora no homem.

— Se eu não estivesse com medo, seria burra — lembrou ela. — E eu não sou burra. E você não pode agir pelas minhas costas dessa maneira. Não pode desafiar novamente o que está destinado a mim. Quero sua promessa de que não vai mais fazer isso.

— Não posso prometer.

— Por favor, sejamos um pouço sensatos.

— Não. — Ele a pegou nos braços, puxando-a com violência contra ele. — Vamos tentar algo diferente.

Quente, de forma quase brutal, sua boca tomou a dela. E foi como dois metais que se fundiam. Ela invadira e arranhara seus sentimentos, colocando-o em transe enquanto curava as feridas de seu ombro. Fizera-o se abrir e penetrou dentro da alma dele, para depois deixá-lo vazio mais uma vez. Agora ele precisava de algo, tomaria alguma coisa de volta.

Seus braços seguraram os dela como dois tornos, deixando-a incapaz de se mover ou de lutar, obrigando-a a ceder. Ele a deixou indefesa, presa a um beijo que era muita fome e pouco coração. A emoção daquilo e o próprio prazer que sentiu fizeram com que uma onda de choque e vergonha a invadisse.

Mesmo assim, não teria conseguido impedi-lo. Bastava usar a mente para escapar daquela teia. Mas seus pensamentos estavam cheios de imagens dele, e seu corpo estava cheio de desejo.

— Eu não aguento, Mia. — Ele afastou os lábios dos dela, para em seguida fazê-los percorrer todo o seu rosto. — Fique comigo ou me amaldiçoe para sempre, mas resolva-se agora!

— E se eu lhe dissesse para ir embora? — perguntou ela, levantando a cabeça até seus olhos se encontrarem. — Se eu exigisse que você tirasse as mãos de mim neste instante?

Ele correu as mãos pelas costas dela, até chegar aos cabelos, que agarrou com sofreguidão.

— Não faça isso!

Ela achou que gostaria de vê-lo sofrer. Agora que o via realmente sofrendo, não conseguia aguentar. Era, na verdade, um sofrimento para ambos.

— Então vamos lá para dentro, e seremos um do outro.

Capítulo Dez

Conseguiram chegar à cozinha antes que mergulhassem um no outro. Pressionada de encontro à porta dos fundos, ela ferveu sob o domínio das mãos dele.

Ah, a sensação de ser tocada novamente, acariciada por mãos rudes, tão estranhas e ao mesmo tempo tão familiares. A liberdade cruel e selvagem daquilo invadiu-a por dentro, arrastando em sua correnteza as perguntas, preocupações e dúvidas. Ser desejada novamente daquela maneira, devorada pelo desespero. Ter as próprias necessidades equilibradas por outras, igualmente insaciáveis.

Ela puxou a já semirrasgada camisa de Sam para o lado e preencheu as mãos sedentas com carne quente e macia. E o mordeu, desejando saboreá-lo. Usando aquelas sensações deliciosas para se abastecer, sussurrou em seus ouvidos pedidos semi-insanos, enquanto tropeçavam para fora da cozinha.

Algo caiu no chão, com um som quase musical de vidro que se estilhaçava, enquanto esbarravam em uma mesa na sala. Pequenos cacos do que haviam sido as asas de cristal de uma fada foram transformados em pó cintilante sob os sapatos de Sam.

Ela não conseguia respirar, não conseguia pensar. Seus lábios deslizavam, errantes e carentes, sobre as feridas ainda marcadas no seu ombro. Nenhum dos dois notou o momento em que as marcas desapareceram por completo.

— Toque-me! — pediu ela. — Não pare de me tocar.

De bom grado ele teria preferido morrer a parar.

Encheu as mãos com os relevos e linhas delgadas das curvas dela e sentiu seu próprio ímpeto primitivo quando a sentiu estremecer de encontro a seu corpo. Seu sangue pareceu explodir, em uma pulsação prima, quando a respiração dela ficou suspensa por um instante e depois foi liberada com um gemido.

Ele deslizava as mãos pelas pernas dela, gemendo ao sentir suas gloriosas extensões e o calor que se formava em volta de sua mágica marca de nascença que ficava no alto da coxa. Sem um pensamento sequer de delicadeza, ele puxou com impaciência a fina bainha de seda de sua calcinha.

— Eu tenho que... — E explorou-a por dentro com os dedos. — Ah, meu Deus, ah, Deus! — Seu rosto estava entrelaçado em seus cabelos no momento em que ela entrou em erupção.

— De novo! — pediu ela. — Mais, mais, de novo!

A selvageria tomou conta de seus atos, e ele enterrou os dentes na garganta dela, levando-a a loucura enquanto o corpo se remexia e contorcia.

Inacreditavelmente quente, maravilhosamente molhada, gloriosamente macia, ele encontrou a sua boca mais uma vez, e engoliu seus suspiros e soluços.

Os dois foram se arrastando penosamente escada acima. Com dedos urgentes e rápidos, ele tentava abrir os pequenos botões que desciam pelas costas do vestido dela, arrancando alguns deles e expondo pedaços de pano rasgado e carne macia.

— Preciso ver você, olhar para você.

O vestido desceu-lhe pelo corpo, caiu no chão e foi abandonado. Ao chegar no topo da escada, ele tentou levá-la para o lado direito.

— Não, não. — Quase soluçando de desespero, ela agarrou-lhe o botão da calça com força. — Agora é por aqui.

Ela o encaminhou para a esquerda, tremendo quando ele conseguiu finalmente abrir-lhe o fecho do sutiã, logo preenchendo as mãos com os seios dela. A seguir, sua boca, quente e faminta, substituiu as mãos.

— Espere. Deixe-me... — Quase enlouquecido, levantou os dois braços dela acima da cabeça e banqueteou os próprios lábios.

Mia deixou a cabeça pender para trás e se entregou à sensação pesada e indefesa de ser violada. Viva... Estava brutalmente viva. E mesmo quando seu coração disparava de encontro à boca insaciável de Sam, o corpo dela implorava por mais.

Quando ele agarrou-lhe os quadris, seus braços se trancaram em volta dele, como tentáculos poderosos. A cama estava a poucos passos, mas era como se estivesse a quilômetros. Os olhos dele, de um verde puro, pareciam queimar e se misturar ao cinza esfumaçado dos olhos dela. Por um rápido instante parecia que o mundo parara de girar.

— Sim — pediu ela. — Agora.

Então ele se lançou para dentro dela.

Tomaram um ao outro ali mesmo, em pé, em movimentos selvagens e rápidos. A corrida em busca do prazer, em busca da plenitude dos sentidos, roubou-lhes a respiração e a razão, enquanto se encaixavam com uma espécie de violência deliberada. As unhas dela arranhavam-lhe as costas, e os dedos dele pressionavam a pele dela, deixando-a marcada, e ainda assim eles se lançavam com força um contra o outro, em busca de mais. Suas bocas se encontraram, em um momento pontuado por fome frenética, e seus corpos se enterravam incessantemente.

O clímax chegou como se fossem garras. Um golpe forte que a fatiava por dentro e a deixava sem reação. Sem ter como lutar contra aquilo, ela se rendeu. E o sentiu mergulhar e se enterrar ainda mais.

Suados, fracos e tremendo, eles se apoiaram um no outro. Ficaram ali, balançando-se para a frente e para trás, ainda sem equilíbrio, pegajosos, esfregando pele contra pele. Abaixando a testa até encontrar a dela, Sam lutava para engolir um pouco de ar. Seu corpo sentia-se como se tivesse caído de uma montanha e mergulhado em uma piscina de ouro quente e derretido.

— Estou um pouco tonta — ela conseguiu dizer.

— Eu também. Vamos ver se conseguimos chegar até a cama.

Seguiram cambaleando através da névoa mental até caírem, juntos, sobre a antiga cama de quatro colunas. Deitados de costas, ambos olhavam, ainda ofuscados, para o teto.

Aquele não tinha sido exatamente, Sam compreendeu, o reencontro sexual romântico que fantasiara para eles. As imagens que criara envolviam sedução, sofisticação e muito mais *finesse* da parte dele.

— Acho que fui um pouco afobado — explicou ele.

— Tudo bem.

— Sabe aqueles quilinhos que eu notei que você ganhou?

— Humm. — O som era um aviso em voz baixa.

— Funcionaram bem para mim. — Ele modificou a posição da mão apenas o suficiente para deslizar sobre a lateral do seio dela. — Quer dizer, gostei de verdade.

— Você também ganhou peso.

Ele se deixou flutuar e analisou a pintura do teto. Durante a noite, pequenas estrelas brilhavam e fadas coloridas voavam.

— Você mudou de quarto.

— Mudei.

— Ainda bem que não segui o impulso de subir para o seu quarto pelo lado de fora, agarrado na treliça das plantas, uma noite dessas.

E, porque a imagem trouxe à sua lembrança as noites em que ele fizera exatamente isso, Mia suspirou.

Já havia muito tempo, muito tempo mesmo, desde a última vez em que seu corpo tinha se sentido tão solto, tão *usufruído*. Isso a fez sentir vontade de se enroscar como uma gata e ronronar.

E ela fazia isso com ele, antes. Em outros tempos, teriam se virado um de frente para o outro, deitados de lado, se entrelaçado, e teriam dormido a sono solto, como gatos depois de uma noite de traquinagens.

Aqueles dias haviam acabado, pensou ela. Quanto às traquinagens, porém, eles ainda se davam muito bem um com o outro.

— Tenho que voltar ao trabalho — disse ela.

— Eu também.

Viraram-se um para o outro, olhando-se, e sorriram.

— Sabe qual é a vantagem de se ter seu próprio negócio? — perguntou Mia.

— Sei. — Ele rolou o corpo sobre o dela, até suas bocas ficarem a poucos centímetros uma da outra. — Ninguém pode descontar o atraso do nosso pagamento.

Mas isso não queria dizer que não havia um preço a pagar.

No momento em que Mia colocou os pés na loja, de volta, Lulu deu uma olhada nela e soube na mesma hora.

— Você transou com ele!

— Lulu! — Falando entre os dentes, Mia olhou em torno, preocupada com os clientes.

— Se você achou que não ia dar bandeira e que as pessoas não vão fofocar, então o sexo deve ter lhe provocado danos no cérebro.

— Seja como for, não vou ficar aqui discutindo esse assunto encostada no balcão do caixa. — Com a cabeça empinada, dirigiu-se às escadas, mas foi imediatamente surpreendida por Gladys Macey.

— Olá, Mia. Você está linda, hoje.

— Olá, Sra. Macey. — Mia virou um pouco a cabeça para conseguir ler a lombada dos livros que Gladys pegara. — Quero que a senhora me diga o que achou deste aqui. — Ela bateu com a ponta do indicador sobre um deles, que estava na lista dos best-sellers. Ainda não consegui lê-lo.

— Claro. Ouvi dizer que você jantou no hotel. — O sorriso de Gladys se abriu ao olhar para Mia. — Sam Logan está fazendo uma porção de mudanças por lá, segundo me contaram. A comida está boa como sempre?

— Sim, eu gostei.

Nesse momento, Mia olhou por cima dos ombros dela na direção de Lulu. Considerando a altura da voz de Lulu e a sensibilidade dos ouvidos de Gladys, não havia dúvidas de que o comentário de Lulu tinha sido ouvido e digerido.

— Sra. Macey, gostaria de saber se Sam e eu fomos para a cama? — perguntou num tom amigável.

— Ora, vamos, querida. — Gladys deu um tapinha maternal no ombro de Mia. — Não fique assim aborrecida. Além do mais, é difícil olhar para você e não notar que está com um brilho suave e saudável, como uma aura à sua volta. Ele é um rapaz muito bonito.

— Só traz problemas! — murmurou Lulu, provando que os ouvidos de Gladys estavam em boa forma.

— Ora, ora, Lulu, aquele rapaz jamais causou mais problemas por aqui do que os outros da idade dele, e até menos do que alguns.

— Os outros não vieram até aqui para farejar a minha menina.

— Ora, mas é claro que vieram. — Gladys balançou a cabeça, falando com Lulu como se Mia fosse invisível, ou cega. — Não havia um rapaz na ilha que não estivesse a fim de dar uma boa beijoca nela. A verdade, porém, é que Sam foi o único que ela farejou também. Sempre achei que eles formavam um casal lindo.

— Ahn... desculpem interromper, por favor. — Mia levantou o dedo, fingindo timidez. — Gostaria de lembrar a ambas que o rapaz e a moça que andaram se beijando já são adultos agora.

— Mas ainda formam um casal adorável — insistiu Gladys.

Desistindo, Mia se inclinou e deu um beijo de leve no rosto de Gladys.

— É porque a senhora tem um coração de ouro, Sra. Macey.

E uma língua que não cabe na boca, pensou, enquanto subia as escadas de volta ao escritório. A fofoca ia se espalhar por toda a ilha, mais depressa do que brotoeja. Sam Logan e Mia Devlin estavam juntos novamente.

Uma vez que Mia não sabia exatamente como se sentia a respeito, mas também não ia poder fazer nada para impedir o mexerico, colocou o assunto em um canto qualquer no fundo do cérebro e voltou a trabalhar na proposta que precisava preparar.

Às quatro horas, ignorando por completo os olhares que a seguiam, atravessou a rua e entrou no hotel, onde entregou o envelope com a proposta, no balcão da recepção, com o pedido de que fosse encaminhado ao Sr. Logan o mais rápido possível. Depois, saiu de maneira elegante.

Para compensar o tempo que perdera, fechou-se no almoxarifado e concentrou-se nos negócios. Organizou, rearranjou e montou uma lista dos produtos que precisavam ser repostos. O solstício sempre trazia uma multidão de turistas para a ilha. Valia a pena estar preparada para recebê-los.

Armada com a lista do estoque na mão, ela se levantou. No entanto, sentou-se novamente, porque sentiu uma tonteira súbita que a derrubou. Tola, repreendeu a si mesma. Descuidada. Ela só havia comido um bolinho durante todo o dia, desde o café da manhã. Levantou-se novamente, devagar, e pensou em pegar uma tigela de sopa na cafeteria. Nesse momento, porém, uma imagem invadiu seu cérebro.

Evan Remington estava diante de uma janela gradeada, sorrindo. Seus olhos estavam tão sem vida quanto os de um boneco. De repente, porém, virou a cabeça lentamente, muito lentamente, e aqueles olhos inertes começaram a adquirir um brilho vermelho, cheios de algo que não era humano.

Ela se obrigou a ficar ali, parada, em vez de seguir o ímpeto de sair correndo, e se cobriu de calma e serenidade, como se fosse um manto. Quando a imagem se dissolveu, deixou o trabalho para depois.

— Tenho um compromisso — avisou a Lulu, enquanto saía apressadamente da loja. — Volto assim que puder.

— Entrando e saindo — resmungou Lulu.

Mia foi direto para a delegacia, parando apenas para trocar algumas palavras com uma ou outra pessoa conhecida. As ruas, ela notou, já estavam cheias de turistas. Eles andavam de um lado para o outro, comprando roupas e pequenas lembranças, cruzando a ilha à procura do ponto perfeito para um piquenique ou de uma nova paisagem. Quando a noite caísse, iriam se amontoar nos restaurantes ou voltar para suas casas alugadas, para assar algum peixe comprado, fresquinho, nas docas.

Todas as lojas já estavam realizando as liquidações de primavera-verão, e a pizzaria estava com uma oferta de duas coberturas extras, na compra de duas pizzas gigantes. Mia viu quando Pete Stubens passou pela rua principal dirigindo a sua picape em companhia do adorado cachorro, que ia com a cabeça de fora.

O pequeno primo de Ripley, Dennis, surgiu da calçada oposta, agitando a rua com o seu skate a toda velocidade e a camisa do time dos Red Sox drapejando ao vento como se fosse uma bandeira.

Tudo tão normal, pensou. *Tão simples, tão certo e real.*

Ela faria tudo que estivesse a seu alcance para que continuasse exatamente assim.

Zack estava em sua mesa quando ela entrou e imediatamente se colocou de pé ao vê-la.

— Olhe, Mia... — começou ele.

— Calma, não vim aqui para puxar suas orelhas.

— É um alívio, porque Nell já cuidou disso. — Para provar, massageou-as com carinho. — Só queria que você soubesse que a gente não estava fazendo nada pelas costas de vocês. Estávamos apenas analisando a situação. O meu trabalho é cuidar dos problemas que atingem a ilha.

— Conversaremos sobre isso depois. Agora, dá para você verificar como está Evan Remington?

— Verificar?

— Certificar-se de que ele está onde deveria, em que pé está o tratamento, qual seu prognóstico e os seus mais recentes padrões de comportamento.

Ele começou a perguntar por quê, mas o olhar no rosto dela o avisou de que era melhor responder primeiro.

— Bem, para começar, posso lhe dizer que ele continua trancafiado e vai permanecer desse jeito. Faço questão de entrar em contato com duas pessoas conhecidas, toda semana. — Ele virou um pouco a cabeça. — Espero que você também não considere esse pequeno cuidado como intromissão.

— Ah, Zack, também não precisa ficar todo melindroso agora! Você consegue os relatórios do caso?

— Não tenho acesso aos registros médicos, se é isso que você quer dizer. Precisaria de um mandado e de motivos para requisitá-lo. Qual é o problema?

— É que ele continua sendo parte de tudo isso, mesmo em uma cela confortável.

Zack passou para o outro lado da mesa com duas passadas largas e colocou as mãos em volta do braço de Mia, perguntando, preocupado:

— Ele ainda é uma ameaça para Nell?

— Não. — *Como deveria ser sentir-se amada assim, tão profundamente?*, pegou-se perguntando a si mesma. Certa vez ela achara que sabia a resposta. — Não é uma ameaça agora, pelo menos não diretamente. Não como antes. Mas ele ainda está sendo usado. Só imagino se sabe disso.

Era essencial descobrir.

— Onde está Ripley?

— Na rua, fazendo o trabalho dela. — E o aperto no braço de Mia ficou mais forte. — Ripley está em apuros?

— Zack, tanto Nell quanto Ripley já fizeram o que deveriam fazer, mas eu preciso conversar com elas. Será que você poderia pedir-lhes que fossem lá em casa hoje à noite? Lá pelas sete horas, se puderem.

Naquele momento a pressão no braço de Mia ficou mais leve e se transformou numa carícia amigável, que subia até o ombro.

— É *você* que está em apuros, não é?

— Não. — A voz dela estava firme e calma. — Está tudo sob controle.

Ela acreditava nisso, completamente. Também compreendia o valor daquela fé profunda e a importância de ser ela mesma e se manter íntegra e centrada. Dúvidas, questionamentos e medos serviriam apenas para diminuir seus poderes quando ela mais precisasse deles.

A visão surgira de forma espontânea e também associada a um complemento físico, a tonteira. Ela não podia encarar isso sem preocupação.

Preparou-se cuidadosamente. Não era o momento de assumir um comportamento irrefletido, nem de exibicionismos, embora ocasionalmente gostasse de aparecer.

Parecia que muito do que acontecera durante aquele dia servira para prepará-la. Sua explosão de cólera, o jejum e, sim, o sexo. Liberar o corpo da frustração através da celebração de um dos seus propósitos mais agradáveis a ajudaria a enfrentar o que estava por vir.

As ervas e óleos do banho ritual foram escolhidos com cuidado. Rosas para os poderes psíquicos e dons de profecia. Pétalas de cravo para proteção. Íris, a flor da sabedoria, para que ela pudesse compreender o que lhe estava sendo mostrado.

À luz das velas inscritas com símbolos da sua busca, Mia deixou submergir o próprio corpo, lavando-o cuidadosamente, inclusive os cabelos, e limpando a mente.

Utilizando cremes que ela mesma preparara, cobriu toda a pele antes de se envolver em um roupão largo e todo branco. A seguir, escolheu com cuidado os encantos que pretendia usar e os pingentes. Ágata marcada por dendritos de ferro, para proteção em viagem; ametista para aguçar o terceiro olho. Brincos de malaquita para uma visão ampliada.

Reuniu seus instrumentos, sua varinha de profecia com uma pedra da lua presa na ponta. Incenso e velas, tigelas e sal marinho. Sabendo também que poderia precisar, pegou um tônico restaurador de energias.

Finalmente, foi para o jardim para ficar em paz e esperar pelas irmãs.

Elas chegaram juntas e a encontraram sentada em um banco de pedra, junto de um canteiro de pequenas flores híbridas, as condescendentes colombinas.

— Preciso da ajuda de vocês — falou, assim que as avistou. — Explico tudo no caminho para a clareira.

Elas mal haviam começado a penetrar na floresta, a luz diminuindo de intensidade com o crepúsculo, quando Ripley parou de repente, dizendo:

— Não era você que deveria fazer isso. Um voo vai deixá-la muito aberta, Mia, muito vulnerável.

— Exatamente por isso é que preciso do meu círculo — argumentou.

— Eu é que deveria fazer isso. — Nell tocou no braço de Mia. — Evan está mais diretamente conectado comigo.

— E esse é mais um motivo para você não fazer — explicou Ripley. — A conexão com você é muito forte. Eu já fiz isso, há pouco tempo; portanto, sou eu que deveria fazer de novo.

— Você voou sem preparação adequada, sem proteção, e acabou se ferindo. — Lembrando que devia ser paciente e razoável, Mia continuou a caminhar. — A visão procurou a mim, de forma espontânea. Evidentemente, sou eu que devo fazer o voo, e estou devidamente preparada. Você ainda não possui controle suficiente — disse a Ripley. — E você, irmãzinha — continuou, voltando-se para Nell —, ainda não tem muita experiência. Independentemente disso, é claro que cabe a mim. Todas nós sabemos da situação, por isso não devemos perder mais tempo.

— Não gosto disso — disse Ripley. — Especialmente depois do que aconteceu com Sam na noite passada.

— Ao contrário de alguns homens, não preciso provar meu heroísmo. Meu corpo vai ficar dentro do círculo.

Colocou a sacola cheia de apetrechos no chão da clareira e começou a marcar o círculo.

Nell acendeu as velas. Estava calma, porque a calma era necessária.

— Diga-nos o que fazer, se algo sair errado — pediu.

— Nada vai sair errado — assegurou Mia.

— Mas e se sair?

— Certo. Se sair, vocês me puxam de volta. — Olhou para cima, vendo o brilho sobre a copa das árvores aumentar de luminosidade, à medida que a lua surgia. — Vamos começar.

Despindo o roupão, Mia se colocou nos braços da jovem noite usando sobre o corpo apenas cristais. Esticando os braços para alcançar as mãos das irmãs, começou a entoar o cântico que libertaria a sua consciência do seu corpo e a faria voar.

> *Abram portas e janelas, que vou agora passar*
> *Quero ver, quero sentir, agora eu quero voar*
> *Sobre o mar, através do céu, por entre as vozes*
> *Meu espirito se eleva acima dos algozes*
> *Meus sentidos voam e se deslocam, velozes*
> *Faz parte do Poder e do dom da minha Arte*
> *Comandar os elementos, ir a toda parte*
> *E exigir que o que eu assista, e agora tramo*
> *Não traga mal algum a mim ou aos que amo*
> *E que tal se faça agora, porque assim proclamo.*

Começou a sentir uma lenta e agradável sensação de falta de peso, descolando-se da concha que mantinha o espírito preso à terra. De repente, sentiu-se livre, como um pássaro que começa a alçar voo. E, apenas por um momento, permitiu-se abraçar a glória daquele instante.

Aquele dom valia mais que o ouro, mas ela sabia perfeitamente que o fino fio que a mantinha ligada à terra poderia ser facilmente cortado. Mesmo com a emoção do voo, ela jamais trocaria aquilo pela sua realidade.

Sorriu ao ver que estava sobrevoando o mar, onde a luz das estrelas se refletia, como microscópicos pedaços de vidro espalhados sobre veludo preto. Das profundezas abaixo dela vinha o canto das baleias, e a música a carregou até o litoral.

O barulho do tráfego e o ruído de conversas dentro das casas, o perfume das árvores e de jantares sendo preparados, tudo girava em um redemoinho abaixo dela, enquanto a vida seguia.

Ouviu o choro indignado de um recém-nascido que acabara de ser puxado de dentro de um ventre e para a vida fora dele. E também o último suspiro dos que morriam; e o movimento rápido das almas que passavam por ela, enquanto seguiam por novos caminhos. Manteve a luz daquelas almas em volta dela, enquanto buscava a escuridão que ia estudar.

Havia tanto ódio nele! Um ódio imensamente largo, que possuía várias camadas, e não era, como notou enquanto se aproximava mais e mais, apenas dele. O que habitava a alma de Evan Remington era uma mistura podre e rançosa que ofendia os sentidos. Notou, porém, que os serventes, guardas e médicos que circulavam pelas instalações da prisão psiquiátrica onde Remington estava internado não sentiam o fedor insuportável.

Deixando os pensamentos e vozes dos outros escorrerem para longe dali, focou-se em Remington e no que estava usando seu corpo.

Ele estava no quarto, preparando-se para a noite, em uma cela muito afastada dos ambientes sofisticados que ele já comandara. Notou que ele mudara consideravelmente desde aquela noite no bosque, em que Nell o tinha derrotado.

Seu cabelo estava mais fino, e seu rosto, mais redondo, com uma papada bastante pronunciada, fortes linhas e rugas bem marcadas. Não era mais um homem bonito; sua pele não era mais lisa e macia, e seu rosto começava a exibir o que ele escondera dentro de si mesmo por tantos anos.

Usava um macacão largo de cor laranja e andava dentro da cela, de um lado para o outro, como um soldado de sentinela.

— Eles não podem continuar me mantendo aqui. Não podem! Tenho o meu trabalho. Vou acabar perdendo o avião. Onde está aquela piranha? — Virou de repente, ao chegar na porta da cela, e seus olhos pálidos olharam em volta. Sua boca pendeu para baixo, mostrando ligeira irritação. — Está atrasada novamente. Vou ter que puni-la. Ela não me deixa outra escolha.

Alguém lá de fora berrou com irritação, mandando-o fechar a matraca, mas ele continuou andando de um lado para o outro, gritando em desvario.

— Será que ela não consegue ver que tenho negócios a resolver, que tenho responsabilidades? Ela não vai escapar dessa vez. Quem diabos ela pensa que é? Prostitutas, cada uma delas, todas prostitutas.

Repentinamente, como uma marionete, sua cabeça virou para cima, e seus olhos se cobriram de uma camada fina e gosmenta de loucura por cima do ódio. E começaram a brilhar em um tom vermelho.

— Não sabe que eu estou vendo você daqui, sua piranha? Prostituta! Vou matar você antes de tudo isso acabar.

O golpe inesperado desferido por aquele espasmo de poder a atingiu como um soco no estômago. Ela perdeu o equilíbrio por um instante e estremeceu, mas aguentou firme.

— Você é patético! — atacou ela. — Usa a loucura de um homem para acumular seu poder. Eu preciso apenas de mim mesma.

— Sua morte vai ser lenta e dolorosa. Vou manter você viva até o final para você ver tudo destruído.

— Nós já o derrotamos duas vezes. — Sentindo o golpe seguinte que vinha da cela, ela desviou-se para o lado. Precisou, porém, de todas as forças, e sentiu seu cordão de prata estremecer quando a cabeça de Remington foi se transformando até virar a de um lobo que rangia os dentes. — A terceira vez é a última — terminando de dizer isso, ela recuou rapidamente.

Entrou de volta em seu corpo, cambaleou para os lados; teria caído se Nell e Ripley não a tivessem amparado.

— Você está machucada? — Diante do desespero da voz de Nell, Mia lutava para se acalmar. — Mia, responda!

— Não, não estou machucada.

— Você ficou fora durante muito tempo — informou Ripley.

— Fiquei fora o tempo necessário.

— Isso é o que você diz. — Ainda segurando com força a mão de Mia, Ripley esticou o pescoço. — Temos companhia.

Enquanto as visões iam clareando em sua mente, Mia viu Sam, de pé, do lado de fora do círculo. Estava todo de preto, em um casaco com pontas que balançavam ao ar da noite.

— Acabe com isso; feche o círculo. — Sua voz era ríspida e objetiva, como se estivesse falando de negócios. — Feche, antes que você desabe.

— Sei muito bem o que fazer. — Ela esticou o braço para pegar o tônico que Nell já estava despejando em uma xícara. Por não se sentir ainda completamente firme, pegou a xícara com as duas mãos. E bebeu, até que não sentiu mais o corpo, que era como uma simples névoa pronta para ser carregada pelo vento.

— Feche o círculo — insistiu Sam — ou eu vou entrar nele, quer você goste ou não.

Ignorando-o, ela uniu as mãos, ofereceu graças por ter feito um voo seguro e, junto das irmãs, fechou o círculo.

— Ele continua usando o corpo de Remington. — Entrando de volta no roupão, amarrou o cordão bem devagar, pois sua pele se sentia tão fina e frágil quanto a seda. — Ele é mais um recipiente do que uma fonte de energia, mas senti ainda um pouco de ambas as funções. A força o preenche com ódio mortal por mulheres em geral, pelas formas femininas de poder, e depois utiliza essa mistura de emoções que ele mesmo provoca para realimentar sua própria energia. É muito potente, mas não me pareceu invulnerável.

Ela se abaixou para pegar a bolsa com o material que levara. Quando se colocou ereta novamente, sentiu uma nova tonteira.

— Já chega! — Com um movimento rápido, Sam a agarrou e a colocou no colo. — Ela precisa de descanso, deve dormir para recuperar as forças. Eu sei como cuidar dela.

— Ele tem razão. — Ripley colocou a mão sobre o ombro de Nell, enquanto Sam levava Mia para fora da clareira. — Ele sabe do que ela está precisando agora.

— Eu só preciso recuperar o equilíbrio — esbravejou Mia, girando a cabeça, furiosa. — Não posso conseguir isso se não estiver sobre meus próprios pés.

— Houve um tempo em que você não ficava tão nervosa quando precisava de ajuda.

— Não estaria nervosa se realmente estivesse necessitando de sua ajuda. Não preciso que fique aqui para... — Mas não completou, engolindo as palavras. — Desculpe, você está certo.

— Puxa, deve estar muito abalada.

— Estou é enjoada. — Ela deixou que a cabeça repousasse no ombro dele.

— Eu sei, querida, vamos cuidar disso. E a dor de cabeça?

— Não está tão mal. Sério. Eu poderia ter voltado mais inteira, mas tive que voltar muito depressa. Droga, Sam, essa tonteira é só... — Uma névoa começou a nublar os cantos de seu campo de visão. — Não está passando. Acho que vou apagar.

— Tudo bem, relaxe, vá em frente.

Pelo menos daquela vez, ela fez exatamente o que ele sugeriu e não argumentou. Quando ela se sentiu totalmente largada em seus braços, ele carregou-a em direção à casa. Iria brigar depois, pensou consigo mesmo, quando ela pudesse revidar. Levou-a para dentro de casa e a colocou na cama.

Saber que ela precisaria de um sono longo e profundo não tornou mais fácil para Sam vê-la tão pálida e indefesa sob a luz do luar, na penumbra do quarto. Sabia o que deveria ser feito; e cuidar dela pelo menos o ajudaria a manter o pensamento no aspecto prático.

Sabia quais óleos e cremes protetores ela havia usado. Dava para sentir o aroma deles. Depois de pousá-la na cama, pegou o incenso apropriado e as velas para aumentar a proteção do que ela já preparara.

Mia sempre tinha sido uma pessoa organizada, avaliou enquanto procurava, nas prateleiras e armários do seu quarto na torre, pelos produtos de que precisava.

Mesmo ali ela tinha flores espalhadas em pequenos vasos de barro ornados com violetas e livros. Ele olhou os títulos e escolheu um volume de encantos e feitiços para cura, caso precisasse refrescar a memória.

Na cozinha, encontrou todas as ervas de que precisava e, embora já fizesse muito tempo desde a última vez que praticara magia de cozinha, conseguiu preparar um bule de chá de arruda para ajudá-la na limpeza espiritual.

Ela estava profundamente adormecida quando ele voltou. Acendeu as velas e o incenso, depois se sentou ao lado da cama, fazendo com que sua mente penetrasse na dela.

— Mia, você precisa tomar um pouco de líquido, e então pode descansar.

Ele passou os dedos carinhosamente sobre seu rosto e, em seguida, esfregou a boca de leve sobre a dela, cujos olhos se abriram, mas o tom acinzentado deles parecia enevoado. Mia estava com o corpo mole como o de uma boneca de pano quando ele levantou-lhe a cabeça e encostou a xícara em seus lábios.

> *Beba tudo e se cure, nesse mundo paralelo*
> *Que os sonhos a levem para longe, para o belo*
> *Através da noite, enquanto, ao seu lado, eu velo.*

Afastou-lhe os cabelos grudados no rosto e a colocou de volta deitada.

— Quer que eu vá junto com você?

— Não, estou sozinha.

— Não, não está. — Levantou a mão dela, levando-a até os lábios, enquanto seus olhos se fecharam novamente. — Vou esperar por você.

Ela se deixou então escorregar para um mundo de sonhos.

Viu a si mesma, em criança, sentada no jardim de rosas que seus pais haviam negligenciado. Borboletas batiam as asas, agitadas, na palma de sua mão, como se seus dedos fossem pétalas.

Viu-se com Ripley, as duas tão jovens e ansiosas, acendendo na clareira a fogueira de Beltane, que marca o casamento sagrado do feminino com o masculino e determina o início do verão.

Depois se viu esparramada no chão em frente à lareira, enquanto Lulu, sentada em uma cadeira, tricotava.

Viu sua imagem caminhando pela praia, ao lado de Sam, em uma noite quente de verão. E o bater descompassado, *bum-bum, bum-bum*, do seu coração, ao ver que ele puxava o rosto dela para cima. E o mundo parou de respirar naquele instante mágico que precedeu o primeiro beijo.

Sentiu então as lágrimas, a torrente quente e contínua que escorria de seu coração esmagado. Ele tinha ido embora da maneira mais displicente e casual, deixando-a, quebrada e enlutada, ao lado de um lindo canteiro de violetas de primavera recém-floridas.

Eu não vou mais voltar, Mia.

Com aquela frase simples e única, ele a fizera em pedaços.

Os sonhos entravam e saíam, e ela os acompanhava. Viu-se novamente em pé no jardim, em uma tarde de verão, ensinando Nell a movimentar o ar. Sentiu a alegria das mãos unidas, finalmente, dela com as irmãs, em um círculo de unidade e poder.

Viu então as cores suaves e doces da festa de casamento de Nell, e as brilhantes promessas do casamento de Ripley. E as observava enquanto elas davam início a um novo círculo, sem a sua presença, como deveria ser.

E estava só.

— O destino nos move, e então fazemos a escolha.

Lá estava ela na beira do penhasco, junto da que se chamava Fogo. Mia se virou e olhou para o rosto dela, tão parecido com o seu.

— Não me arrependo das escolhas que fiz — disse Mia.

— Nem eu. E nem posso, agora.

— Morrer por amor é uma escolha errada.

A que se chamava Fogo levantou uma das sobrancelhas, e havia um quê de arrogância inata em sua expressão. No vento da noite, seus cabelos começaram a voar, como se fossem chamas.

— No entanto — respondeu ela —, era o que me cabia. Se eu tivesse escolhido diferente, filha, talvez você não estivesse aqui, agora. Talvez não fosse o que é. Portanto, não tenho arrependimentos. Será que você vai poder dizer o mesmo quando o seu tempo chegar ao fim?

— Valorizo meus dons, não faço mal a ninguém. Vivo a vida, e a vivo bem.

— Assim como eu vivi. — Ela abriu os braços. — Conseguimos manter este lugar, mas o tempo está se escoando. Veja. — Ela fez um gesto em direção a um lugar onde a névoa se enredava sobre si mesma, na ponta das rochas. — O que ele mais deseja é o que não consegue obter, e é exatamente isso que, no final, vai derrotá-lo.

— E o que falta fazer ainda? — quis saber Mia. — O que ainda é necessário que eu faça?

— Tudo! — E, com esta última palavra, desapareceu.

E Mia se viu mais uma vez sozinha.

Lulu estava sozinha. Dormia profundamente debaixo de seu quente edredom feito de retalhos e navegava sobre os sonhos, sem saber da névoa escura que ia se concentrando aos poucos em volta de sua casa, subindo pelas paredes e rastejando pelos cantos, em volta das janelas e através das frestas.

Estremeceu e começou a se mexer de um lado para o outro quando a névoa gélida se espalhou sobre ela, penetrando por baixo das cobertas para atingir sua pele. Com um pequeno som de protesto, ela se enfiou mais ainda embaixo do edredom, mas não encontrou calor algum.

Ouviu então um bebê chorando forte, lançando gritos de desespero na noite. Com a resposta automática de uma mãe zelosa, jogou as cobertas para o lado e se levantou da cama, no escuro, dirigindo-se para fora do quarto.

— Está bem, está bem, já estou indo.

No sonho, ela caminhava, como sonâmbula, ao longo do comprido corredor da casa junto ao penhasco. Sentia a madeira lisa e encerada debaixo dos pés descalços, não a grama áspera recém-aparada de seu próprio quintal, quando saiu da casa em meio ao nevoeiro cada vez mais denso. Seus olhos estavam abertos, mas via a porta do quarto do bebê, e não a rua deserta pela qual caminhava, nem as casas silenciosas pelas quais passava.

E também não viu, nem sentiu, o lobo preto que caminhava à sua retaguarda.

Esticando o braço, abriu a porta que não estava ali, no momento em que começou a caminhar com mais dificuldade e virou a esquina que ia dar na praia.

O berço estava vazio, e o choro do bebê subitamente se transformou em gritos de terror.

— Mia! — Ela correu pela Rua Alta, que em sua mente parecia um labirinto de corredores. — Onde você está?

E correu, ofegante, com o medo aumentando enquanto batia com força nas portas fechadas de sua mente, correndo na direção dos gritos do bebê.

Caiu, arranhando as mãos na areia da praia e sentindo os dedos penetrarem em um tapete espesso e profundo. Chorava, chamando pelo seu bebê; ficou novamente de pé, cambaleou e depois tornou a correr. No sonho, ela se lançou para a ponta da escada e começou a descer apressadamente os degraus que levavam ao andar de baixo e, depois, no escuro da noite, mergulhou de cabeça no mar.

A força do mar a arremessou para trás, derrubando-a, mas, com uma fúria cega para proteger sua criança, lutou e abriu caminho entre as ondas.

E, mesmo quando a água lhe cobriu a cabeça, seus olhos estavam abertos, e os gritos do bebê martelavam seus ouvidos.

Havia um peso imenso em seu peito, bem como um gosto azedo de vômito em sua garganta. Ela regurgitou e tentou se levantar mais uma vez.

— Está respirando. Tudo bem, Lulu, vá com calma.

Seus olhos ardiam muito e se recusavam a entrar em foco. Através da neblina que cobria seus olhos, conseguiu ver o rosto de Zack. A água pingava dos seus cabelos e escorria pelo rosto.

— Mas que diabos está acontecendo? — quis saber, e sua voz parecia um grasnar que lhe machucava a garganta.

— Ai, por Deus, Lulu. — Nell estava ajoelhada na areia, ao lado dela. Agarrou-lhe a mão e a apertou de encontro ao rosto. — Graças a Deus!

— Ela ainda está em estado de choque. — Ripley empurrou o irmão para o lado e colocou um cobertor em volta de Lulu.

— Estado de choque uma ova!

Lulu conseguiu se sentar e tossiu tanto que pareceu que ia desmaiar. Aguentou firme, porém, e ficou olhando para os rostos que a rodeavam. Nell chorava abertamente, e Mac, molhado até os ossos, estava agachado ao lado de Lulu. Ripley se sentou na areia, e, com a ajuda do irmão, arrumava o cobertor em torno dos ombros dela.

— Onde está Mia? — quis saber na mesma hora.

— Está em casa, com Sam — disse-lhe Nell. — Ela está bem.

— Ótimo. — E Lulu começou então a inspirar, lenta e profundamente. — E que droga estou fazendo aqui fora, molhada como um pinto, no meio da noite?

— Essa é uma boa pergunta. — Zack ficou ponderando por um momento, e a seguir decidiu que a verdade nua e crua era a melhor resposta. — Nell acordou, deu um pulo na cama e sentiu que você estava em apuros.

— Eu também — acrescentou Ripley. — Mal tinha acabado de pegar no sono quando ouvi sua voz gritando dentro do meu ouvido, procurando Mia. Então a visão me atingiu como uma locomotiva. — Olhou para Nell. — Vi você saindo de casa no meio da noite e a névoa envolvendo você.

— E o lobo preto — murmurou Nell, então esperou pelo sinal de concordância de Ripley antes de continuar. — Ele estava seguindo você. Fiquei com medo de não conseguirmos chegar a tempo de salvá-la.

Lulu levantou a mão por um momento, tentando clarear a cabeça.

— Quer dizer que eu me joguei no mar? Pelo amor de Deus!

— Ele atraiu você até aqui — explicou Mac. — Consegue lembrar por quê?

— Tive um sonho, foi tudo. Um pesadelo. Acabei andando no sono.

— Vamos levá-la para casa e aquecê-la — disse Nell, mas Ripley balançou a cabeça.

— Ainda não. Você quase se afogou dentro do seu pesadelo. — E o tom de sua voz se tornou mais áspero e zangado. — Não me venha agora se fazer de teimosa para cima de mim. Se Nell e eu não tivéssemos nos conectado com o que estava acontecendo, iríamos encontrar o seu corpo mortinho da silva de manhã cedo, boiando na porcaria da maré cheia.

E como sentiu a voz falhar, Ripley continuou falando com os dentes cerrados.

— Meu irmão e meu marido foram buscar você dentro do mar e a puxaram para fora; e foi Zack quem a massageou para trazê-la de volta. Não tente fazer essa cara de que *não houve nada*.

— Pronto, está bem, agora pare com essa gritaria. — Abalada, Lulu deu uma pequena sacudida no braço de Ripley. — Só tive um ataque de tosse no final, foi tudo. Já estou bem.

— Ele a atraiu até aqui — repetiu Mac.

— Ora, essa é mais uma história! — Mas, no exato momento em que dizia isso, começou a tremer novamente, com um frio dentro dos ossos. — Por que motivo essa coisa quer me machucar? Não tenho poderes.

— Se ele machucar você, estará ferindo Mia — disse Mac. —Você é uma parte importante dela, Lu, e portanto é parte de tudo isso, também. O que teria acontecido com a ilha, com as crianças que as irmãs deixaram para trás, se não tivesse existido uma babá dedicada para cuidar delas? Deveríamos ter pensado nisso antes. Foi burrice não pensar. Um descuido.

— Não seremos mais descuidados. — Nell envolveu os braços em torno dos ombros de Lulu. — Ela está gelada. Precisamos levá-la para casa.

Lulu se deixou carregar, se deixou paparicar, e deixou até que a colocassem na cama. Sentia o peso da idade e outras emoções, mas ainda não tinha acabado.

— Não quero que Mia saiba de nada a respeito disso.

— O quê? — Ripley baixou os punhos e os apoiou nos quadris. — Será que essa experiência de quase morte afetou o seu cérebro?

— Pense naquilo que o seu marido falou lá na praia. Atingindo a mim, ele vai conseguir atingir a ela. Preocupada comigo, ela vai se distrair. — E colocando os óculos de volta no lugar, ela virou-se para Mac e o viu com total clareza. — Ela precisa de todas as forças que tiver e toda a habilidade para acabar com isso. Conseguiram entender?

— Ela precisa estar forte, mas...

— Então por que minar as suas energias? — Nada, absolutamente nada naquele momento era mais vital do que o bem-estar de Mia. — Quem sabe se isso não aconteceu esta noite apenas para deixá-la preocupada comigo, a ponto de ficar vulnerável? O que aconteceu já aconteceu, e contar a ela não vai mudar nada.

— Ela poderia ajudar a proteger você — Nell tentou argumentar.

— Posso cuidar de mim mesma. — No instante em que disse isso, pegou Zack com as sobrancelhas levantadas. — Já venho cuidando de mim mesma há mais tempo do que qualquer um de vocês tem de vida. Além disso, tenho um xerife grande e forte por perto, um cientista inteligente e duas bruxas espertas para tomar conta de mim.

— Bem, talvez ela esteja certa nesse ponto, pessoal. — Ripley se lembrou de como Mia voltara fraca e pálida do voo. — Vamos pelo menos entrar num acordo entre nós quanto a manter isso em segredo, até que contar a Mia sirva para alguma coisa. Nell e eu podemos criar uma rede de proteção em volta da casa de Lulu.

— Então, podem ir em frente — convidou Lulu.

— Podemos instalar um sensor aqui na sala — ajudou Mac. — Assim, se houver alguma mudança no campo energético, você vai ser alertada.

— Isso tudo está parecendo um bom plano. — E Lulu levantou o queixo com firmeza. — Mia é o alvo. Nada nem ninguém vai me usar para atingi-la. Isso eu garanto.

Capítulo Onze

As velas já estavam quase no fim, e o ar cheio de fragrâncias e com uma luz suave quando Mia acordou. Sentiu a presença dele a seu lado antes mesmo de sentir a sua própria. O calor da mão dele sobre a sua, e o peso da sua preocupação.

Por um instante apenas, os anos se dissolveram, e seu coração estava de novo aceso pela chama do amor. O que ela sentira em tempos passados e o que sentia naquele momento colidiam e se dissolviam, antes que se decidisse a qualquer dos dois sentimentos.

— Tome, beba isso. — Exatamente como fizera horas antes, ele levantou a cabeça dela, levando a xícara até seus lábios. Só que dessa vez ela cheirou, com curiosidade, antes de experimentar.

— Chá de hissopo. Boa escolha.

— Como está se sentindo?

— Bem o suficiente. Melhor, provavelmente, do que você. Não havia necessidade de ficar sentado a meu lado a noite toda. — A gata, que tinha se enrascado a seu lado, agora deslizava por baixo de sua mão em busca de uma carícia. — Que horas são?

— Já está amanhecendo. — Sam se levantou e começou a apagar as velas. — Você dormiu por mais de nove horas seguidas. Talvez fosse melhor até dormir um pouco mais.

— Não. — Ela se sentou na cama e jogou os cabelos para trás. — Já estou bem acordada. E morrendo de fome.

Sam se virou. Ela continuava sentada na velha cama, com o rosto vermelho de tanto dormir, e a gata preta no colo.

Ele queria ficar na cama ao lado dela. Só para abraçá-la, só para descansar um pouco mais junto dela. Só para ficar ali. Mas disse, apenas:

— Vou lhe preparar alguma coisa.

— *Você* vai fazer o café da manhã?

— Ué... consigo preparar umas torradas e alguns ovos — respondeu, enquanto saía do quarto.

— Que mau humor! — sussurrou Mia para Isis. A gata movimentou suavemente a cauda, então pulou da cama e correu atrás de Sam.

Ele começou a preparar o café, na esperança de que uma forte dose de cafeína pudesse ajudar a limpar a sua cabeça e melhorar sua disposição. Não questionou os motivos, mas o foto é que seus sentimentos de carinho e a preocupação constante da noite inteira tinham se transformado em irritação no exato instante em que Mia acordara e olhara para ele.

Um homem precisava se defender.

Enquanto a cafeteira borbulhava, ele abriu a torneira de água fria da pia e enfiou a cabeça debaixo do fluxo de água gelada. Assustou-se e bateu violentamente com a cabeça na torneira quando a gata começou a roçar em suas pernas.

Vendo estrelas, soltou variados xingamentos para, afinal, fechar a água com uma pancada; sua cabeça pingava abundantemente.

Quando Mia entrou na cozinha, ele estava de pé, olhando fixamente para a gata, com água escorrendo pelo rosto. Pegando um pano limpo em uma gaveta, ela colocou-o em sua mão.

— Pode ficar à vontade se quiser usar o chuveiro, em vez de apenas encharcar a cabeça. — Depois de uma troca de olhares significantemente feminina com a gata, Mia abriu a porta para deixá-la sair.

Em vez de se sentir confiante para abrir a boca e falar alguma coisa, Sam simplesmente abriu a porta da geladeira e pegou uma caixa de ovos. Mia pegou uma frigideira no armário de panelas e a seguir estendeu o braço.

— Por que não me deixa cuidar disso?

— Eu falei que ia preparar uns malditos ovos, então eu vou preparar a porcaria dos ovos.

— Tudo bem. — Complacentemente, colocou a frigideira em um dos queimadores do fogão antes de pegar duas canecas. Servindo-se de café, fez todo o esforço possível para não rir, enquanto Sam andava de um lado para o outro pela cozinha. O primeiro gole de café, porém, fez seus olhos se encherem de água.

— Nossa! Este café está forte o suficiente para eu enfrentar dez assaltos com o campeão mundial de boxe.

— Alguma outra reclamação? — Sam quebrou a casca de um dos ovos na borda de uma tigela.

— Não. — Decidiu deixar a mente aberta e não mencionou os pedaços de casca do ovo que caíram, junto com a gema e a clara, dentro da tigela. Continuando a beber o café de modo delicado, foi andando devagar até a porta dos fundos mais uma vez e a abriu para avaliar o ar da manhã. — Vai chover.

Descalça, com o roupão branco inflado com o vento, saiu da cozinha para dar uma olhada no jardim e deixou Sam sozinho com a cara amarrada. Os sinos pendurados balançaram ao vento enquanto ela circulava pelas passagens em volta do jardim. Ali sempre havia surpresas. Uma nova flor que acabara de abrir, um botão que acabava de surgir com cor tímida. A mistura de continuidade e mudança diária era, para ela, uma das grandes atrações do jardim.

Olhou para trás, na direção da cozinha. O rapaz que amara era agora o homem que preparava seu café da manhã. Continuidade e mudança, meditou com um suspiro. E imaginava que, por baixo de todo o resto, aquele era um dos grandes fascínios que Sam Logan exercia sobre ela.

Lembrou-se da maneira como ele lhe segurara a mão enquanto dormia; partiu o caule de um botão de begônia, ainda fechado, e, curvando a mão sobre ele, forçou o botão a se espreguiçar lentamente, abrindo as pétalas para exalar a suave fragrância de suas pétalas rosadas.

Acariciando o rosto, de leve, com a flor, voltou para dentro de casa.

Sam estava junto do fogão, parecendo maravilhosamente fora de sua zona de conforto. Suas pernas estavam abertas, e a espátula como se fosse uma arma em sua mão. Estava queimando os ovos.

Tolamente comovida com aquilo, Mia foi até ele, com toda a gentileza, e colocou a chama em fogo baixo. Em seguida, beijou sua bochecha e lhe entregou a flor.

— Obrigada por tomar conta de mim.

— De nada. — Ele se virou para procurar os pratos, mas simplesmente bateu com a testa de encontro à porta de vidro do armário. — Droga, Mia. Droga! Por que você não me contou o que estava pretendendo fazer? Por que não me chamou?

— Perdi o hábito de contar com você ou chamá-lo.

Uma mistura de raiva e mágoa o envolvia.

— Não disse isso para magoar você. — Ela abriu as mãos. — Não mesmo. Simplesmente é assim. Estou acostumada a fazer as coisas do meu modo e por minha conta.

— Certo, tudo bem. — Mas não estava. Ele fez barulho para retirar os pratos do armário. — Quando se trata de você, é apenas uma questão de ser quem você é, de fazer o que você quer. Mas quando é comigo, estou fazendo as coisas pelas suas costas.

Ela abriu a boca para falar, mas foi forçada a fechá-la de novo e limpar a garganta.

— Agora você me pegou — disse. — Você tem razão. — Passou ao lado dele para pegar geleia na geladeira. — Entretanto, o que você fez por conta própria foi entrar em meu território, se arriscar a ser ferido fisicamente, para então chamar a cavalaria.

— O seu território não é exclusivo. E você também se arriscou a ser ferida fisicamente.

— Essa é uma questão a ser debatida. Não fiz nada escondido de você, pelo menos não deliberadamente. Em retrospecto, admito que a sua presença no círculo teria sido muito valiosa. — Colocou as torradas, que estavam carbonizadas nas pontas e já frias, sobre a mesa. — Você é melhor como bruxo do que como cozinheiro.

— E você é muito mais metida a gostosa do que antes — contra-atacou ele. — E sempre foi arrogante.

— Confiante — corrigiu ela. — *Você* é que era arrogante.

— Faz pouca diferença. — Ele se sentou com ela à mesa, colocando metade dos ovos em seu prato e metade no dela. A begônia permanecia linda e rosada entre eles. Experimentou a comida. — Cristo!... Isto está horrível!

Ela também experimentou, sentindo o sabor de ovo torrado misturado com pedaços de casca.

— Está mesmo. Está horrível!

Quando sorriu para ela, Mia soltou uma gargalhada e continuou a comer.

Ele subiu novamente e entrou no chuveiro, bem quente, para aliviar os músculos, que estavam rígidos depois de uma noite de vigília. Imaginava que estivessem em um momento de trégua, uma espécie de moratória de sentimentos, resolvida entre ovos queimados e torradas frias. Talvez, pensou, eles tivessem acabado de dar um passo na direção de serem amigos novamente.

Sentia muita saudade daquela parte do relacionamento deles, também. Os silêncios longos e descontraídos, o riso compartilhado. Costumava saber quando ela estava triste, antes mesmo que ela soubesse. Sentira os leves arrepios da mágoa que a invadia quando seus pais, de modo casual e inconsciente, ignoravam por completo a criança que tinham em comum.

Mesmo antes de se tornarem amantes, eram parte um do outro. E como era possível explicar para ela que havia sido exatamente aquela ligação, jamais questionada, absoluta na cadeia de seus destinos, que o tinha levado a romper os laços?

Ela não perguntou, e ele também não disse. Pensou simplesmente que era o melhor a fazer, pelo menos por enquanto. Pelo menos até eles se tornarem amigos novamente.

Os músculos de sua barriga se contraíram quando sentiu que Mia entrara embaixo do chuveiro, com os braços em volta dele, pressionando seu corpo molhado contra as suas costas.

— Achei que a gente poderia dividir esta ducha. — Ela mordeu carinhosamente o ombro dele.

Dessa vez, parecia que eles estavam fadados a reverter o processo. Amantes primeiro.

Virando-se de frente para ela, segurou seus cabelos com força e a arrastou com ele para debaixo da ducha.

— Esta água está quente demais! — disse ela, jogando a cabeça para trás enquanto a boca de Sam começava a subir pela lateral do seu pescoço.

— Eu precisava dela bem quente.

Ela pegou em uma embalagem e despejou um pouco de creme verde claro sobre a cabeça dos dois.

— Espere! O que é isso? Coisa de mulher?

Com o olhar divertido, ela esticou o braço para espalhar o xampu pelos cabelos dele. Por Deus, ela sempre adorara os cabelos de Sam. Tão pretos, grossos e rebeldes. Quando molhado, eles escorriam quase até os ombros, como uma pesada cortina de seda.

— Eu mesma preparei. O alecrim aumenta a força e promove o crescimento, não que você precise. Além disso, o perfume é uma delícia. Mesmo para os machões.

Ele o espalhou sobre os cabelos dela, também, e cheirou a espuma.

— Não tem só alecrim aqui.

— Não. Tem um pouco de calêndula também, flores de tília e nastúrcio, uma erva da família do agrião, de cheiro forte.

— Viu? Coisa de mulher! — As bolhas do sabonete e da espuma do xampu se misturavam e escorriam pelos seus corpos, deixando-os escorregadios. — Combina com você.

— Você também combina — disse ela, quando Sam a beijou mais uma vez.

O vapor, perfumado com o aroma de ervas e flores, subia suavemente, enquanto um lavava o corpo do outro, brincando felizes. Mãos escorregadias se espalhavam sobre pele escorregadia e faziam a pulsação aumentar, levando-os a saborear cada instante, cada toque, cada sensação.

Longos e preguiçosos golpes faziam o latejar do sangue acelerar e diminuir, e gemidos prolongados se misturavam com o som da água que caía.

A boca de Mia estava molhada e quente, e, sob o efeito das incessantes e leves mordidas e beliscadas da boca de Sam, estava ficando mais excitada. Aprofundou o beijo enquanto o corpo se esfregava e balançava de encontro ao dele. Convite, exigência e deleite. E cada vez que ele conseguia respirar, os seus pulmões se enchiam com o aroma dela.

Quando os beijos se tornaram mais ardentes, ele a virou de bruços, para que pudesse traçar beijos por toda a extensão de suas costas, até encostar-se novamente e moldar seus seios dentro das mãos em concha. Seus polegares apertaram suavemente os mamilos, torturando de prazer todos os pontos duros, enquanto suas costas se arqueavam de puro prazer.

Quando as mãos dele deslizaram mais para baixo, ela levantou os braços e envolveu-lhe o pescoço enquanto ele a fazia levantar voo.

— Agora! — disse ela, virando-se para ele. — Me preencha, agora!

E ele se deixou escorregar para dentro dela, com cruel lentidão. E, sentindo-se aberta, ela se deu. Enganchou os ombros dele com as mãos em garra, enquanto a água continuava a escorrer entre os dois, sintonizando-lhe os movimentos do corpo com os dele.

E sentiu longos e suaves golpes, que a fizeram vivenciar um prazer incrível, latejante. Tudo o que ela tinha na mente era a necessidade de prolongar aquele momento e se agarrar a ele como se fosse uma brilhante e valiosa joia. Seu sangue pulsava, parecendo cantar sob a pele, até que a beleza daquilo chorou por dentro dela.

Mia levantou a cabeça, um vagalhão quente e infinito, e sua boca se colou à dele enquanto ela acompanhava aquela onda.

Acabaram na cama novamente, largados de costas.

— Parece que a gente não consegue começar mesmo aqui logo de cara — Sam conseguiu articular.

— Seja como for, o segundo tempo vai ter que ser adiado, porque precisamos trabalhar para ganhar a vida.

— É. Tenho que participar de uma reunião às onze da manhã.

Ela se esticou o suficiente para girar o corpo e dar uma olhada no relógio da mesinha de cabeceira.

— Ainda falta algum tempo — disse ela. — Por que não fica por aqui e dorme um pouco?

— Huh...

— Vou colocar o despertador para as dez. — Ela se levantou, passando os dedos entre os cabelos ainda úmidos.

Ele tornou a gemer, mas não moveu um músculo. Ainda estava completamente imóvel quando, trinta minutos depois, ela já estava totalmente preparada e vestida para mais um dia de trabalho. Prestativa, acertou o alarme do despertador e jogou um lençol sobre o corpo dele.

Ficou então ali parada, olhando-o.

— Como foi que aconteceu de você acabar aqui, dormindo na minha cama novamente? — perguntou-se ela, em voz alta. — Será que isso me torna uma pessoa fraca, burra ou simplesmente humana?

Sem resposta para isso, deixou-o dormindo.

Nell só faltou pular-lhe em cima no momento em que ela entrou pela porta.

— Você está bem, Mia? Estava preocupada.

— Estou bem.

— Não me parece nem um pouco acabada — comentou Lulu, depois de uma cuidadosa análise. Toda a tensão que embolava o seu estômago diminuiu, e ela ficou mais calma.

— Eu contei tudo para Lulu — explicou Nell, lutando contra o nó na consciência. Não estava conseguindo ficar tão descontraída com Mia como a outra. — Eu... eu achei que devia contar.

— Claro. O café está pronto? Estou louca por um café decente. E, para economizar tempo e energia, subiremos as três, e eu vou tomando meu café e contando tudo, para que não tenham o trabalho de ficar fazendo mil perguntas.

— Você voltou tão pálida! — começou Nell a subir as escadas primeiro. — Ripley e eu estávamos a ponto de puxar você de volta, no exato momento em que voltou por conta própria. Só que você estava mais branca que uma folha de papel. — Defendendo seu território, Nell correu para se colocar atrás do balcão e começar a servir o café. — Você esteve fora durante quase uma hora.

— Uma hora? — Mia estava realmente surpresa. — Não me pareceu que havia passado tanto tempo. Ele tem muita astúcia — disse, baixinho. — Bloqueou meu sentido de tempo. Não estava preparada para ficar fora por tanto tempo. Isso explica por que eu estava tão fraca quando voltei.

Pegando o café que Nell lhe oferecia, provou um pouco e ficou parada, com ar pensativo.

— Não vou esquecer isso na próxima vez. Você está meio caída, Lulu. Não está passando bem?

— Fiquei acordada quase a noite toda assistindo a uma maratona de filmes de Charles Bronson na TV — mentiu descaradamente, e por trás do balcão Nell ficou vermelha de culpa. — Aquele rapaz, o Sam Logan, tomou conta de você direitinho?

— Sim, Lulu, aquele rapaz Sam Logan tomou conta de mim muito direitinho. Sua voz está estranha. Parece que vai pegar um resfriado.

A maneira infalível de distrair a sua menina, Lulu sabia, era alfinetá-la com alguma coisa.

— Não vi aquele carrão metido a besta na porta do chalé, hoje de manhã.

— É porque ele continua estacionado na entrada da minha casa. Ele ficou sentado ao meu lado a noite toda, depois me preparou um café da manhã quase impossível de comer. Depois disso, eu o seduzi no chuveiro. Como resultado, estou me sentindo muito descansada, muito serena e só um pouco esfomeada. Nell, que tal me trazer uma daquelas tortinhas de maçã?

— Ele vendeu o apartamento de Nova York — declarou Lulu, e teve a satisfação de ver Mia piscar.

— É mesmo?

— Tenho estado com o ouvido no chão, para ouvir os cavalos chegando. Assinou toda a papelada da venda ainda ontem. Colocou uma porção de tralhas no guarda-móveis. Parece que não está planejando voltar para lá tão cedo.

— É, parece que não. — Ela não estava em condições de pensar naquele assunto, Mia disse a si mesma, não naquela hora. — E, embora esse assunto seja fascinante, temos preocupações mais imediatas do que o lugar em que Sam guarda os móveis da sala de estar.

— Parece que vendeu o apartamento por uma boa grana.

— Humm... De qualquer modo — continuou Mia —, temos que decidir o que fazer ou se há algo a fazer com relação a Evan Remington. Não acredito que as autoridades liberem autorização para que um grupo de bruxas se reúna para exorcizar um dos detentos.

Mordiscou a tortinha, enquanto considerava o assunto.

— Para ser honesta, acho que não ia nem adiantar, pelo menos não do jeito que funcionou com Harding, no inverno passado. Harding era apenas um peão, inconsciente e muito relutante. Remington não é relutante, e sinto que ele sabe. Pareceu-me que não apenas aceita, mas se alegra em receber o que está em seu corpo. Parece hospitaleiro.

— Eu poderia entrar lá para visitá-lo. — Nell esperou que Mia olhasse para ela. — Garanto que ele concordaria com isso. Poderia tentar alcançá-lo.

— Não, não poderia. — Mia esticou o braço para apertar a mão de Nell com carinho. — Você é parte do estímulo dele. E, pior do que isso, Zack colocaria a minha cabeça a prêmio, com toda a razão, se eu a incentivasse a tentar algo desse tipo. Outro encontro frente a frente com Remington já seria extremamente perigoso sob quaisquer circunstâncias e haveria riscos de afetar o bebê.

— Mas eu não tentaria fazer nada que... — Os olhos de Nell se arregalaram. — Como é que você soube a respeito do bebê? Fiz um teste de gravidez em casa, hoje ao amanhecer. — Ela apertou a mão sobre a barriga. — Já marquei o médico hoje à tarde para confirmar. Nem contei ao Zack. Queria ter certeza, antes.

— Pois pode ter certeza. Senti quando segurei sua mão. — E a alegria transbordou do coração de Mia, inundando-lhe o rosto. — Uma nova vida que vem vindo. Ah, Nell...

— Soube na noite em que o concebi. Senti uma espécie de luz dentro de mim. — Lágrimas escorreram de seu rosto. — Estava com medo de acreditar, de elevar demais as esperanças. Puxa, vamos ter um bebê! — Ela, apertando as mãos sobre as duas faces, começou a dançar em círculos. — Vamos ter um bebê! Tenho que contar a Zack.

— Pois vá contar, agora mesmo. Nós duas podemos ajeitar as coisas por aqui até você voltar, não podemos, Lu? Hein, Lu? — E Mia se virou a tempo de ver Lulu tirar, disfarçadamente, um lenço do bolso.

— Estou com alergia — explicou Lulu, com uma voz estrangulada. — Vá em frente. — Ela acenou com a mão para Nell. — Vá contar ao seu marido que ele vai ser papai.

— Vai ser papai! — E Nell passou dançando em volta do balcão, atirou os braços em volta do pescoço de Lulu e depois abraçou Mia.

— Puxa, mal posso esperar para ver a cara dele. Ah, meu Deus... e a cara de Ripley! Não demoro. Volto logo. — E desceu correndo pelas escadas, depois olhou para cima mais uma vez, com o rosto brilhando.

— Vou ter um bebê!

— Quem vê, pensa que é a primeira pessoa na face da terra que conseguiu emprenhar. — Depois de uma última fungada, Lulu guardou o lenço no bolso. — Acho que vou ter que começar a tricotar uns sapatinhos. E uma manta. — E encolheu os ombros. — Alguém tem que entrar em cena para bancar a vovó.

Mia enlaçou a cintura de Lulu e a seguir levou sua bochecha de encontro aos cabelos da velha mãe de criação.

— Vamos nos sentar por alguns instantes, para dar uma boa chorada.

— É... — concordou Lulu, pegando o lenço de volta. — Boa ideia.

Nada, Mia determinou, poderia manchar essa pequena janela de alegria em sua vida. Nem uma maldição de 300 anos de idade, nem a inconveniência e a confusão dos estágios iniciais da obra de expansão. E muito menos as suas inconfessáveis fisgadas de inveja.

O que quer que tivesse de ser feito, Nell teria todos aqueles dias de emocionantes descobertas e felicidade.

Devido ao barulho incessante das marteladas e ao bloqueio do que antes haviam sido as janelas da cafeteria, a multidão da hora do almoço diminuíra consideravelmente, ficando restrita a alguns aventureiros e aos clientes mais fiéis. Para Mia, o planejamento não poderia ter sido melhor. Com a diminuição da freguesia, Nell podia ter algumas horas a mais de folga por semana e se dar ao luxo de se distrair.

Quando chegasse o solstício, a maior parte do trabalho já estaria concluída. E mesmo que a cafeteria ainda não estivesse remodelada por completo, os clientes poderiam jantar ao ar livre no novo terraço.

Do lado de fora da loja, Mia acompanhava os progressos da obra. As vigas em balanço que sustentariam a nova área, depois que todos os trabalhos estivessem terminados, harmonizariam muito bem com o resto do prédio. Ela planejava pendurar vasos com flores em quantidade, pendendo em cachos e cascatas, nas duas pontas do novo espaço. Já encomendara a grade em ferro trabalhado para instalar em todo entorno, e escolhera as lajotas em ardósia para o piso.

Mia conseguia visualizar tudo já terminado, lotado de mesinhas simpáticas e vasos com flores de verão. E clientes com os bolsos cheios.

— A obra está andando rápido. — Zack parou ao lado dela.

— Mais rápido do que eu esperava. Vamos tentar inaugurar durante a semana do solstício e estaremos funcionando a todo vapor no feriado de Quatro de Julho. — Ela soltou um suspiro profundo e satisfeito. — E você como está, xerife papai?

— Não poderia estar melhor. Este está sendo o melhor ano de toda a minha vida.

— Você vai ser um bom pai.

— Garanto que vou me esforçar para isso.

— Vai ser, sim. — Ela fez um aceno com a cabeça. — Mas o foco principal de tudo vai estar dentro da casa. Você se lembra de quando éramos crianças e eu costumava ir para a sua casa?

— Claro, e se você não estava lá para brincar com Rip, era ela quem ia para a sua.

— Eu sempre adorei ir lá para observar a sua família. Às vezes, fingia que seus pais eram os meus. — Ela se recostou em seu ombro quando ele acariciou seus cabelos. — Ficava imaginando como seria ter atenção por parte dos meus pais. Aquele interesse, a satisfação óbvia, o orgulho. Todas as coisas que eram parte fundamental de sua casa.

— Acho que eram mesmo.

— Ah, Zack, às vezes eu olhava para sua mãe quando ela olhava para você, ou para Ripley, e sorria. Dava para sentir o que ela estava pensando: *Olhem só para essas crianças, não são fantásticas? E são minhas!* Seus pais não apenas cuidavam de vocês. Eles *curtiam* vocês.

— Tivemos muita sorte. Nós os adorávamos também.

— Eu sei. Lulu me deu muito do que seus pais deram a vocês. Minha avó também, enquanto estava viva. Por isso, sei como era. E, por saber, o desinteresse inato de meus pais por mim era às vezes um enigma. De certa forma, ainda é.

— Bem. — Por achar que Mia estava precisando de carinho, Zack deu um beijo em sua cabeça. — Havia momentos, quando eu estava crescendo, em que eu achava que você tinha mais sorte do que eu, porque tinha mais liberdade. Havia só Lulu para pegar no seu pé, enquanto eu tinha duas pessoas.

— Mas ela fez o trabalho de duas pessoas — disse Mia, de modo seco. — Duas pessoas que se furtavam às responsabilidades. Lulu sempre me deixava solta, me dava linha à vontade e, quando eu achava que estava solta, e podia escapar e fazer o que quisesse, ela me trazia de volta com um puxão bem dado.

— E ainda pega no seu pé até hoje.

— E eu não sei? Enfim, para retornar ao início do papo, antes de o assunto mudar, eu queria lhe dizer, Zack, que você vai ser um pai formidável. É algo que vai vir naturalmente.

— Não há nada que eu não faça para proteger Nell e o meu filho. É por isso que preciso saber agora se alguma coisa que vocês três estão planejando pode vir a prejudicar o bebê.

— Não — disse Mia, com firmeza, emoldurando o rosto de Zack em suas mãos. — Não mesmo, prometo a você. E lhe dou minha palavra, fazendo um voto solene de que vou proteger o filho de vocês como se fosse meu.

— Então, tudo bem. Agora, vou lhe pedir mais uma coisa e quero que confie em mim.

— Mas, Zack, eu já confio.

— Não. — Ele fechou os dedos em volta do punho fechado dela, surpreendendo-a com a intensidade do gesto. — Você confia em mim para fazer o meu trabalho, e esse trabalho é proteger as pessoas da minha ilha. Você confia em mim e sabe que vou cuidar de você, que vou protegê-la como faria com minha irmã. Quero que confie em mim para ajudá-la quando chegar o momento de terminar com isso. Quero que confie em mim o suficiente para isso.

— Mas eu confio, para tudo isso — disse ela. — E tem mais. Eu amo você.

Sam virou a esquina a tempo de ouvir esta última frase. E, ao ouvi-la, sentiu uma fisgada na boca do estômago. Não era ciúme, porque sabia que aquele não era esse tipo de amor. Era inveja, por saber que outro homem conseguia uma confiança e um calor tão absoluto de Mia. Que outro homem, e não ele, merecia ouvir essa declaração calma e sincera, mesmo sendo apenas como amigo.

Teve que fazer todo um esforço para não demonstrar insatisfação.

— Seu filho da mãe ganancioso! — E deu um soco de leve no ombro de Zack. — Já não tem uma mulher?

— Parece que sim. — Mesmo assim, Zack se inclinou e deu um beijo leve em Mia, na boca. — Na verdade, acho que vou dar uma subida até lá para ver como ela está. Adorei beijá-la, Srta. Devlin.

— Adorei beijá-lo também, xerife Todd.

— Parece que agora vou ter que superar esse beijinho mixuruca — e, para afastar um pouco da frustração, Sam pegou Mia, girou-a teatralmente, levantou-a, e depois lhe deu um beijo longo e barulhento, que fez com que três mulheres que passavam do outro lado da rua irrompessem em aplausos.

— Bem. — Mia tentou recuperar o fôlego e desembaralhar as pernas. — Acho que esse ficou realmente muitos pontos acima do outro. Mas, pensando bem, vocês sempre adoraram competir.

— Tire uma hora para ficar a sós comigo e eu vou lhe mostrar o que é competição de verdade.

— Essa é uma oferta interessante. Mas... — Ela colocou a mão no peito dele, chegando um pouco para trás. — No momento estamos um pouco atrapalhados com a obra. E eu já gastei todo o meu intervalo beijando o xerife.

— E por que não me convida para o almoço? Estou pensando em espionar o seu cardápio.

— Seu apoio é muito importante. A salada de ervas com pétalas de violeta do cardápio de hoje está causando entusiasmo. — Ela se encaminhou para a porta da loja, abrindo-a.

— O quê? Não quero comer flores!

— Estou certa de que Nell tem alguma coisa mais masculina para oferecer. Mesmo que seja um pedaço de carne quase crua, ainda com osso.

— Telefone para você! — avisou Lulu, assim que Mia começou a subir as escadas.

— Vou atender no escritório. — Ela lançou um olhar para Sam. — Você já conhece o caminho para a cafeteria.

Ele conhecia mesmo. Escolheu um sanduíche de frango com molho *cajun*, típico do sul, bem temperado. Pediu também um café gelado e ficou observando os operários.

Ele liberara os trabalhadores, emprestando-os a Mia por algumas semanas, não só para beneficiá-la, mas também em proveito próprio. A alta temporada mal tinha começado, e os aposentos remodelados já estavam totalmente ocupados. Depois do feriado da Independência, pretendia colocar os operários trabalhando só metade do dia, para não incomodar os hóspedes de manhã cedo ou no final da tarde.

Isso os levaria até setembro. E até setembro, Sam pensou, ele teria que descobrir o que fazer com o resto de sua vida.

Mia não o deixava se aproximar nem um pouco mais. Ela o aceitava em sua cama, mas jamais dormia na dele. Conversava sobre trabalho, sobre a ilha e a respeito de Magia. Mas fazia questão de deixar bem claro que uma década inteira de suas vidas deveria ficar fora da lista de assuntos aceitáveis.

Por uma ou duas vezes ele tentara trazer à baila o tempo que passara em Nova York, mas ela simplesmente o cortava ou dava um jeito de sair.

Embora ambos estivessem cientes de que todos na ilha já sabiam que eram amantes, Mia não saía com ele. Nunca mais jantara em sua companhia em público, desde aquele primeiro encontro de negócios. Suas sugestões para que eles passassem uma noite no continente, jantassem lá ou fossem ao teatro haviam sido sumariamente rejeitadas.

A mensagem subliminar era bem clara. Ela estava lhe dizendo que poderia dormir com ele e curtir sua companhia, mas eles não formavam um casal.

Pensando distraído, enquanto saboreava o sanduíche, ele se pegou imaginando quantos homens adorariam estar em seu lugar e até celebrariam isso. Tinha uma mulher extraordinariamente bela que estava disposta a compartilhar sexo com ele, e esperava, na verdade permitia, pouca coisa além. Sem laços, nenhuma expectativa, nem promessas.

E ele queria mais. Aquele, admitia, tinha sido a raiz do problema, desde o início. Havia desejado mais, mas tinha sido muito inexperiente, muito burro e muito teimoso para ver que aquele *mais* era Mia.

Quando ela se sentou diante dele, do outro lado da mesa, achou que seu coração ia saltar pela garganta e tentou falar:

— Mia...

— Consegui Caroline Trump! — Ela pegou no copo de café gelado dele, tomando alguns bons goles. — Acabei de falar ao telefone com a agente dela. Consegui marcar a vinda de Caroline para o segundo sábado de julho. Você precisava ver como eu estava profissional ao telefone. Ela jamais poderia imaginar que eu estava me sentindo de pernas para o ar nas negociações.

— De pernas para o ar? Com esse vestido?

— Rá, rá, Sam. — E esticou o braço para tomar-lhe as mãos entre as dela. — Escute, sei muito bem que a sua influência foi, em grande parte, responsável por tudo isso. Queria que soubesse o quanto eu agradeço pelo fato de você ter falado tão bem da minha loja.

— Essa parte foi fácil. Agora, não estrague nossos planos.

— Não vou. Já fiz até o projeto dos anúncios, de tanta empolgação. Tenho agora que combinar com Nell a parte da comida. — Fez menção de se levantar, mas então hesitou. — E você, já fez algum plano para o solstício?

Ele encontrou o olhar de Mia e procurou manter o tom de voz tão natural quanto o dela. No entanto, ambos sabiam que ela estava se oferecendo para dar outro passo. Um passo que, para ela, era bem grande.

— Não — respondeu Sam. — Não tenho nenhum plano formal.

— Agora tem.

Capítulo Doze

Mia fechou e trancou a loja por dentro assim que os últimos clientes retardatários saíram. A seguir, se encostou na porta e olhou para Lulu.

— Dia comprido.

— Pensei que aquele último grupo estivesse planejando acampar aqui. — Lulu trancou a caixa registradora e fechou o zíper do grosso envelope de dinheiro vivo. — Você vai levar essa grana toda para casa ou é melhor eu fazer um depósito noturno no banco?

— Quanto tem aí?

— Muito. A maioria dos clientes pagou em dinheiro, hoje. — E, como ambas adoravam fazer aquilo, Lulu abriu o zíper do envelope de pano, puxou um punhado de notas e passavam os polegares pelas laterais das cédulas.

— Que Deus abençoe cada um deles — disse Mia. — Deixe que eu faço o depósito. Onde estão os comprovantes de cartão de crédito?

— Bem aqui.

— Fazer bons negócios é bom! — E, dando de ombros, Mia verificou a bolada de dinheiro.

— É a semana do solstício que atrai tanta gente — lembrou Lulu. — Apareceram duas adolescentes hoje, aqui. Garotas de férias. Queriam saber se poderiam se encontrar com a bruxa que era dona da loja para encomendar um frasco de poção do amor.

— E o que foi que você disse para elas? — quis saber Mia, encostando-se no balcão com olhar divertido.

— Eu lhes disse que é claro que poderiam. Depois, elogiei muito a poção de beleza, virando o rosto para mostrar como tinha funcionado comigo. As duas saíram correndo.

— Bem, elas vão ter que aprender a não procurar mais curas para os males da vida em um frasco bonito.

— Se você colocasse um pouco de água com anilina dentro de uns frascos sofisticados durante a semana do solstício, garanto que os turistas iam atropelar uns aos outros para comprá-los. Podíamos chamar esse produto de Mix Mágico da Mia, para obter amor, beleza e prosperidade.

— Que ideia terrível! — E Mia virou a cabeça um pouco para o lado.

— Por falar nisso, Lu, em todos esses anos você jamais me pediu para lhe preparar algum encanto ou feitiço. Para sorte, amor, dinheiro rápido. Por quê?

— Eu me viro bem por mim mesma. — Lulu agarrou a gigantesca bolsa que guardava sob o balcão. — Além do mais, pensa que eu não sei que você está sempre preparando encantos para me proteger? Devia começar a proteger você mesma.

— Que coisa estranha de se dizer, Lu. Eu sempre tomo cuidado comigo.

— Certo, eu sei. Você tem sua casa e vive muito bem. Vive do jeito que acha mais adequado e faz o que quer. É lindíssima e muito saudável. Tem mais sapatos que todas as coristas de Las Vegas, juntas.

— São os sapatos que nos separam dos mamíferos inferiores.

— Sei, sei. Você gosta é de que os homens fiquem olhando para as suas pernas.

— Bem... naturalmente. — Mia passou a mão no cabelo.

— Enfim. — Lulu tentou se focar no assunto. Conhecia a sua menina e sabia quando ela estava tentando distraí-la. — Você cuida de sua vida exatamente como quer. Tem bons amigos e transformou este lugar em algo do qual deve se orgulhar.

— *Nós* transformamos — corrigiu Mia.

— Bem, sei que não fiquei só olhando, mas o lugar, na verdade, pertence a você. — Lulu fez um aceno com a cabeça que pareceu englobar toda a loja. — E tudo é tão lindo que chega a brilhar.

— Ah, Lu... — Comovida, Mia acariciou o braço de Lulu quando ela saiu de trás do balcão. — É importante para mim saber que você pensa assim e fala coisas tão bonitas.

— É um fato. E aqui vai mais um fato, que tem me preocupado muito, em certas noites. Você não está feliz.

— Claro que estou.

— Não, não está. E, o que é pior, acha que jamais vai conseguir ser feliz. Pelo menos não aquela felicidade que bate bem no fundo da alma. Em vez de me preparar um encanto, prepare um para você mesma. É isso que eu queria dizer. Agora, vou para casa, colocar os pés para cima e assistir à minha fita do *Duro de Matar*. Adoro ficar vendo o Bruce Willis botar pra quebrar!

Sem resposta, Mia simplesmente ficou ali parada, enquanto Lulu atravessava a loja e saía pela porta dos fundos. Sentindo-se um pouco confusa, pegou o dinheiro e os comprovantes de cartão e ficou vagando pela loja. Ela realmente brilhava, pensou. Investira uma grande dose de energia e imaginação ali. Recursos financeiros, intelecto, longas e duras horas de trabalho, uma seleção de produtos bem eclética.

E quase sete anos da sua vida.

Tudo aquilo a fazia feliz, insistiu para si mesma enquanto subia as escadas. Era um desafio que a preenchia. E era o suficiente em sua vida. E fazia questão de que aquilo fosse suficiente. Talvez, muitos anos antes ela tivesse imaginado e sonhado que teria um tipo diferente de vida. Uma vida que incluiria um homem que a amasse e filhos que tivessem gerado juntos.

Mas isso tinha sido apenas uma fantasia de menina, e ela tinha que superar esses sonhos.

Só porque não tinha conseguido nenhuma dessas coisas, não queria dizer que sentia falta delas, pensou enquanto entrava no escritório para preencher os talões de depósito. Significava apenas que ela enveredara por outro caminho e acabara em uma estação diferente.

Aquela felicidade que bate bem no fundo da alma, avaliou ela. Suspirou. Quantas pessoas no mundo conseguiam isso, se formos analisar com atenção? Não era igualmente importante estar satisfeita, sentir-se plena, realizada e bem-sucedida? Não era essencial, em qualquer nível de felicidade, se sentir com o controle completo de sua vida?

E então ouviu, nitidamente, um barulho como unhas arranhando o lado de fora das vidraças. Era a escuridão, pressionando as suas janelas. Olhou para fora. O céu ainda brilhava, e uma noite iluminada de verão se aproximava. Mas a escuridão estava lá fora, bem perto dela, tentando encontrar uma rachadura por onde pudesse penetrar, uma fissura na sua couraça.

— Você não vai me usar para destruir! — Ela disse com clareza e em voz tão alta que ecoou pela loja vazia. — Não importa o que faça da minha vida, não vou ser usada. Você não é bem-vindo aqui!

E bem ali, na escrivaninha, com os recibos das vendas do dia e os papéis da loja cuidadosamente empilhados, abriu os braços com as palmas para cima e invocou a luz. A luz começou a brilhar em suas mãos como pequenas poças brilhantes, logo transbordando por entre os dedos como rios dourados. À medida que a luz emanava dela, a escuridão recuava.

Satisfeita, recolheu tudo de que precisava para fazer os depósitos.

Antes de sair da loja, resolveu ir até o novo terraço. As portas haviam sido instaladas naquele dia, e ela as destrancou, abrindo-as e saindo para respirar o ar da noite.

O gradil em ferro trabalhado era exatamente como ela queria. Cheio de detalhes femininos. Colocando as mãos nele, deu uma sacudida rápida para a frente e para trás, para testar-lhe a resistência, e gostou de ver que ele nem sequer estremeceu. A beleza, meditou, não precisava ser frágil.

Daquele ponto privilegiado, conseguia ver a curva da praia, e as ondas que rolavam, indolentes. E a primeira lança de luz atirada por seu farol, enquanto o crepúsculo caminhava lentamente em direção à noite. A escuridão que a envolvia agora era benigna, e trazia esperança.

Abaixo dela, a Rua Alta ainda estava movimentada. Turistas passeavam pelas calçadas, provavelmente pensando em ir até a sorveteria. O ar estava tão límpido que ela conseguia ouvir pedaços de conversa das pessoas que passavam pela rua e os gritos das crianças na praia.

Quando as primeiras estrelas começaram a luzir, sentiu a garganta se apertar, devido a uma emoção que se recusava a reconhecer e não conseguia solucionar.

— Se você tivesse uma treliça, eu subia agora mesmo.

Olhando para baixo, ela o viu. Moreno, lindo e um pouco perigoso. Era de se espantar que a menina que tinha sido tivesse se apaixonado tão pateticamente por Sam Logan?

— Escalar as paredes de estabelecimentos comerciais depois do expediente não vai trazer boa fama para a ilha.

— Eu sou *assim* com as autoridades locais — replicou ele, esfregando os indicadores um no outro. — Portanto, acho que vale a pena arriscar. Mas por que você não desce? Venha, saia para brincar, Mia. Está uma noite linda!

Antes ela teria corrido para seus braços. E, por se lembrar de como era fácil se esquecer de tudo e todos só para ficar com ele, simplesmente se debruçou no gradil e disse:

— Tenho algo para resolver e um longo dia de trabalho amanhã. Vou dar uma passada no banco e depois vou para casa.

— Como é que alguém tão linda pode ser tão careta? Ei! — Agarrou o braço de um dos três homens que estavam passando naquele momento pela calçada e apontou para cima. — Não é uma mulher espetacular? Estou tentando dar em cima dela, mas ela não está cooperando.

— Ei, moça, dê uma chance para o rapaz! — berrou um dos homens.

Imediatamente foi colocado de lado pelo amigo, que lhe deu uma cotovelada e gritou ainda mais alto:

— Deixe ele pra lá! Dê uma chance a *mim*. — E colocou a mão dramaticamente sobre o coração. — Acho que estou apaixonado. Que tal, ruiva?

— Oi, pra você — respondeu Mia.

— Vamos nos casar e mudar para Trinidad.

— Onde está a aliança? — perguntou ela. — Não me mudo para Trinidad a não ser que tenha um imenso diamante no dedo.

— Ei, você — apelou o homem para um dos amigos. — Me empreste dez mil dólares para eu comprar um imenso diamante e me mudar para Trinidad com a ruiva.

— Se tivesse dez mil, *eu é* que ia querer me mudar para Trinidad com ela.

— Viu o que você fez? — Sam estava rindo. — Destruindo amizades, incitando tumultos. É melhor descer daí logo e sair comigo, antes que eu e meus novos amigos sejamos obrigados a sair no tapa.

Divertida com a cena, ela riu, deu alguns passos para trás e fechou as portas do terraço.

Sam esperou por ela. Quando a vira em pé no terraço, estremecera por dentro. Ela parecia tão encantadora e tão triste. Era de partir o coração. Ele faria qualquer coisa que estivesse a seu alcance para lhe aliviar aquele pesar silencioso. Ou qualquer outra coisa para conseguir ultrapassar aquele fino escudo que ela mantinha entre eles. Queria poder ler o que estava em seus pensamentos. E em seu coração.

Talvez o fundamental, ao menos por uma preciosa noite, fosse manter as coisas simples.

Ele continuou em pé na calçada quando ela saiu e fechou a porta da frente atrás de si. Usava um vestido esbelto e colante que parecia flutuar na parte de baixo, junto dos tornozelos, e era todo estampado com pequenos botões de rosa amarela. Suas sandálias eram apenas uma série de tiras finas e entrelaçadas, abraçando seus pés, sobre altíssimos saltos. Olhando para a sua perna, Sam achou o pequeno cordão de ouro em volta do tornozelo esquerdo ridiculamente sexy.

Ela se virou, jogou a alça da bolsa sobre o ombro e depois olhou para os dois lados da calçada.

— Para onde foram os seus amigos?

— Subornei-os com uma rodada de drinques grátis, lá no Caldeirão das Bruxas, o bar do hotel. — Ele esticou a cabeça para o outro lado da rua.

— Sei. Drinques grátis que serão seguidos por cervejas geladas.

— Quer ir para Trinidad?

— Não.

— Quer um sorvete de casquinha? — Ele tomou a mão dela.

— Também não. — Ela balançou a cabeça. — Tenho que passar no banco para fazer um depósito noturno. O que, devo acrescentar, não é ser careta e sim responsável.

— Ahn, ahn. Vou caminhando com você.

— O que está fazendo aqui no centro? — perguntou ela, quando começaram a andar em direção ao banco. — Trabalhando até tarde?

— Não. Fui para casa há mais ou menos uma hora, mas estava agitado. — Ele encolheu os ombros. — Acabei voltando. — Tinha calculado, pensou, o tempo exato para voltar bem na hora em que ela estivesse fechando a loja.

Olhando adiante, ele observou um pequeno grupo de pessoas do outro lado da rua. Estavam cobertos por capas esvoaçantes e traziam correntes de prata e pingentes no pescoço.

— Amadores — comentou ele.

— São inofensivos.

— Nós bem que podíamos invocar uma tempestade ou transformar a rua em uma enorme campina verdejante. Dar a eles algo emocionante.

— Pare com isso. — Ela pegou a chave da caixa noturna para depósitos.

— Viu só? Careta. — Sam soltou um suspiro. — É doloroso ver uma pessoa tão promissora se transformar em um livro de regras.

— É mesmo? — Com eficiência, ela fez o depósito e enfiou o recibo da transação dentro do envelope de dinheiro. — Não me lembro de ter visto você alguma vez consultando um livro de regras.

— Se eles se parecessem com você, eu os estudaria a fundo

Seus estados de espírito, ela analisou, eram muitos e variados. Naquela noite ele parecia estar tendendo para o brincalhão.

Ela bem que gostaria de um pouco de brincadeiras e descontração, conjecturou ele.

E, quando o grupo de supostos bruxos do outro lado da rua se aproximou de uma janela onde havia um canteiro com dálias ressecadas, Mia girou a mão com delicadeza. As flores na mesma hora ganharam vida e se levantaram com todo o vigor, como joias brilhantes e coloridas.

— E a multidão vai ao delírio! — narrou Sam, ao ver a reação do outro lado da rua, os gritos e exclamações de espanto. — Esse foi um toque simpático.

—. Viu? Careta uma ova. Vou aceitar, sim, aquele sorvete de casquinha.

Ele comprou-lhe uma montanha cremosa de laranja com creme e a convenceu a saborear o sorvete durante uma caminhada pela praia. A lua estava quase cheia. Quando o fim de semana chegasse, e com ele o solstício, ela estaria completamente branca e redonda.

Lua cheia durante o solstício significava boas promessas. E os rituais de fertilidade que levavam à colheita.

— No ano passado eu fui até a Irlanda, para o solstício de verão — contou ele. — Lá existe um pequeno monumento de pedras em círculo, em um lugar chamado County Cork. É um pouco menor do que Stonehenge, mais intimista. O céu permanece claro até quase dez horas da noite, e, quando o sol começa a descer no poente do dia mais longo do ano, as pedras cantam.

Ela não disse nada, mas fez uma pausa para apreciar o mar. Muito além, para o leste, a milhares de quilômetros dali, havia outra ilha. E lá existia o círculo de pedras onde ele estivera um ano antes.

Neste mesmo dia, ela havia estado ali, onde sempre estivera. Uma bruxa solitária. Uma celebração solitária.

— Você nunca saiu daqui — disse ele. — Nunca foi até a Irlanda.

— Não.

— Existe muita Magia lá, Mia. No fundo do solo e brilhando no ar.

— Existe Magia em toda parte. — Ela continuou a caminhar.

— Encontrei uma pequena enseada, no litoral rochoso da parte oeste da ilha, voltada para cá. E uma caverna, quase escondida no meio de uma profusão de rochas. E eu soube que foi para ali que o *selkie* foi quando a abandonou, há quase trezentos anos. — Esperou até que Mia parasse e se virasse para ele. — Seis mil quilômetros através do Atlântico. Ele foi atraído pelo próprio sangue. Eu soube o que ele sentiu ao ser puxado dessa forma.

— Foi por isso que você foi à Irlanda? Foi atraído pelo seu sangue?

— Sim, foi por isso que eu fui até lá e depois voltei para cá. Quando você terminar de fazer o que precisa ser feito, eu gostaria de levar você até lá para mostrar o local.

Ela lambeu delicadamente o sorvete.

— Sam, não preciso ser levada a lugar algum.

— Então, eu gostaria de ir *com você*.

— Você aprende depressa, hein? — disse Mia. — Pode ser que eu vá, um dia. — Encolheu os ombros ao se aproximar mais da beira do mar. — Vamos ver se vou querer companhia. Por ora, concordo com você em um ponto. Está uma noite linda.

Ela jogou a cabeça para cima, bebendo as estrelas e o ar do mar.

— Tire sua roupa.

— Como disse? — perguntou Mia, ainda com a cabeça para trás.

— Vamos nadar.

— Compreendo que isso pareça careta para um homem sofisticado e urbano como você — ela deu mais uma lambida no sorvete —, mas existem leis que proíbem a nudez em praias públicas, aqui em nosso pequeno mundo.

— Leis... — disse ele, franzindo a testa. — Isso é o mesmo que regras, não é? — E olhou para toda a extensão da praia, dos dois lados. Eles não estavam sozinhos, mas havia poucas pessoas, muito espalhadas e distantes. — Não me diga que está com vergonha!

— Não, estou é com cautela — corrigiu ela.

— Então está bem. Vamos preservar a sua dignidade. — Ele levantou as mãos espalmadas, traçando um círculo e formando uma bolha de proteção em torno deles. — Nós vemos o que se passa lá fora, mas ninguém vê o que acontece aqui dentro. Estamos só você e eu, agora.

Dando um passo em direção a Mia, Sam colocou a mão nas costas dela e suavemente baixou-lhe o zíper do vestido. Podia ver que ela estava pensando, considerando o assunto, enquanto acabava de tomar o sorvete.

— Uma sessão de natação ao luar é uma linda maneira de fechar com chave de ouro esta noite. Você não se esqueceu de como nadar, esqueceu?

— Quase. — Descalçando as sandálias, deixou o vestido cair até os pés. De repente, ela estava sem nada sobre o corpo, a não ser um colar de contas de âmbar e uma infinidade de anéis. Virando-se na direção da praia, ela se jogou na água, depois mergulhou no mar escuro.

Nadou com braçadas vigorosas, cortando a água através da espuma que quebrava e se deliciando com a sensação de furar as ondas como se fosse uma sereia despreocupada. Até sentir o espírito cantarolar por dentro, de pura alegria, ela não tinha percebido o quanto precisava daquilo.

Liberdade, diversão e a sensação de ser tola.

Circundou uma boia, ouvindo o seu eco metálico, depois libertou o corpo, deixando-o solto para flutuar preguiçosamente de costas, sob um céu incrustado de joias. A água acariciava gentilmente os seus seios enquanto Sam nadava em direção a ela.

— Alguma vez você conseguiu ganhar de Ripley em uma disputa de natação?

— Nunca, para minha tristeza. — Ela começou a agitar as mãos para se manter boiando. — Colocá-la na água é como dar um tiro no ar.

— Eu costumava espiar vocês duas na pequena baía em frente da casa dos Todd. Ficava conversando na varanda com Zack e fingia que não estava reparando em você.

— Sério? Nunca reparei em você.

E de repente ela mergulhou. Já esperava isso. E, por esperar, se transformou em uma enguia por baixo d'água e, com um movimento rápido, o puxou para o fundo pelos tornozelos.

Logo depois voltou à superfície, colocando os cabelos para trás.

— Você sempre caiu nessa, seu otário!

— Consegui que você pusesse as mãos em mim; então, quem é o otário agora? — Ele começou a espalhar água em volta dela, em círculos, com os cabelos para trás, pretos e brilhantes como o pelo de uma foca. — Eu me lembro da primeira vez em que consegui fazer você brincar de luta comigo, toda molhada. Você usava um shortinho muito curto, cavado quase até os quadris, e eu fiquei imaginando que aquelas pernas eram tão compridas que pareciam ir até as orelhas. E aquela marca de nascença em forma de pentagrama, brilhando como ouro no alto da sua coxa, me deixava louco. Você tinha 15 anos.

— Eu me lembro da roupa. Só não me lembro dessa história de luta molhada.

— Você estava bem relaxada, dentro d'água, com Rip. Zack estava arrumando alguma coisa no barco, junto do cais. Ele tinha acabado de ganhar aquele barquinho de quarenta pés, muito rápido.

Ela se lembrava bem daquele dia. Recordou perfeitamente como o coração dela havia disparado contra as costelas quando Sam, muito alto e com um bronzeado dourado, apareceu no cais, usando apenas um short curto, desfiado, e um sorriso afetado de adolescente.

— Foram muitas as vezes em que eu estava nadando com Ripley na enseada enquanto Zack ficava mexendo no barco, e você apareceu.

— Eu sei, mas nesse dia em particular — continuou Sam —, eu fiquei calculando o tempo, fazendo hora no barco, junto com Zack, planejando uma estratégia. Finalmente, o convenci a fazer uma parada para darmos uma caída na água. Espalhamos água para todos os lados, e você e Ripley começaram a reclamar. E, ao fazer isso, você se agitou e caiu direto em minhas ágeis mãos.

Como Sam, Mia começou a caminhar e circular, dando voltas. Ela sempre gostava quando ele exibia aquele jeito brincalhão. Eles tinham sido um casal incrível nos tempos de juventude. Imaginava que ainda formavam uma dupla muito incomum.

— Acredito — retomou Mia — que você ainda tem ilusões de grandeza, com essa memória falha.

— Pois saiba que minha memória é clara como água no que se refere a esse dia. Provoquei Zack e o fiz desafiar Ripley para uma nadada. Isso fez com que nós dois ficássemos para trás, e significou, naturalmente, que eu também deveria desafiar você.

— Ah, foi — concordou ela. —Acho que me lembro de algo desse tipo.

Perfeitamente. Lembrava-se perfeitamente daquele dia e da emoção quase elétrica de estar na água com ele, de tê-lo totalmente focado nela com aqueles olhos cor do mar. E do desejo que havia circulado por dentro dela como uma tempestade de verão.

— Evidentemente, eu me segurei, fui bem devagar para você achar que estava me alcançando e acabei vencendo só por uma braçada.

— Você se segurou? — Mia jogou a cabeça para trás, fazendo com que os cabelos submergissem, enquanto olhava para as estrelas. — Ora, por favor.

— Foi, sim. Eu sabia o que estava fazendo. Você disse que tinha sido empate, e eu respondi que tinha vencido de lavada. Quando vi que você se sentiu humilhada, afundei sua cabeça dentro d'água.

— Foi aí que protestei que você tinha roubado, e você me afundou — corrigiu ela.

— Você reagiu como eu planejara. Mergulhou, agarrou meus joelhos e me puxou para baixo. Por conta disso, consegui envolver você no tipo de briga que me permitiu, finalmente, colocar as duas mãos na sua excelente e jovem bundinha. Foi um momento de glória para mim. E depois você ficou ali, dando risinhos afetados.

— Rá! — fez ela, como quem ridiculariza. — Jamais dei risinhos afetados na vida.

— Ah, deu, sim senhora! Ficou dando risadinhas e se contorcendo, toda assanhada. Depois ficou rodando em volta de mim até eu ficar tão excitado que pensei que fosse explodir.

Ela colocou os pés para cima e se deixou flutuar novamente.

— Mas que garoto bobo!... Quando briga quase pelado com uma mulher, ela sempre acaba descobrindo onde é que as células do seu cérebro se reúnem.

— Você tinha só 15 anos. O que poderia saber sobre essas coisas? Dessa vez foi ela quem deu um sorriso irônico.

— Sabia o bastante para ficar dando risadinhas e me contorcendo até conseguir o resultado que queria.

— Fez aquilo de propósito?

— Claro! Depois, Ripley e eu discutimos o assunto com todos os detalhes.

— É melhor que isso seja mentira. — Ele esticou o braço sobre a água até agarrá-la pelos cabelos.

— Ficamos ambas fascinadas e nos divertimos com a história. E, se isso serve para alimentar o seu ego, termino esta breve caminhada pelas trilhas do passado lhe contando que tive muitos sonhos quentes, perturbadores e imaginativos por mais de uma semana, depois daquilo.

Ele continuou segurando-lhe os cabelos até seus corpos se encontrarem. Então, fez a mão deslizar sobre o vale branco e molhado, entre os seios dela.

— Eu também tive sonhos assim. — Ele desceu com um dos dedos lentamente até chegar quase no seu umbigo, trazendo-o de volta para cima logo depois. — Mia...

— Ahn?...

— Aposto que ainda consigo fazer você se contorcer.

Antes que ela pudesse escapar, ele a agarrou pelas costas, na altura da cintura, e a virou de frente para a água. Tomada de surpresa, ela se debateu por um momento, mas acabou virando de frente para ele, quando os dedos dele se moveram, sem vacilar, pelas costelas dela.

— Pare! — Os cabelos dela estavam colados no rosto, e o sal da água fazia seus olhos arderem.

— Vamos lá, se contorça! — insistiu ele, fazendo-lhe cócegas, sem parar. — E depois rebole um pouquinho e grude em mim.

— Ah, seu bobão! — Ela não conseguia ver nada, nem respirar direito. Apesar de continuar lutando, um riso tolo e incontrolável acabou escapando. O som saiu-lhe de dentro e foi rolando sobre as ondas, enquanto ela continuava a lhe dar pequenos tapas, tentando se libertar.

Finalmente conseguiu agarrar o cabelo dele e o puxou, ao mesmo tempo em que tentava tirar os próprios fios de cabelo do rosto. Mas ele a agarrou e ficaram os dois rolando e rolando por sobre as ondas, já quase na beira, até que ela ficou tonta, desorientada e brutalmente excitada.

— Mas você parece um polvo! — disse ela, sentindo as mãos dele em toda parte.

— E você rebola muito bem. Ainda estamos em forma. Só que dessa vez... — ele agarrou-a pelos quadris — ... por que ficar apenas sonhando?

E mergulhou dentro dela.

Ele a levou para casa, e os dois comeram tigelas cheias de macarrão, como duas crianças esfomeadas. Ainda sem conseguir matar a fome de vez, caíram na cama e devoraram um ao outro.

Enroscada nele, algum tempo depois, ela deslizou em um sono profundo e imergiu em sonhos em que se via flutuando em um mar escuro, tão plácida quanto a lua que navegava pelo céu noturno. Ela era levada pela correnteza a seu bel-prazer. A água estava fria, e o ar, doce. A distância, as sombras e formas de sua ilha começaram a surgir do fundo do mar. Parecia estar dormindo, e apenas o facho de luz lançado pelo farol do penhasco a protegia da escuridão total.

A música das ondas a acalentava, até que ela também dormiu.

Então as estrelas começaram a entrar em erupção, explodindo em relâmpagos e lançando raios que penetravam as sombras e formas indistintas da ilha. Em torno dela, o mar começou a espancá-la e arremessá-la de um lado para o outro, enquanto a afastava cada vez mais de casa

Ela lutou, debateu-se com braçadas pesadas e desesperadas através da névoa que surgira e já começava a construir uma muralha de nuvem densa e escura. As ondas faziam-na afundar e rodopiar sem deixá-la respirar, jogando-a em um redemoinho preto que a puxava cada vez mais para baixo.

Um rugido encheu a noite, e os gritos de desespero que se seguiram rasgaram-lhe o coração. Com as forças que ainda lhe restavam, buscou pelo fogo que havia dentro de si. Mas era tarde demais para abater a escuridão.

E viu a ilha lentamente afundar no oceano. E, enquanto ela chorava sem parar, aquela poderosa força a puxava para baixo, fazendo-a afundar junto com a ilha.

Acordou de repente, totalmente recurvada como uma bola e longe de Sam, agarrada à beirada da cama. Tremendo muito, levantou-se e caminhou até a janela para se acalmar com a visão do jardim, e do fecho de luz forte e constante do farol que rodava sobre o mar e a ilha.

Será que era assim que tudo acabaria? Será que ela faria tudo o que precisava ser feito, e ainda assim não seria o suficiente?

Através da noite, ouviu o longo e triunfante uivo do lobo. Sabendo que ele queria que ela se acovardasse, resolveu sair e ficar na sacada de sua varanda suspensa.

— Eu sou Fogo — disse ela, suavemente, como se estivesse falando com a ilha. — E o que está dentro de mim um dia vai limpar você.

— Mia.

Ela se virou e viu Sam sentado na beira da cama.

— Sim, estou aqui.

— O que foi?

— Nada. — Ela entrou de novo no quarto, mas deixou as portas abertas para a noite. — Estou apenas um pouco agitada.

— Volte para a cama.— Ele esticou a mão em sua direção. — Deixe que eu ajudo você a dormir.

— Está certo. — Ela deslizou ao lado dele, virando o corpo, em um gesto de convite.

Mas ele simplesmente a puxou para mais perto de si e lhe acariciou os cabelos.

— Feche os olhos — disse, então. — Deixe sua mente descansar. Deixe tudo para trás, pelo menos por esta noite.

— Mas eu não estou...

— Shh... Deixe tudo para lá — repetiu e, continuando a acariciar seus cabelos, fez um encanto que a colocou imediatamente em um sono profundo e sem pesadelos.

Capítulo Treze

— Isto — disse Mia, solenemente, enquanto o sol perfurava o céu, surgindo no leste com suas lanças de fogo — é por todas nós. É a cerimônia do Sabá do verão, a celebração da chegada das dádivas da terra, do calor que envolve o ar e do poder total que vem do sol. Nós somos as Três!

— Sim, sim. — Ripley soltou um gigantesco bocejo. — E se a gente conseguir acabar logo com isso, talvez eu possa voltar para casa para dormir por mais uma hora.

— A sua reverência é, como sempre, inspiradora.

— Mas você se lembra muito bem que eu votei contra essa ideia de vir até aqui e ficar em pé ao amanhecer. Já que é domingo, vocês duas vão poder voltar para a cama, mas eu vou estar de serviço o dia inteiro.

— Sinto, Ripley. — Nell conseguiu manter a voz calma e paciente. — É o solstício de verão. A celebração do dia mais longo do ano tem que começar junto com o próprio dia.

— Eu estou aqui, não estou? — Olhou com cara azeda para Nell. — Você é que está incrivelmente brilhante e toda alegrinha, para uma grávida. Por que não está largada na cama, com a cara verde de enjoo matinal?

— Nunca me senti tão bem em toda a minha vida.

— Nem pareceu mais feliz — acrescentou Mia. — Vamos celebrar a fertilidade, hoje. A da terra e a de vocês também, Nell. A primeira fogueira ritual já queimou desde que o sol se pôs, ontem. A fogueira do amanhecer, agora, cabe a você acender.

Ela levantou a coroa de plantas que havia trançado com galhos de alfazema, colocando-a sobre a cabeça de Nell. — Você é a primeira de nós três a carregar a vida dentro do ventre, a primeira a levar o que somos e a nossa tradição para a geração seguinte. Abençoada seja, irmãzinha!

Ela beijou Nell em ambas as faces, afastando-se em seguida.

— Puxa, isso é comovente! — Ripley deu um passo à frente, beijou Nell e então juntou as mãos com Mia.

Nell levantou os braços e deixou o Poder circular em ondas por dentro dela.

> *Desde o amanhecer e até o arrebol*
> *Este fogo vai brilhar, forte como o sol*
> *E enquanto a luz se expande pelo ar*
> *Invoco as chamas do céu, para voar*
> *Que elas não queimem a carne de ninguém,*
> *Evitem os animais, salvem as árvores, também*
> *E que seja assim, aqui e agora, como convém.*

Uma língua de fogo surgiu do solo, brilhante como ouro.

Mia pegou na outra coroa trançada com plantas, que estava sobre um pano branco no chão, e a colocou sobre a cabeça de Ripley.

Embora rolasse os olhos para os lados, com impaciência, Ripley levantou os braços. O Poder era cálido e bem-vindo.

> *Na terra lançamos a semente e esperamos*
> *Para que ela nos forneça o que precisamos*
> *Do seu seio a luz brota, trazida pela aurora*
> *E por todo o dia brilha, até a curta e escura hora*
> *Celebramos agora a sua fertilidade*
> *Que assim seja, com força e com verdade.*

Flores selvagens brotaram da terra, em volta delas, formando um círculo.

Antes que Mia pudesse alcançar a terceira coroa de folhas, Ripley se abaixou e a pegou e em seguida beijou a amiga.

— Só para seguir o ritual oficial — explicou e colocou as flores sobre a cabeça de Mia.

— Obrigada. — Desta vez foi Mia a levantar os braços. O Poder circulava por dentro dela como o ar que respirava.

O sol está em seu poder máximo, hoje e agora
Sua força e sua luz aumentam a cada hora
Seu fogo brilhante aquece todo o ar e toda a terra
Seu círculo sustenta a vida, e a morte em si encerra
Eu celebro hoje o fogo que existe em mim
Que dessa forma se escreva, e aconteça assim.

Das pontas de seus dedos foram lançados raios em direção ao sol, e outros vieram do sol em direção aos seus dedos. Foi então que o círculo na clareira começou a brilhar, com o nascimento do dia.

Mia abaixou os braços, juntando as mãos às de Nell e Ripley, e disse:

— Ele nos observa... E espera.

— E por que não fazemos algo? — quis saber Ripley. — Nós três estamos aqui, e, como vocês duas não se cansam de repetir, hoje é o solstício. Estamos com o Poder aumentado.

— Ainda não é chegada a hora de... — Mia parou de falar quando sentiu que Nell apertava a sua mão.

— Mia, apenas uma demonstração de força, solidariedade e poder. Por que não mostramos essa força? Nosso círculo está inteiro.

Uma demonstração de força, pensou Mia. Talvez o círculo agora inteiro fosse a maior demonstração possível de força, pelo menos naquele momento. Sentia, através da ligação entre elas, a determinação de Nell e a força apaixonada de Ripley.

— Muito bem, então. Deixemos a sutileza de lado.

Ela se curvou ligeiramente, como se estivesse recolhendo as forças das duas irmãs.

Ripley começou a se mover em círculo, como suas irmãs, um anel girando dentro do outro, e disse, em voz bem clara:

Somos as Três, e temos o mesmo sangue a circular
De dentro de nós, a força e a luz vão irradiar.

A voz de Nell se elevou a seguir, ecoando no ar.

A bravura atinge a escuridão que espreita e o ar encharca
Jogamos uma lança de luz no que carrega a nossa marca.

Mia levantou os braços, ainda mantendo as mãos entrelaçadas com as outras duas, e entoou:

Aqui estamos, inteiras, para que você possa nos ver
E cuidado com a ira que das três irmãs irá verter.

Um jorro de luz começou a ser lançado do centro do círculo, como se fosse o funil de um tornado, rodando e urrando enquanto subia como um gêiser. Como a lança que Nell invocara, o jorro como um foguete do centro do círculo, e subiu, acima da clareira, seguindo o rumo das sombras entre as árvores.

Então, do meio das sombras, ouviu-se um uivo lancinante e furioso.

E eis que, de repente, tudo o que se ouvia no ar eram as notas musicais que a brisa dedilhava nos cristais pendurados nos galhos.

— E lá se vai ele, por hoje — comentou Mia.

— Isso me traz uma sensação maravilhosa — disse Ripley, encolhendo os ombros.

— Traz mesmo. Uma sensação positiva. — Soltando um longo suspiro, Nell olhou em volta da clareira. — Como deveria ser.

— Então valeu a pena; era a coisa certa a fazer. Durante todo o dia ele não poderá nos tocar, nem aos nossos. — O que quer que viesse depois, pensou Mia, não importava. Elas tinham feito uma demonstração. E tinham sido ouvidas. Levantando a cabeça em direção ao sol, suspirou.

Estava um dia maravilhoso.

Ela planejara passar o dia no jardim, longe das multidões que iriam tornar a pequena cidade intransitável e do tráfego que ia engarrafar as estradas em torno da ilha. Pretendia passar aquele dia fazendo coisas simples, tarefas que lhe trouxessem prazer.

Um dia sem preocupações, lembrou. Um dia limpo e claro, com todas as sombras do mal varridas para fora como poeira levada pelo vento.

Juntou as ervas e flores que selecionara para a sua colheita de meio de verão com o *bolline*, a pequena faca curva ritual de cabo branco que Mia reservava unicamente para aquela finalidade. Os aromas, formas e texturas nunca deixavam de surpreendê-la e deliciá-la, e a variedade de seus usos nunca deixava de satisfazê-la.

Algumas ela deixaria secando penduradas na janela da cozinha; outras, em seu quarto na torre.

Algumas variedades seriam para preparar encantos e outras para fazer poções. Os produtos iam de sabonetes de beleza e cremes até bálsamos curativos ou material para sessões de profecia. Outras iriam simplesmente ser polvilhadas sobre molhos e saladas para acentuar o sabor ou então colocadas em sachês para perfumar o ambiente.

Pouco antes das doze, parou para acender a fogueira ritual do meio--dia. Ela a preparou bem na ponta do penhasco, como um ponto de luz para servir de guia. E ficou ali de pé por algum tempo, observando o mar e os barcos de passeio que velejavam de um lado para o outro.

De vez em quando via o reflexo de binóculos e sabia que, enquanto observava, também estava sendo observada. *Vejam,* diriam os turistas de verão, apontando uns para os outros. *Bem ali, na ponta do penhasco. Dizem que ela é uma bruxa!*

No passado, isso faria com que ela fosse perseguida e enforcada. Agora, analisou Mia, sorrindo da ironia, era exatamente o contrário: a possibilidade da Magia é que trazia as pessoas até a ilha e à sua loja.

E assim a roda girava, meditou. Um círculo que dava muitas voltas.

Voltou para o jardim. Quando todas as ervas já estavam devidamente penduradas, usou o calor do sol para esquentar a água e preparar um pequeno bule de chá de camomila. Depois de pronto, ela o esfriou com um pouco de menta fresca, no exato instante em que Sam entrava pela pequena trilha.

— O trânsito está insuportável — reclamou.

— O Sabá do verão e o *Mabon*, o Sabá do outono, são os que atraem mais turistas. — Ela despejou o chá em uma jarra de vidro. — Turistas que se interessam por essas coisas, é claro — acrescentou. — Você acendeu a sua fogueira?

— De manhã, perto do círculo de vocês, no meu bosque, atrás do chalé... No *seu* bosque, melhor dizendo — corrigiu ele, quando a viu levantar uma das sobrancelhas. Distraidamente, se agachou para acariciar Isis, que chegara e estava se enroscando em suas pernas. Reparou na nova coleira que a gata usava e também no pingente que trazia pendurado, com um pentagrama entalhado em um dos lados e um disco solar no verso.

— É nova?

— É. Preparei para as bênçãos do meio do verão. — Cortou uma fatia de broa fresca, espalhou mel sobre ela e ofereceu. — Fiz mais pingentes do que as fadas iam precisar.

Sam deu uma mordida no pão, mas Mia reparou que seu olhar inquieto estava observando atentamente, todo o jardim. O ambiente estava rico, maduro e perfumado devido ao verão. As agulhas das torres da casa pareciam estar valsando na brisa, e uma multidão de cores corria sobre o solo em volta. Ele viu quando um beija-flor passou rápido como um raio, para logo parar de repente e sugar as flores compridas em forma de sino que pendiam dos arbustos de dedaleiras.

Rosas vermelhas, da cor da paixão, escalavam as treliças que levavam ao antigo quarto de Mia, até a janela por onde um dia ele havia entrado, arriscando sua pele para chegar até ela.

O perfume das rosas de verão fazia o seu coração doer.

Agora estava sentado junto dela, sob o sol, envolto pela proteção colorida de seu jardim. Adultos com mais peso sobre os ombros do que a garota e o rapaz de então poderiam ter imaginado.

Mia usava um vestido sem mangas, verde-folha, no mesmo tom das plantas que os rodeavam. E o seu rosto, lindo e calmo, não lhe dizia nada.

— Onde é que nós estamos, Mia?

— No meu jardim, no dia do solstício, tomando chá com pão e mel. Está um dia maravilhoso para isso. — Ela levantou a xícara. — A julgar pelo seu ar pensativo, talvez fosse melhor ter-lhe servido vinho.

Ele se levantou e andou de um lado para o outro. Ia acabar dizendo o que estava passando pela sua cabeça, e ela sabia disso. Quisesse ou não, ela teria que ouvi-lo. Poucas noites antes, ele estava com o coração leve e se sentira tão bem que conseguira convencê-la a nadar com ele. Hoje, no entanto, havia uma nuvem à sua volta.

Sam sempre tinha sido uma pessoa temperamental.

— Meu pai me telefonou hoje de manhã — contou ele.

— Ah...

— Ah... — repetiu Sam, conseguindo transformar a simples letra em um ato de agressão. — Ele está "desapontado com a minha atuação nos negócios". Isso foi uma reprodução exata das palavras que ele me disse. Acha que eu estou gastando muito tempo e dinheiro no hotel.

— É o *seu* hotel.

— Foi o que eu disse a ele. É o meu hotel, o meu tempo e o meu dinheiro. — Sam enfiou as mãos nos bolsos. — Gastei saliva à toa. Ele continuou a dizer que estou tomando decisões imprudentes e perigosas na minha vida financeira e na carreira que escolhi. Ficou irado quando soube que vendi o apartamento de Nova York e muito aborrecido por eu estar investindo tão alto na reforma do hotel. Para entornar o caldo, ficou extremamente irritado quando eu enviei um procurador para votar por mim, em vez de participar pessoalmente da reunião de diretoria, em junho.

— Sinto muito, Sam. — E, por sentir realmente, Mia se levantou e massageou-lhe os ombros rígidos. — É difícil ir contra os próprios pais. Não importa a idade que a gente tenha, sempre machuca quando eles não nos compreendem.

— A Pousada Mágica foi o primeiro e o nosso mais antigo negócio. Ele queria que eu a herdasse um dia, e agora é como um osso que ele quer tirar da minha boca.

— E você está tão determinado quanto ele a manter os dentes cravados no hotel.

— É isso mesmo. — Lançou um olhar furioso por cima dos ombros, ao pensar naquilo. — Ele teria vendido o hotel ao primeiro estranho que aparecesse, há alguns anos, se não estivesse obrigado, legalmente, a mantê-lo na família. Vendeu para mim todo satisfeito, mas agora entendeu que eu pretendo transformar aquilo em algo muito maior; então ficou irritado. É uma pedra no sapato dele, e eu também.

— Sam. — Por um momento, ela pressionou uma face do rosto contra as costas dele. E por um momento se sentiu novamente com 16 anos, uma jovem que precisava confortar o seu infeliz e triste amor. —Às vezes, a gente tem que se afastar e aceitar as coisas como são.

— Aceitar as coisas como são — concordou ele, virando-se para ela. — Ele jamais conseguiu isso. Nem ele nem minha mãe jamais aceitaram o que eu sou. Sempre foi algo que não deveria ser discutido, como se fosse um tipo de doença que trouxesse embaraço.

Furioso, tanto por se deixar arrastar novamente até os problemas do passado como pelos fatos em si, Sam caminhou pela trilha, através de uma passagem arborizada onde ramos de ipomeias se entrelaçavam em pequenas estacas,

— A Magia está no sangue dele, tanto quanto no meu. — Ele viu quando ela ia começar a falar, para logo em seguida desistir. — O que foi? Pode dizer!

— Está bem, então. Não é a mesma coisa para ele. Você tem respeito pelos seus dons e os celebra. Para ele, isso é uma... bem, uma herança incômoda. Ele não é o único que encara dessa maneira. Por causa disso, você tem mais, e é muito mais, do que ele jamais poderá ter ou ser.

— Ele tem é vergonha disso. E de mim.

— Sim. — E o coração dela se sentiu oprimido de pena. — Eu sei. É isso que magoa tanto você. Sempre foi. Mas você não pode mudar o que ele pensa ou sente. Pode apenas mudar o que *você* sente a respeito.

— É assim que você faz com a sua família?

Depois de um longo momento, ela sentiu uma espécie de choque ao compreender que ele estava falando de seus pais verdadeiros, não de Lulu, ou Ripley, ou Nell.

— Sabe, Sam, eu costumava ter um pouco de inveja de você, de certa forma. Simplesmente pelo fato de que seus pais trabalhavam em seu benefício, tinham energia e demonstravam interesse por você, mesmo que isso significasse tentar encaminhá-lo para a direção errada. Aqui, nesta casa, nunca houve conflitos.

Ela se virou para trás, estudando com atenção a casa que tanto amava, antes de continuar.

— Meus pais jamais repararam se eu estava zangada ou triste. Meus atos de rebeldia não eram sequer notados. Até que chegou um ponto em que eu tive que aceitar o fato de que o desinteresse deles não era algo pessoal.

— Ah, Mia, pelo amor de Deus.

— Era muito mais saudável, mais prático e certamente mais confortável para todos. — E quase riu da explosão de impaciência dele. — De que me serviria ficar arrasada ou com o coração ferido, se eles provavelmente não iriam nem reparar? Ou, se reparassem, ficariam abismados, sem entender o motivo do trauma. Não são pessoas más, apenas pais descuidados. Sou o que sou hoje porque eles eram assim. Isso me basta.

— Você sempre foi uma pessoa sensata — replicou ele. — Jamais descobri se eu admirava isso ou achava algo perturbador. Não sei até hoje.

— E você sempre foi meio fechado, deprimido e mal-humorado. — Sentou-se em um banco de pedra perto dele. — E continua assim. De qualquer modo, é uma pena que o telefonema tenha estragado o seu dia.

— Vou conseguir superar. — Enfiou as mãos nos bolsos mais uma vez e começou a passar os dedos em volta das pedras soltas que ele esquecera que carregava. — Ele está me esperando em Nova York dentro de um mês para reassumir a minha posição na companhia.

O mundo dela balançou. Mia agarrou a borda do banco para conseguir manter o equilíbrio e depois se forçou a ficar de pé. E se forçou também a fechar aquele pedaço do coração que ela permitiu que tivesse sido tocado pela dor dele.

— Entendo — disse, por fim. — E quando é que você parte?

— O quê? Eu não vou embora, Mia. Eu já disse que voltei para ficar. E estava falando sério, não importa o que você pense.

Com um indiferente encolher de ombros, ela se virou para voltar para casa.

— Droga, Mia! — Ele a agarrou pelo braço, trazendo-a de volta.

— Cuidado comigo! — disse ela, com frieza.

— Você está esperando então que eu faça as malas e vá embora, é isso? — quis saber ele. — É nesse ponto que nós estamos?

— Não estou esperando nada.

— O que será que eu preciso fazer para superarmos isso?

— Pode começar largando o meu braço.

— É isso que você quer, não é? — E, para provar o que ia dizer em seguida, agarrou o outro braço dela e a colocou cara a cara com ele, na sombra da trilha, sob as árvores. — Assim, não vai deixar que eu toque você, não no lugar onde mais importa. Você me leva para a sua cama, mas jamais vai para a minha. Nem sequer se permite ser vista em minha companhia em lugar público, a não ser que seja a pretexto de tratar de negócios. Não permite jamais que eu fale sobre os anos que passei sem você. E não compartilha a sua Magia comigo quando fazemos amor. Tudo isso porque não acredita que eu vá ficar.

— E por que deveria acreditar? Por quê? Prefiro a minha cama. Não escolho o momento dos encontros. Não estou interessada em sua vida fora da ilha. Quanto a compartilhar a Magia durante um ato físico de amor, isso depende de um nível de intimidade que não estou disposta a explorar com você.

Afastou as mãos dele com um empurrão e deu um passo para trás, antes de continuar.

— Cooperei com você em suas ideias de negócios, lhe fiz companhia, de modo amigável, e aproveitamos um pouco de sexo. Isso me satisfaz. Se não lhe satisfaz, arrume alguém por aí para jogar essa partida com você.

— Isso não é um jogo!

— Ah, não é? — A voz dela estava afiada. Ele deu um passo em sua direção, e ela levantou as mãos. Uma luz forte e vermelha saiu delas, como um raio. — Cuidado!

Ele simplesmente levantou as mãos, e uma torrente de luz azul que escorria como água atingiu a luz vermelha que saía das mãos dela, até não haver nada a não ser um pouco de vapor no ar, entre eles.

— Alguma vez eu tomei cuidado? — perguntou ele.

— Não. E sempre quis demais.

— Talvez seja verdade. O problema é que eu não sabia direito o que queria. Você sempre soube. Tudo sempre foi claro para você, Mia. O que você precisava, o que queria. Houve momentos em que a sua visão me deixava sufocado.

— Minha visão o deixava sufocado? — Aturdida, deixou as mãos caírem nos lados do corpo. — Como é que pode me dizer uma coisa dessas? Eu *amava* você!

— Sem questionamentos, sem dúvidas. Era como se você conseguisse ver o resto das nossas vidas, com tudo arrumado e perfeito, dentro de sua linda casa de bonecas. Você já estava com tudo planejado para mim. Do mesmo jeito que meus pais.

— Isso é uma coisa cruel de se dizer. — O rosto dela empalideceu. — Aliás, você já falou bastante. — E saiu correndo pela trilha.

— Não, não *é* o bastante até que eu tenha terminado. Fugir de mim não vai mudar nada.

— Você é que foge. — Ela girou o corpo para trás, sentindo que a dor de todos aqueles anos em um décimo de segundo a atingia como um golpe. — Foi isso que mudou tudo.

— Eu não podia ser o que você queria. Não podia lhe dar o que tinha tanta certeza de que estava em seu destino. Você olhava para o futuro, dez, vinte anos à frente, e eu mal conseguia ver o dia seguinte.

— Então foi por minha culpa que você foi embora?

— Eu não podia ficar aqui! Pelo amor de Deus, Mia, nós éramos pouco mais do que crianças, e você estava falando em casamento, em filhos. Vinha se deitar ao meu lado quando a minha cabeça estava tão cheia, que eu não conseguia nem pensar em falar sobre o lindo chalé que nós iríamos comprar junto do bosque, e...

Ele parou de falar de repente. Aparentemente, ambos tinham pensado ao mesmo tempo na mesma coisa. O pequeno chalé amarelo ao lado do bosque. O chalé onde ela jamais fora desde que ele se mudara para lá.

— Mocinhas apaixonadas — disse ela, e sua voz começou a tremer — sonham com casamento, bebês e lindos chalés.

— Você não estava sonhando. — Ele foi até a mesa de pedra, sentou-se no banco diante dela e passou os dedos entre os cabelos. — Para você, já estava definido, era o destino. Quando estávamos juntos, eu acreditava em você e nos seus planos. Conseguia enxergar tudo, também. Até que aquilo me sufocou.

— Jamais você me disse que não era o que você queria.

— Não sabia como dizer, e todas as vezes que tentava falar, olhava para você. Toda aquela confiança, uma fé inabalável de que tudo estava como deveria ser. Então voltava para casa, observava os meus pais e o que o casamento significava. Pensava nos seus pais e no que a família significava. Era tudo vazio e abafado. A ideia de que nós dois pudéssemos estar prestes a trilhar o mesmo caminho me parecia insana. E eu não podia falar com você sobre isso. Não sabia como falar sobre isso.

— Então, em vez de falar, você foi embora.

— Fui embora. Quando entrei para a faculdade, foi como se tivesse me dividido em dois. Uma parte queria ficar lá, outra parte queria estar aqui. Estar com você. Pensava em você o tempo todo.

Ele olhou para ela. Resolveu dizer à mulher o que não conseguira dizer à menina.

— Quando eu voltava para casa, nos fins de semana ou nas férias, me sentia quase doente até avistar você me esperando no cais. Aquele primeiro ano passou como um borrão.

— E então você parou de vir para casa todos os fins de semana — lembrou ela. — Inventava desculpas para ficar no continente. Para estudar, para assistir a uma palestra.

— Era um teste para mim mesmo. Consegui ficar sem ver você por duas semanas, depois por um mês. Consegui parar de pensar em você por uma hora inteira, depois por um dia. Foi ficando cada vez mais fácil acreditar que ficar longe de você, e da ilha, era a única maneira de escapar da armadilha em que estava. Não queria me casar. Não queria construir uma família. Nem me amarrar a apenas uma garota pelo resto da vida. Muito menos criar raízes em uma ilhota sem ter conhecido o mundo lá fora. Senti o gostinho do mundo exterior na faculdade, com as pessoas que encontrei lá, com as coisas que aprendi lá. E queria mais.

— Bem, você conseguiu mais. E já escapou da armadilha há muitos anos. Agora, vivemos em mundos diferentes e temos objetivos diferentes.

— Eu voltei por você. — E seus olhos encontraram os dela.

— Esse foi o seu erro. Você ainda quer mais, Sam, só que dessa vez quem não quer sou eu. Se você tivesse me dito tudo isso há onze anos, eu teria tentado compreender. Teria tentado lhe dar o tempo e o espaço de que precisava. Ou teria deixado você ir embora, sem mágoas. Não sei se teria conseguido, mas sei que amava você o suficiente para tentar. Agora você não é mais o centro da minha vida. Já não é há algum tempo.

— Eu não vou embora, nem vou desistir.

— São decisões suas. — Ignorando a dor de cabeça que estava começando a se manifestar, ela começou a recolher a louça do chá. — Gosto muito de ter você como amante. Sei que vou me arrepender se tiver que dar um fim a isso, mas é o que farei, sem pensar duas vezes, se você insistir em me pressionar para um tipo diferente de relacionamento. Acho que vou pegar um pouco de vinho para nós.

Carregando os pires, xícaras e pratos para dentro, ela os enxaguou. A dor de cabeça provavelmente iria atormentá-la por todo o dia. Então tomou um pouco do tônico, antes de escolher uma garrafa de vinho e pegar os cálices apropriados.

Ela não se permitiu pensar em mais nada. Não se permitiu sentir. Já que não havia mais volta, e os caminhos laterais tinham sido cobertos pela vegetação, a única alternativa era seguir em frente.

Mas, quando ela voltou, ele havia ido embora.

Embora seu estômago embrulhasse por um instante, ela se sentou à mesa do seu jardim de verão e brindou à própria independência.

Mas o vinho lhe pareceu amargo.

* * *

No dia seguinte, ele mandou entregar flores na livraria. Eram simples e alegres braçadas de zínias multicoloridas, o que na linguagem das flores queria dizer que ele estava pensando nela. Mia duvidava de que ele soubesse o significado de um buquê de zínias e ficou cismada com isso enquanto procurava uma jarra adequada para colocá-las.

Não era do feitio dele enviar flores, pensou, intrigada. Mesmo quando estavam loucamente apaixonados, ele raramente pensava em surpreendê-la com tais gestos românticos.

O cartão explicava tudo, ela imaginava. Dizia:

Sinto muito.
Sam

Quando ela se viu sorrindo para as flores em vez de continuar com o trabalho, resolveu parar tudo, levar a jarra para o andar de baixo e colocá-la na mesa junto da lareira.

— Olhe só!... Não são lindas e alegres? — Gladys Macey se materializou ao lado dela e começou a arrulhar sobre o buquê. — Vieram do seu jardim, Mia?

— Na verdade, não. Foi um presente.

— Ahh... Nada alegra mais uma mulher do que ganhar flores, à exceção de alguma coisa brilhante para colocar no dedo — acrescentou Gladys, com um sorriso e uma piscadela. Baixou o olhar discretamente para a mão de Mia. Só que não foi discreta o suficiente.

— Pois eu descobri que uma mulher que compra um brilhante para si própria fica com algo que realmente aprecia e que é do seu gosto.

— Ah, mas não é a mesma coisa. — Gladys deu um aperto carinhoso no braço de Mia. — Veja o meu caso. Carl me comprou um par de brincos no meu aniversário, há alguns meses. Os pobrezinhos eram feios como a necessidade, ninguém pode negar isso. Mas eu me sinto bem sempre que os uso. Estava agora mesmo pensando em dar uma subidinha na cafeteria para ver como vai a nossa querida Nell.

— Está ótima! Quando ela disser que acha que a barriga já está começando a aparecer, concorde com ela. Isso a fará feliz.

— Vou fazer isso. Acabei de fazer uma reserva para o novo livro de Caroline Trump. Estamos todos empolgados com a visita dela. As sócias do Clube do Livro me delegaram uma missão. Querem que eu pergunte se ela concordaria em participar de um rápido debate sobre o livro, antes da sessão de autógrafos.

— Posso tentar conseguir isso.

— Então nos avise. Estamos planejando dar a ela uma recepção inesquecível, dentro da tradição da Ilha das Três Irmãs.

— Estou contando com isso.

Mia fez a ligação para Nova York pessoalmente. Depois que já estava com as coisas encaminhadas, conferiu os pedidos de livros, ligou para o distribuidor para reclamar de um atraso na entrega dos cartões e a seguir analisou o mais recente lote de pedidos por e-mail.

Como Lulu estava ocupada, Mia os preencheu pessoalmente, anexando avisos de que cópias autografadas do novo livro de Caroline Trump estariam disponíveis. Depois, saiu para levar os pedidos até os correios.

Encontrou-se com Mac no momento em que saía da agência.

— Alô, bonitão!

— Ah, a mulher que eu procurava.

— É o que todos dizem. — Sorrindo, enlaçou o braço no dele. — Você está indo para a loja a fim de almoçar com Ripley?

— Não. Estava indo até a livraria para falar com você. — Olhando para baixo, viu que ela estava usando sapatos de salto alto. — Já vi que nem adianta sugerir que a gente dê uma volta pela praia.

— Ora, os sapatos saem do pé!

— Mas você vai estragar as meias.

— Não estou de meias.

— Não? — Corou um pouco, deixando-a deliciada. — Bem, vamos caminhar então, se você tiver alguns minutos.

— Sempre tenho tempo para homens atraentes. Como está indo o livro?

— Aos trancos e barrancos.

— Quando acabar, espero que a "Livros e Quitutes" possa organizar a primeira noite de autógrafos.

— Livros de não ficção com tendências acadêmicas a respeito de ciências paranormais não costumam atrair multidões para noites de autógrafos.

— Na "Livros e Quitutes" vai ser diferente.

Atravessaram a rua, desviando do movimento intenso de pedestres. Famílias voltavam da praia, com a pele vermelha e olhos embaçados por causa do sol, e se arrastavam em direção ao centro para almoçar ou tomar algo bem gelado. Outros, carregados com geladeiras de isopor, barracas de praia, toalhas e protetores solares, caminhavam em direção à areia.

Mia tirou os sapatos.

— Quando a multidão da semana do solstício diminuir, vamos ser invadidos pela multidão do feriado da Independência. Estamos tendo um verão excelente na Ilha das Três Irmãs.

— O verão acaba depressa.

— Você está pensando em setembro, não é? Sei que está preocupado, mas tenho tudo sob controle. — Quando Mac não respondeu, ela puxou os óculos escuros para a ponta do nariz e olhou por cima deles. — Você não acredita?

Ele estava lutando contra a culpa por continuar lhe escondendo o incidente com Lulu, pensando na paz de espírito dela.

— Acho que consegue lidar com qualquer coisa que seja atirada contra você — afirmou ele.

— Mas?...

— Mas... — Ele pousou a mão sobre o braço que ela enlaçara no dele — Você joga de acordo com as regras.

— Não seguir as regras foi o que nos trouxe a esse grande problema.

— Concordo. Só que eu me preocupo com você, Mia.

Ela inclinou a cabeça e a recostou sobre seu ombro. Alguma coisa nele a fazia ter vontade de se aconchegar.

— Sei que se preocupa. Você trouxe muitas coisas boas para a minha vida com a sua chegada. O que você e Ripley compartilham me traz ainda mais alegrias.

— Eu gosto de Sam.

Ela afastou o rosto, olhando para cima.

— E por que não gostaria?

— Olhe, não quero me meter... Tudo bem — corrigiu ele —, já estou me metendo, mas apenas para fins práticos e científicos.

— Conversa-fiada! — replicou ela, rindo.

— Tudo bem, pelo menos a maior parte dos motivos é essa. Sem saber em que pé vocês dois estão, não posso construir minhas teorias e hipóteses. Não posso calcular o que talvez tenhamos que fazer.

— Então o que eu posso lhe dizer é que nós estamos, basicamente, curtindo um ao outro. Nosso relacionamento é, em primeiro lugar, confortável e, em grande medida, superficial. E, no que me diz respeito, vai continuar assim.

— Certo.

— Você não aprova isso.

— Não cabe a mim aprovar. A escolha é sua.

— Exato! Foi o amor destruidor e obsessivo que destruiu a última irmã. Ela se recusou a continuar vivendo sem ele. Eu me recuso a viver com ele.

— Se fosse assim tão simples, tudo já teria sido resolvido.

— Mas vai ser resolvido — prometeu a ele.

— Olhe, Mia. Houve um tempo em que eu achava que as coisas poderiam ser simples assim.

— E agora não acha mais?

— Não, agora não acho — confirmou. — Passei pela sua casa hoje de manhã. Você me disse que eu poderia passar por lá para fazer algumas medições de energia, depois do solstício.

— E...

— Subi e levei Mulder comigo, para que ele tivesse a chance de se exercitar um pouco. Para resumir a história, vou só dizer que comecei a detectar algumas barreiras contra a leitura dos sensores logo na entrada do seu gramado. Eram picos de energia positivos e negativos. Era como se... — ele bateu com os punhos um contra o outro, para demonstrar — ... uma energia estivesse batendo de frente com a outra. Consegui medições similares em toda a borda do litoral, na ponta do penhasco, do outro lado do farol e depois dentro da floresta.

— Não deixei nenhum lugar sem proteção.

— Não, não deixou, e isso é ótimo. Continuei depois a leitura dos sensores além da clareira, longe do coração da ilha. De repente, os aparelhos começaram a enlouquecer, e Mulder também. Quase escapou da coleira e fugiu correndo. Existe uma trilha bem definida de energia negativa, ali. Consegui acompanhá-la e delimitá-la, pela maneira com que as leituras andavam em círculos, como um animal circundando a presa.

— Eu sei que ele está lá, Mac. Não ignoro isso.

— Mia, ele está ganhando força! Há lugares ao longo do caminho onde toda forma de vida sumiu. Não há arbustos, nem árvores, nem pássaros. Chegou um momento em que o cãozinho desistiu de tentar escapar da coleira e simplesmente se deitou, todo encolhido, ganindo e chorando baixinho. Tive que carregá-lo no colo, e ele não parou de tremer até sairmos por completo do campo de energia. Só conseguimos sair da trilha negativa quando chegamos na ponta norte do penhasco.

— Peça a Ripley para preparar um encanto de limpeza para você e para o cão. Se ela não estiver lembrada do ritual...

— Mia! — Mac agarrou a mão dela com força. — Não está entendendo o que eu estou dizendo? Você está totalmente cercada!

Capítulo Quatorze

— O que foi que ela disse quando você contou? Enquanto Sam andava de um lado para o outro em seu escritório, Mac levantava as mãos.

— Disse que ele a cercou durante toda a vida, e que está apenas um pouco mais agressivo, agora.

— É... consigo até imaginá-la dizendo isso. Quando nós éramos... antes de eu ir embora da ilha, conversamos sobre isso algumas vezes. Ela já havia lido a respeito mais do que eu, na época. Provavelmente também hoje. Aquela mulher é capaz de devorar um livro inteiro antes que a maioria de nós chegue no capítulo dois. Ela era tão confiante a respeito de tudo. O Bem derrotaria o Mal, contanto que tivesse força e fé.

— Ela tem as duas coisas. O que eu não contei a ela foi que as minhas leituras encontraram várias... vamos chamar de impressões digitais, ao lado das páginas, de tanto que ela lê.

— Só porque ela não quer a minha proteção, não significa que não vá tê-la.

— O que quer que esteja fazendo pode continuar.

Sam foi até a janela e olhou para o novo terraço, no outro lado da rua. Mia levara para dentro as mesas que colocara ali, para usar no fim de semana do solstício, e, naquele instante, a equipe de operários estava colocando as lajotas de ardósia no piso.

— Como é que ela estava hoje? — quis saber Sam.

— Espetacular.

— Você devia vê-la quando usa o poder de verdade. — A seguir olhou para Mac. — Imagino que já tenha visto.

— Vi, sim. No final do inverno passado. Um ritual de invocação para os quatro elementos. Levei mais da metade do dia para conseguir me recobrar. Fico me perguntando se ela usa o equivalente, em Magia, a um redutor de glamour sobre o rosto no dia a dia.

— Não. Os poderes dela é que amplificam sua beleza, como se ela já não fosse maravilhosa o suficiente. Um tipo de beleza como aquele consegue cegar um homem e turvar o cérebro. Eu já me perguntei se não foi isso o que mais me atraiu nela.

— Isso eu não sei responder.

— Mas eu sei, hoje. Eu a amei por toda a vida. Mesmo antes de saber o que o amor significava e depois que tentei redefini-lo. É um golpe baixo finalmente compreender tudo isso agora, quando ela já não me ama mais. Ou não quer me amar.

Ele se virou para trás, encostando-se à beira da escrivaninha.

— Tudo bem. Cientificamente falando, ou teoricamente, academicamente, não importa como você chame, a minha presença aqui, ou melhor, o fato de eu amá-la, agora, a está colocando em um risco maior?

— Os seus sentimentos não contam. — Assim que acabou de falar, Mac apertou os olhos. — Desculpe, não quis dizer isso do jeito que pareceu.

— Eu entendi. São os sentimentos dela que fazem a balança pender, para um lado ou para o outro. Nesse caso, vou assumir que o fato de ela estar tentando reacender os sentimentos, ou modificá-los, não vai machucá-la. Se você pensa diferente, estou disposto a me manter afastado até depois de setembro.

— Não há como responder a isso.

— Então vou continuar, por instinto. Na pior das hipóteses, pretendo ficar junto dela o máximo que conseguir, quando chegar o momento crucial. Até mesmo o círculo pode ter um cão de guarda.

Sam telefonou para Mia naquela mesma noite, de sua casa, no instante em que ela estava se acomodando, com um livro no colo e um cálice de vinho.

— Espero não estar ligando em um horário ruim para você.

— Não. — Mia fechou os lábios com força enquanto estudava os movimentos da luz brincando com o líquido dentro do cálice. — Obrigada pelas flores. São lindas.

— Fico feliz que tenha gostado. Desculpe pela briga de ontem. Sinto muito ter descontado o mau humor em cima de você.

— Desculpas aceitas.

— Bem. Agora espero que você aceite jantar comigo. Podemos chamar isso de um encontro de negócios, para discutir os detalhes da turnê de Caroline Trump aqui na ilha. Será que amanhã à noite seria adequado para você?

Tão agradável, pensou ela. Tão suave. Era nesses momentos que precisava ter mais cuidado com ele.

— Sim, acho que amanhã está bom para mim.

— Eu passo aí em sua casa para pegá-la, então, digamos, às sete e meia?

— Não precisa. Posso muito bem atravessar a rua.

— É que eu estava com outra ideia na cabeça, e já notei que você sai mais cedo da loja às terças e tira o resto da tarde de folga. Não há motivo para modificar a sua rotina por causa disso. Eu apanho você em casa. Vamos fazer algo bem descontraído.

Ela quase perguntou por detalhes mais específicos, mas compreendeu que era isso o que ele queria.

— Para mim está bem. Vejo você amanhã, então.

Ela desligou, voltando ao livro. Mas achou difícil se concentrar na leitura.

Ainda na véspera, pensou, ele tinha remexido no passado, com todas as feridas e amarguras que o passado trazia. Será que ela realmente lhe criara uma armadilha, por estar tão apaixonada, tão certa dos próprios sentimentos e tão confiante nos sentimentos dele? Será que ele tinha sido realmente tão egoísta, tão frio, a ponto de simplesmente jogá-la de lado em vez de compartilhar com ela as suas dúvidas e mágoas... em vez de dar a ela uma chance de compreender?

Como ambos tinham sido tolos!, avaliou naquele momento.

De qualquer modo, sentimentos de culpa, desculpas ou motivos, nada daquilo mudava o que acontecera. Nada iria modificar, nem ela faria que mudasse o que cada um se tornara. Era melhor enterrar o passado e seguir como estavam. Amigos cautelosos, amantes descuidados, sem fazer planos além disso.

A julgar por sua atitude naquele momento, Sam parecia estar concordando com ela.

E, no entanto...

Depois de desistir do livro e colocá-lo de lado, Mia disse para a gata:

— Ele está planejando alguma coisa.

Do outro lado da pequena cidade, Sam deu um segundo telefonema, às pressas.

— Nell? É Sam Logan falando. Tenho uma emergência. Uma emergência confidencial.

Era apenas uma questão de acertar os detalhes. Para ajustar certas coisas, Sam teria que esperar que Mia saísse da loja, na tarde seguinte. Ele também chegou à conclusão de que a única forma de lidar com Lulu era ser bem direto. Assim que entrou na "Livros e Quitutes", ele a chamou discretamente até a seção de CDs. Um deles, intitulado *Serenidade da Floresta*, estava enfiado em uma moldura, onde se lia "Este é o CD que você está ouvindo".

— Lulu, qual é o CD favorito de Mia?

— Por quê? — quis saber ela, ajeitando os óculos.

— Porque eu queria comprar o favorito dela.

Sempre pronta para uma venda, Lulu passou a língua sobre os dentes e informou:

— Se comprar cinco, leva o sexto pela metade do preço.

— Mas eu não preciso de seis CDs, porque... — Parou de falar na mesma hora e deu um assobio. — Tudo bem, eu compro seis. *Quais são* os favoritos dela?

— Ela gosta de todos ou eles não estariam aqui. A loja é dela, não é?

— Certo. — Ele começou a pegar alguns, aleatoriamente.

— Calma, não seja tão afobado! — Afastou a mão dele da estante. — Quando ela chega na loja antes de mim, costuma colocar um destes três para tocar.

— Então eu levo todos os três. E mais estes três aqui.

— Nós vendemos livros, também.

— *Eu sei* que vocês vendem livros! Mas só quero... Está bem, está bem... O que você recomenda?

Lulu estava empurrando os produtos para cima dele, mas Sam decidiu que aquele era um dinheiro bem empregado. Ou pelo menos esperava.

Não que ele não pudesse utilizar no futuro um imenso livro de cem dólares que falava de Arte Renascentista, ou os dez livros mais vendidos da semana; ou os seis CDs... e as três fitas... e o resto das coisas.

Pelo menos no momento em que Lulu fechou a nota de compra dele, sorriu satisfeita. E foi sincera.

Sam saiu da livraria algumas centenas de dólares mais pobre, e ainda tinha um monte de coisas para preparar em um curto espaço de tempo.

Apesar disso, chegou na porta de Mia às sete e meia em ponto.

Ela estava esperando, já pronta, e saiu de casa carregando uma pasta fina.

— Anotações — explicou ela — a respeito do evento. E cópias do material de propaganda que está sendo distribuído, o jornal com os lançamentos da loja e o anúncio que vai ficar exposto durante as próximas duas semanas.

— Estou louco para ver tudo isso. — Ele apontou o carro. — Quer que eu levante a capota?

— Não, vamos deixá-la abaixada.

Mia reparou que ele estava vestido de forma descontraída. Usava calça escura e uma camiseta azul. Mais uma vez ela precisou segurar a vontade que tinha de perguntar em que lugar eles iam jantar.

— A propósito — ele lhe deu um beijo rápido antes de abrir a porta do carro para ela entrar —, você está maravilhosa.

Muito bem, pensou. Estava todo educado, simpático, flertando com ela. Mia sabia as regras daquele jogo.

— Estava pensando a mesma coisa de você — replicou, ao entrar no carro. — E a noite está maravilhosa para um passeio de carro pela costa.

— Exatamente o que planejei. — Caminhou em volta do carro até entrar e se instalar atrás do volante. — Música?

— Sim.

Ela se recostou, calculando por quanto tempo permitiria que ele continuasse com o jogo de sedução, e então levantou as sobrancelhas, surpresa, ao ouvir um som de flautas sair pelos alto-falantes.

— Uma escolha musical inesperada vindo de você — comentou. — Você sempre gostou muito mais de rock, especialmente se fosse alto o bastante para estourar os tímpanos.

— Não há mal nenhum em experimentar algo incomum de vez em quando. Explorar diferentes caminhos. — Levantou a mão dela, beijando-a suavemente. — Alargar os horizontes. Mas se preferir ouvir algo diferente...

— Não, esta música está ótima. E você, ainda está se acostumando com o carro novo? — Ela se ajeitou no banco, com os cabelos espalhados sobre o rosto. — Ele é bom de dirigir?

— Quer experimentar?

— Talvez na volta. — Desistindo de decifrá-lo, ela resolveu se recostar novamente e aproveitar o resto do passeio.

Quando ele entrou na cidade e passou direto sem parar, ela ficou um pouco tensa novamente.

Estudou o chalé amarelo no momento em que ele estacionou o carro diante dele.

— Estranho... Eu não sabia que você tinha transformado esta casa em um restaurante. Acho que é uma violação do nosso contrato de locação.

— É temporário. — Saltou e deu a volta em torno do carro para abrir a porta para ela. — Não diga nada, por enquanto. — Mais uma vez, levantou a sua mão com delicadeza e acariciou-lhe as juntas dos dedos com os lábios. — Se você resolver ir a outro lugar, nós vamos. Mas me dê pelo menos um minuto.

Ainda a segurando pela mão, ele a conduziu pelo lado de fora da casa, em vez de entrar.

Sobre a grama recém-cortada, uma toalha branca estava estendida. Havia velas em volta, ainda por acender, e vários almofadões em tecidos caros e de cores vibrantes. Ao lado, uma cesta comprida transbordando de lilases.

— São para você! — disse ele, levantando a cesta.

Ela analisou as flores e depois olhou para ele.

— Não estamos na época de lilases.

— Eu que o diga! — respondeu Sam, continuando a segurar a cesta até que ela a pegou. — É que você sempre gostou.

— Sim, eu sempre gostei. O que significa tudo isso, Sam?

— Pensei que seria interessante fazermos um piquenique. Assim ficamos a meio caminho entre os negócios e o prazer, entre o público e o privado.

— Um piquenique.

— Você sempre gostou também de um piquenique. — Ele se inclinou para roçar os lábios sobre a face dela. — Por que não tomamos um pouco de vinho enquanto você pensa na ideia?

Recusar aquilo seria uma atitude fria e descortês. Além disso, admitiu, seria covardia. Só porque ela no passado os imaginara felizes, casados, curtindo piqueniques no gramado ao lado de um pequeno chalé, isso não era motivo para jogar-lhe tudo aquilo na cara, por ele tentar oferecer a ela uma noite agradável.

— Eu adoraria um pouco de vinho.

— Volto já, já, com os cálices.

Mia soltou um longo suspiro, quando viu que Sam já estava bem distante para poder escutar, e, quando ouviu a porta dos fundos se abrir e depois se fechar atrás dele, levantou a cesta de lilases e enterrou o rosto entre eles.

Poucos momentos depois, ouviu o som de harpas e de instrumentos de sopro vindo do lado de dentro da casa. Balançando a cabeça, sentou-se em um dos almofadões, colocou a cesta de flores ao lado e ficou esperando que ele voltasse.

Ele apareceu trazendo não apenas vinho, mas caviar.

— Que piquenique, hein?...

Ao se sentar ao lado dela, em um gesto quase distraído, Sam começou a acender as velas.

— Só porque estamos sentados na grama não significa que a gente não possa comer bem. — Ele serviu o vinho, batendo com a borda do copo no dela. — *Slainte!*

Ela acenou com a cabeça, reconhecendo o brinde feito em um dialeto da Irlanda, e comentou:

— Você anda cuidando muito bem do pequeno jardim.

— Dentro das minhas limitadas capacidades. Foi você mesma que o plantou?

— Uma parte, sim. O resto é trabalho de Nell.

— Dá para sentir a energia dela na casa. — Ele espalhou uma porção generosa de beluga em uma torrada. — A alegria dela impregnada aqui. — Ofereceu o caviar a Mia.

— A alegria é um dos maiores dons de Nell. Quando se olha para ela, não se percebem os horrores pelos quais passou. Tem sido muito instrutivo e inspirador observá-la enquanto ainda está se descobrindo.

— Como assim?

— Para nós, a Magia sempre esteve ali. O conhecimento. Com Nell, foi como finalmente destrancar uma porta, entrar em um aposento que não se conhecia e descobrir uma sala cheia de tesouros fascinantes. A primeira expressão de Magia que eu mostrei a ela foi como movimentar o ar. A cara dela, quando conseguiu... Foi algo inesquecível e maravilhoso.

— Jamais ensinei Magia a alguém. Apesar disso, há alguns anos eu participei de um seminário sobre o assunto.

— Sério? — Lambeu um pouco de caviar que ficara na ponta de um dos dedos. — E como é que foi?

— Foi... honesto. Fui lá movido por um impulso e, na verdade, encontrei algumas pessoas interessantes. Algumas delas com Poder. Uma das palestras foi sobre os julgamentos de Salem e a respeito da Ilha das Três Irmãs.

Sam se serviu de um pouco de caviar.

— Eles conheciam a maior parte dos fatos, mas não o espírito. Não o coração. Este lugar... — Olhou em volta para a floresta, e ouviu a pulsação do mar. — Este lugar não pode ser descrito em uma palestra de cinquenta minutos. — Pousou os olhos mais uma vez nela. — Você vai ficar?

— Eu nunca saí!

— Não é isso. — Acariciou a mão dela. — Eu quis dizer, ficar para o jantar.

— Sim. — Ela pegou mais uma torrada com caviar.

Sam completou o cálice de vinho dela, antes de se levantar.

— Vou levar só um minuto.

— Deixe-me ajudá-lo.

— Não. Está tudo sob controle.

Sob controle, pensou enquanto voltava para a cozinha, graças a Nell. Esta não só preparara tudo e entregara em sua casa, mas também lhe deixara uma lista detalhada de instruções. Tão detalhada, descobriu, que até uma pessoa totalmente incapaz em culinária conseguiria seguir.

Abençoando Nell, conseguiu servir as fatias de tomate embebidas em azeite e ervas, acompanhando a lagosta fria.

— Está tudo adorável. — Mia se esticou confortavelmente enquanto apreciava a refeição. — Eu não fazia ideia de que você era tão competente na cozinha.

— Talentos ocultos — explicou, e estrategicamente mudou de assunto. — Estou pensando em comprar um barco.

— Está? John Bigelow ainda faz barcos de madeira por encomenda, até hoje. Só que agora ele fabrica apenas um ou dois por ano.

— Vou procurá-lo. Você costuma velejar?

— Ocasionalmente. Mas nunca foi uma das minhas paixões.

— Eu me lembro. — Tocou o cabelo dela. — Você preferia observar os barcos a estar dentro de um deles.

— Ou estar dentro da água, em vez de em cima dela. — Olhou para um grupo de adolescentes que passou correndo pelo atalho para a praia, que vinha de uma das casas de locação por temporada, ali perto. — O Sr. Bigelow aluga barcos também, mas, se você quer testar como andam as suas habilidades no mar antes de comprar um barco, sugiro que converse com o Drake, na Casa dos Navegantes. É uma loja que ele abriu, especializada em aluguel de barcos.

— Drake Birmingham? Ainda não estive com ele desde que voltei. Nem com Stacey. Como é que eles estão?

— Divorciados. Ela ficou com as crianças, eles tinham duas, e se mudou para Boston. Drake voltou a se casar, há uns seis anos, com Connie Ripley. Os dois tiveram um bebê, um menino.

— Connie Ripley... — Sam folheou imagens mentais enquanto tentava localizá-la. — Era uma morena bem alta, cheia de dentes?

— Sim, é essa mesma.

— Ela estava um ou dois anos mais adiantada do que eu na escola — recordou ele. — O Drake deve estar com pelo menos...

— Já passou dos 50. — Mia girou o cálice lentamente, segurando-o pela haste. —A diferença de idade e as especulações sobre um escandaloso caso entre Drake e Connie acabaram com o casamento de Drake com Stacey e foi o assunto mais quente da ilha durante uns bons seis meses. — Deu mais uma mordida, com estilo, em outro pedaço de lagosta. — Nell realmente se superou, desta vez. Esta lagosta está do outro mundo.

— Pronto, fui descoberto! — Apertou os olhos. — Isso me fez perder pontos?

— Nem um pouco. Ao contratar os serviços do Bufê das Três Irmãs, você demonstrou sabedoria e bom gosto. E agora... — Cruzou as pernas de lado, elegantemente, pegando na pasta que levara.

— Adoro ficar olhando para você. — Ele passou o polegar lentamente acima de seu tornozelo. — Sob qualquer luz, de qualquer ângulo. Só que agora, com o sol se pondo e as chamas das velas começando a iluminar sua pele, gosto ainda mais.

Isso fez o sangue dela acelerar. As palavras, o tom, o brilho em seus olhos enquanto ele se chegava mais para perto dela. Suavemente, sua mão enlaçou a nuca de Mia. Docemente, seus lábios começaram a roçar os dela.

A agitação interior começou a derreter. Ela inspirava a presença dele, junto com o perfume dos lilases e a cera das velas. E sua cabeça começou a girar preguiçosamente.

— Desculpe-me. — Dando um beijo em sua testa, ele se afastou. — É que há momentos em que não consigo manter as mãos longe de você. Vamos ver o que você trouxe.

O que ela estava tendo era uma tremedeira nos joelhos e uma confusão vertiginosa. Ele lhe derretera os ossos em um momento e de repente estava dando uma rápida olhada em seus arquivos.

— Do que estamos tratando aqui, Sam?

— Negócios e prazer — disse ele de modo distraído, passando a mão pelas costas dela, antes de pegar em uma cópia do anúncio seguinte. — Ei, isto está muito bom. Foi você quem preparou?

— Sim — respondeu ela, ordenando a si mesma que se acomodasse e relaxasse.

— Você deveria mandar uma cópia de tudo isso para a agente da escritora.

— Já fiz isso.

— Ótimo! Já dei uma olhada nos folhetos de propaganda, também, mas acho que ainda não falei com você o quanto achei tudo eficiente.

— Obrigada.

— Há algum problema? — perguntou, descuidadamente.

Mia sentiu os dentes rangerem uns contra os outros diante da pergunta tão casual. Irritada pelo fato de *se sentir* mesmo irritada, resolveu se recompor.

— Não, de modo algum, até gostei de saber da sua opinião, Sam. — Respirou fundo. — Gostei mesmo. Este será um grande acontecimento para a loja. Quero que não apenas tudo corra bem, mas que seja perfeito.

— Estou certo de que Caroline vai apreciar tudo isso.

Havia alguma coisa, algo muito sutil na maneira como ele pronunciou o nome dela.

— Você a conhece pessoalmente?

— Ahn?... Sim. Foi um toque maravilhoso pedir para Nell confeitar um bolo com a figura da capa do livro. E as flores. Talvez fosse melhor você trocar a cor das rosas para cor-de-rosa. Pelo que eu me recordo, ela prefere essa tonalidade.

— Pelo que você se recorda?

— É. Estou vendo aqui que você está planejando enviar champanhe e chocolates para a suíte dela, como presente da loja. Eu sugeriria, uma vez que o hotel já vai enviar esses presentes como parte do pacote, que nós adicionemos mais algumas coisas e ofereçamos um presente em conjunto, do hotel e da livraria.

Mia começou a bater com os dedos no joelho, mas em seguida se obrigou a parar.

— Essa é uma excelente ideia, Sam. Talvez algumas velas aromáticas ou um livro a respeito da história da ilha, algo desse tipo.

— Perfeito. — Dando uma passada de olhos bem rápida nos e-mails e correspondências que Mia trocara com a agente dela, Sam concordou com a cabeça. — Estou vendo que você não se esqueceu de nenhum detalhe. Então, agora... — Colocou a pasta de lado, inclinando-se na direção dela.

Quando sua boca estava a poucos centímetros da de Mia, esta colocou a mão sobre o peito dele e sorriu.

— Preciso retocar a maquiagem.

E se levantou, levando o vinho com ela e entrando na casa.

Ao chegar na cozinha, deu uma boa olhada em volta. Estava tudo admiravelmente arrumado, mas, também, provavelmente ele nem usava a cozinha, a não ser para preparar o café da manhã. Ele sempre tinha sido o rei da incompetência na cozinha. O homem que era capaz de deixar queimar *até* água.

Viu a folha com as instruções de Nell sobre a bancada e se enterneceu.

Depois, foi vagando até a sala de estar, apertando os lábios com força enquanto analisava tudo, até que avistou o livro sobre a mesinha de centro. Havia pequenas velas sobre ela, acesas. Mia se pegou perguntando a si mesma que técnicas e rituais de meditação ele praticava quando estava sozinho.

Como ela, Sam sempre fora um bruxo solitário.

Não havia fotos, mas ela não esperava que houvesse. O par de lindas aquarelas na parede é que era inesperado. Cenas de um jardim, ela se admirou. Suaves e serenas. Ficou surpresa por ele não ter escolhido imagens mais dramáticas ou fortes.

Além das velas, das pinturas, e do livro obviamente novo e ainda não lido, havia pouco de Sam Logan na sala de estar do chalé. Ele não se cercara dos pequenos confortos que eram tão essenciais para ela.

Nenhuma flor ou pequenos vasos com plantas decorativas, nenhum recipiente de vidro com pedras coloridas.

Já que tinha bisbilhotado até ali e se lembrando de que era tanto sua amante quanto senhoria, Mia não teve escrúpulos em entrar no quarto.

Ali, havia mais dele. O perfume, a sensação de sua presença. A velha cama de ferro que ela comprara para o chalé estava feita, coberta por uma colcha azul-escura com uma eficiência quase militar. O piso não exibia tapetes. Havia, porém, um livro sobre a sua mesinha de cabeceira, um romance de suspense que ela mesma já lera e do qual gostara muito. Como marcador de página, um de seus cartões pessoais.

O único quadro na parede era, aquele sim, forte e dramático. Um antigo altar de pedra que surgia de um solo rochoso e se destacava contra um céu vivido, com os raios vermelhos triunfantes do nascer do sol ao fundo.

Sobre a cômoda havia um grande e lindo bloco bruto de sodalita na cor azul-arroxeada, que ela imaginou ele usar para meditação. As janelas estavam abertas, e dava para sentir o cheiro das alfazemas que ela mesma plantara.

Por sentir que tudo ali... a flagrância, a simplicidade, o espírito quase ridículo de masculinidade que fluía dali como uma presença física... tudo aquilo era tão perturbador, Mia se virou e entrou, resoluta, no banheiro.

No espaço exíguo, ela retocou o batom, colocou, na região da garganta e nos pulsos, algumas gotas do óleo perfumado que ela mesma preparara. Já que Sam estava ensaiando todo aquele jogo de sedução, ela resolveu que cederia. Mas não antes de estar novamente em sua casa, em seu próprio território.

Ela sabia brincar de gato e rato tão bem quanto ele.

Ao sair, ele já recolhera os pratos do jantar e os trocara por enormes tigelas de vidro, cheias de morangos frescos cobertos por um denso creme batido.

— Eu não sabia se você ia querer café ou mais vinho.

— Vinho. — Uma mulher confiante, pensou, podia se mostrar um pouco mais desinibida.

A noite continuava a correr lentamente. Ela se sentou a seu lado, permitindo que seus dedos dançassem através dos seus cabelos para alcançar um morango.

— Eu não fazia ideia... — Olhando deliberadamente para ele, deixou a língua deslizar sobre o morango para só então dar a primeira dentada — ... de que você tinha interesse por arte renascentista.

— O quê?.. —Algum circuito em seu cérebro parecia ter entrado em curto. Ele quase podia escutar as faíscas dentro da cabeça.

— Arte renascentista, Sam! — Enfiou a ponta do dedo no creme, lambendo-o lentamente, e lembrou a Sam: — O livro que está na sua sala de estar.

— O livro?... Aah, claro! — Ele conseguiu fazer o olhar se deslocar da boca de Mia. — Sim, sim... É um período fascinante esse.

Esperou até que ele tivesse coberto um morango inteiro com creme, então se inclinou com jeito brincalhão em sua direção e deu uma mordida.

— Mmm... — ronronou, passando a língua suavemente sobre o lábio superior. — Você gosta da "Anunciação" pintada por Tintoretto ou prefere a de Erte?

Outro curto-circuito.

— Ambas são brilhantes — assegurou.

— Ah, sem dúvida. Exceto, é claro, que Erte era um escultor, Art déco, e nasceu vários séculos depois da Renascença.

— Ah!... É que eu pensei que você estivesse se referindo a Giovanni Erte, um artista obscuro e empobrecido, da época da Renascença, que morreu trágica e inesperadamente de escorbuto. Ele era pouco conhecido.

Sem conseguir segurar o riso, ela o deixou escapar solto, e chegou a sentir os músculos do estômago se retesarem.

— Ah, *esse* Erte. Também me esqueci dele. — Dessa vez ela mordeu com suavidade o lábio superior dele, em vez do morango. — Você é uma gracinha mesmo, sabia?

— Paguei os olhos da cara por aquele livro. Aposto que Lulu ainda está se gabando até agora por isso. — Ele deixou que ela colocasse um morango em sua boca. — Entrei lá para comprar um CD e saí com 25 quilos de livros.

— Eu gostei da música, — Ela se deitou, relaxada, sobre a toalha branca, colocando a cabeça sobre um almofadão verde-esmeralda. — Ela me deixou relaxada. Fez com que eu me imaginasse flutuando em um rio morno, à sombra de uma floresta. Mmm... Minha cabeça está cheia de vinho.

Ela se esticou, espreguiçando-se languidamente, de forma que o fino tecido de seu vestido deslizou suavemente sobre suas curvas. — Acho que não vou conseguir dirigir aquele seu carro sexy *esta* noite, afinal.

Esperou que Sam lhe dissesse que ela poderia dirigi-lo pela manhã, aguardou que ele a convidasse para entrar e passar a noite com ele. E quando ele se deitou ao lado dela e traçou uma linha com o dedo, descendo pela sua garganta até a base dos seios, ela sorriu.

— Bem, nós podemos... — começou ele — ... dar uma volta e deixar o ar da praia clarear as suas ideias um pouco. — Conseguiu ver o lampejo de surpresa em seu rosto décimos de segundo antes de abaixar a boca em direção à dela.

E mordiscou, beliscou, deixou as mãos se aventurarem sobre ela. Sentiu sua ânsia, o momento em que seu corpo amoleceu e o pulso começou a acelerar. Para atormentar a ambos, ele escorreu os dedos pela parte de dentro de suas pernas e depois em volta, subindo lentamente sob o vestido até o ponto quente e sedoso no alto da coxa, onde ficou circundando sua marca de nascença.

— A não ser... — ele deixou um dedo penetrar sob o elástico de sua calcinha, na altura do quadril. Apertou os dentes, lenta e suavemente, sobre o seu seio, por cima do algodão leve de seu vestido — ... que você não esteja muito disposta a caminhar.

Ela se sentia mais do que descontraída, agora, e arqueou os quadris em uma atitude convidativa.

— Não, uma caminhada não é realmente o que estou disposta a fazer neste momento.

— Então... — disse ele, e mordeu com um pouco mais de força — ... deixe que eu dirijo!

E quando ele se levantou, estendendo-lhe a mão, Mia estava com a boca aberta de surpresa,

— Dirigir?

— Claro. Vou levar você para casa. — Vê-la em um estado de choque, totalmente muda, foi, pensou ele, quase tão gratificante quanto...

255

Não, não chegou nem perto de ser tão gratificante quanto, admitiu. Era, porém, precisamente a reação que ele planejara.

Ajudando Mia a se colocar de pé, ele se abaixou em seguida para pegar a pasta e as flores, alertando:

— Cuidado! Não vá esquecer isso.

Ela recalculou tudo, no caminho de volta para casa. Sam assumiu, corretamente, a hipótese de que ela não ficaria com ele no chalé. E decidira, também corretamente, que, a fim de completar seu plano de sedução, teria que levá-la de volta até a própria cama.

E era lá, exatamente, ia pensando Mia, enquanto voltava a se recostar, levantando a cabeça para olhar as estrelas, que ela o queria.

Já que ele tinha se dado a todo aquele trabalho, toda aquela produção, e tinha se comportado de forma tão doce, ela o deixaria convencê-la a fazer amor. Depois que tivessem terminado o sexo, sua mente e seu corpo poderiam voltar a se equilibrar.

Quando ele passou pela entrada de sua casa, seguindo pelo jardim da frente, ela já se sentia dona e senhora da situação.

— Foi uma noite adorável, Sam. Absolutamente adorável! — E o olhar que lhe lançou foi tão quente quanto a voz, enquanto caminhavam juntos em direção à porta. — Obrigada mais uma vez pelas flores.

— De nada.

Ao chegar à porta, sob o som dos sininhos que balançavam com o vento e a luminária que se refletia nas vidraças das janelas, ele começou a subir e descer com as mãos pelas laterais do braço dela.

— Saia comigo outra vez. Podemos alugar um barco e passar uma tarde preguiçosa velejando... e podemos nadar.

— Talvez.

Ele emoldurou seu rosto com as mãos e segurou-a pelos cabelos, suavemente, enquanto a beijava. Foi mais fundo quando Mia soltou um suave gemido de prazer. E, quando ela começou a pressionar o corpo de forma convidativa contra o dele, esticou o braço e abriu a porta atrás dela.

— Agora, é melhor você entrar — murmurou, contra a sua boca.

— Sim... é melhor. — Quase tonta de desejo, ela entrou em casa, e, ao se virar, acariciou o rosto dele.

Ele achou que ela parecia uma sereia.

— Eu ligo para você. — E, com uma mão que ele considerou admiravelmente firme, puxou a porta e a fechou.

Era, pensou, enquanto voltava para o carro, o primeiro encontro oficial em quase onze anos. E tinha sido fantástico!

Capítulo Quinze

Canalha dissimulado! Ninguém, jamais, tinha conseguido deixá-la assim em ponto de bala, desde... Bem, admitiu Mia para si mesma, ninguém havia conseguido deixá-la assim tão excitada desde Sam Logan.

E ele estava ainda melhor, agora.

Por outro lado, ela agora também estava conseguindo administrar bem melhor as suas necessidades sexuais do que no passado.

Tinha tido alguns amantes, mas, analisando objetivamente, muito poucos, e com grandes intervalos de tempo entre um e outro. À medida que o tempo passava, ela descobria que, apesar de gostar de um flerte casual, raramente se sentia plena, ou satisfeita, após receber um homem em sua cama.

Diante disso, ela ficava só nos flertes.

Era algo que considerava mais uma decisão de ordem prática do que emocional. A energia e o poder que ela poderia ter canalizado para aquela área física tinham ido, em vez disso, para o desenvolvimento de seus dons. Não havia dúvida de que era uma feiticeira melhor durante os períodos de celibato autoimposto.

Não havia, portanto, nenhuma razão que a impedisse de aplicar o mesmo hábito naquele momento.

E, já que Sam não deitava em sua cama havia mais de duas semanas, essa parecia ser a escolha mais lógica.

De qualquer modo, ela estava ocupada demais para se preocupar com Sam, sexo, ou com o porquê de ele não ter ido adiante, depois de ter passado por todo aquele enlouquecedor estágio das preliminares.

— Você não precisava ter voltado para ajudar — disse a Nell, que estava arrumando as mesas da cafeteria.

— Mas eu queria voltar. Estou tão empolgada com o lançamento do livro e a festa dos autógrafos, amanhã, quanto você. Vou buscar a cadeira para colocar na mesa principal.

— Não, nada disso. Nada de levantar peso. Ponto final. — E, enquanto arrumava as cadeiras ela mesma, chutou aquela na qual Ripley tinha se instalado. — Em compensação, você, boneca, bem que podia levantar a bunda daí e ajudar um pouco.

— Ei, você não me paga para fazer isso. Passei por aqui só para não ter que ficar lá dentro, na sala, enquanto os machões ficavam na cozinha, realizando aquele ritual de churrasco, fofocando entre eles, enquanto as mulheres não chegam. Só espero que Mac não me venha explodir alguma coisa.

— É uma churrasqueira de carvão, Ripley — lembrou Nell. — Carvão não explode.

— Você não conhece o meu marido como eu.

— Bem, juntando os três, é bem possível que consigam fazer alguma coisa de útil; preparem então uns bons e suculentos filés grelhados.

A imagem de Zack grelhando bifes ou hambúrgueres na varanda, com aquele modo desajeitado dele, surgiu na cabeça de Nell e a fez estremecer.

— Deus tenha pena da sua cozinha, Ripley.

— Esse é o menor dos meus problemas. — E Ripley cruzou os pés um sobre o outro na altura dos tornozelos, esticando as pernas e observando, divertida, Mia trocar mais uma vez o arranjo da mesa. —Agora, está vendo aquela ali? — Ela torceu o polegar na direção de Mia. — Está cheia de preocupações. Reparou naquelas linhas profundas entre as sobrancelhas? Significa que está de mau humor — sussurrou.

— Não estou com nenhuma linha profunda entre as sobrancelhas. — A vaidade fez Mia esticar o rosto na mesma hora. — Nem estou mal-humorada. Talvez apenas ligeiramente estressada.

— É por isso que o churrasco mais tarde vai ser uma ideia tão boa. — Nell foi até a mesa principal e começou a brincar com o cartaz, onde aparecia em destaque o nome da autora e o livro a ser lançado. — Você vai poder relaxar, aproveitar uma noite com os amigos e estar com a cabeça fresca para amanhã. Estou feliz que Sam tenha pensado nisso.

— É... ele está sempre pensando — concluiu Mia, mas Ripley e Nell não conseguiram entender o significado oculto de sua afirmação.

— E então, você gostou do concerto na praia, no outro dia? — perguntou Ripley.

— Foi legal.

— E aquele passeio de veleiro ao luar, depois da queima de fogos no feriado da Independência?

— Agradável.

— Viu? — Ripley balançou a cabeça para Nell. — Eu disse que ela estava de mau humor.

— Eu *não estou* de mau humor! — Mia arrumou uma das cadeiras com um empurrão brusco. — Você está querendo briga?

— Não. Estou querendo uma cerveja — replicou Ripley, e foi caminhando em ritmo de passeio até a cozinha, para se servir.

— Vai ser um evento maravilhoso, Mia. — Pronta para colocar panos quentes, como sempre, Nell continuava a empilhar os livros. — Tudo vai ficar lindo quando as flores chegarem, amanhã. As bebidas e refrigerantes já estão encomendados, e os aperitivos estão sob controle. Espere só até você ver o bolo pronto.

— Não estou preocupada com as flores, nem com os refrigerantes.

— Quando você vir o número de clientes que vão começar logo cedo a fazer fila na porta, vai se sentir melhor.

— Também não estou preocupada com os clientes, pelo menos não tanto quanto seria de se esperar. — Mia se jogou em uma das cadeiras. — Pelo menos dessa vez reconheço que Ripley está certa. Estou me sentindo um pouco mal-humorada.

— Isso é uma confissão? — perguntou Ripley, ao voltar da cozinha com a cerveja na mão.

— Ora, cale a boca. — Mia passou as mãos nos cabelos. — Ele está usando o sexo. Melhor dizendo, está usando a falta de sexo para me deixar irritada. Piqueniques à luz de velas. Passeios de veleiro ao luar. Longas caminhadas. Ele me manda flores dia sim, dia não.

— Mas nada de sexo?

— Bem, há muitas preliminares — reagiu Mia, levantando o olhar para Ripley. — Depois, ele me larga na porta de casa e vai embora. No dia seguinte, sempre chegam flores. Telefona todos os dias. E por duas vezes, ao chegar em casa, encontrei um pequeno presente na porta da frente. Um vaso de alecrim com o formato de coração, ou um bibelô com a imagem de um dragão. Quando saímos, ele é absolutamente charmoso.

— O canalha! — Ripley socou a mesa, com raiva. — Enforcamento seria muito pouco para ele.

— Está usando o sexo! — Mia tornou a reclamar.

— Não, não está. — Com um sorriso sonhador, Nell acariciou os cabelos de Mia. — Sexo não tem nada a ver com isso. Ele está usando o romance. Está cortejando você.

— Não, não está.

— Flores, luz de velas, longas caminhadas, pequenos presentes inesperados. — Nell foi contando a lista com os dedos. — Tempo e atenção. Isso tudo, para mim, significa cortejar.

— Sam e eu já passamos da fase dos galanteios há muito tempo. E naqueles galanteios, diga-se de passagem, não havia flores nem pequenos presentes.

— Então?... Talvez ele esteja tentando recuperar o tempo perdido, ou compensá-lo.

— Ele não precisa recuperar nada. Eu não quero que ele fique tentando recuperar nem compensar nada. — Visivelmente tensa, Mia se levantou e caminhou até o terraço, para fechar as portas. — Ele não quer essa estrutura tradicional de relacionamento, e eu também não. É isso o que penso. O que ele quer, na verdade...

Esse era o problema, compreendeu. Mia não tinha uma ideia clara do que ele queria dessa vez.

— Ele conseguiu deixar você apavorada — disse Ripley, baixinho.

— Não. Não mesmo!

— Ele não tinha conseguido assustar você, desde que voltou. Você sempre teve a sua rota bem definida.

— Ela ainda está bem definida. Sei perfeitamente o que estou fazendo. Sei para onde estou indo. Isso não mudou. — No mesmo instante em que falava isso, Mia sentiu um calafrio na pele, e ficou arrepiada.

— Mia — havia compreensão e paciência na voz de Nell —, você ainda está apaixonada por ele?

— E você acha que eu me arriscaria a deixá-lo entrar novamente em meu coração? Que eu arriscaria isso sem saber o custo que teria? — Mais firme, Mia atravessou o salão para acabar de montar o cartaz. — Sei da minha responsabilidade para com esta ilha, com o seu povo, com o meu dom. O amor, para mim, é um conceito pleno. Não conseguiria sobreviver à sua perda, mais uma vez. E eu preciso continuar bem viva para cumprir o meu destino.

— *E se ele for o seu destino?*

Pensei que era, uma vez. Estava errada. Quando o momento chegar, o círculo vai resistir, intacto.

Na casa junto do barranco e da enseada, três homens observavam as chamas que crepitavam na churrasqueira de carvão com a mesma fascinação intensa que os homens das cavernas tinham por seu fogo tribal.

— Está indo bem — comentou Zack, apontando o fogo e olhando para Sam. — Viu? Eu lhe disse que com a velha experiência da Nova Inglaterra conseguiríamos um resultado excelente, sem precisar usar essa baboseira de *abracadabra*.

— E... a velha experiência da Nova Inglaterra — falou Sam, forçando um sotaque. — E mais a ajuda de um pacote inteiro de carvão e dois litros de fluido para isqueiro.

— Não tenho culpa se esta churrasqueira está estragada.

— Esta churrasqueira é novinha em folha! — protestou Mac. — Estamos tirando a virgindade dela.

— É por isso que precisamos de um fogo bem forte. O metal tem que ser curtido. — Zack tomou mais um gole de cerveja.

— Se esta bosta derreter — Mac olhou com tristeza para o fundo da churrasqueira, que perdera o seu tom vermelho brilhante e já estava toda preta —, Ripley vai me matar.

— Isto é ferro fundido! — Zack deu um pequeno pontapé na base. — E por falar em Rip, onde é que elas se meteram?

— Neste exato momento, já estão vindo para cá — respondeu Sam, enquanto Zack franzia a sobrancelha. — Um pouco da baboseira do *abracadabra*. Gosto de saber onde Mia está. E desde que o Sr. Ciência aqui nos ensinou a analisar as leituras dos sensores que colocou em volta da casa dela, estou ligado o tempo todo.

— Se ela descobrir, vai querer chutar a *sua* bunda — advertiu Zack.

— Ela não vai descobrir. Não consegue ver as coisas com clareza, quando se trata de mim. Na verdade, ela não quer, e é quase impossível forçar Mia a fazer qualquer coisa que ela não queira.

— E como é que vão as coisas entre vocês dois? — quis saber Mac

— Está perguntando por interesse profissional ou pessoal?

— Acho que poderíamos dizer que por ambos.

— Parece justo. Gosto do jeito que as coisas estão se desenrolando. Não posso dizer que estou preocupado por deixá-la encucada. Ela é muito mais complicada do que era antigamente, e é interessante, mais do que eu esperava, tentar descobrir para onde as coisas estão indo, com todas essas reviravoltas.

Zack coçou o queixo, pensativo, e perguntou:

— Você não vai começar a falar agora a respeito de desenvolver um relacionamento maduro, explorar a vida interior do casal ou nada desse papo-furado, vai?

— Shh... Elas já estão chegando. — Mac apontou para o facho de luz lançado pelos faróis, na estrada. — Vamos agir como se soubéssemos o que estamos fazendo.

Lucy, que estava o tempo todo esparramada na varanda, levantou a cabeça, atenta, e correu para a escada pulando os degraus, poucos centímetros na frente de Mulder.

— Mulheres bonitas — disse Zack —, dois bons cães e alguns filés deliciosos. Uma receita excelente.

Os filés ficaram carbonizados, e as batatas, quase cruas, mas os apetites estavam bem afiados. Comeram na varanda aberta, sob as fortes chamas de muitas velas e o fundo musical do som da sala de estar, de onde a música fluía sem parar.

Quando Sam pegou a garrafa de vinho para completar o cálice de Mia, que já estava quase vazio, ela balançou a cabeça e cobriu a taça com a mão, explicando:

— Não, obrigada. Estou dirigindo. E preciso manter a cabeça bem clara para amanhã.

— Eu passo na loja de manhã, para dar uma mão nos ajustes finais.

— Não precisa. A maior parte do trabalho já está pronta, e vamos ter muito tempo amanhã para preparar o que ainda estiver faltando. Já consegui vender 38 exemplares antecipados, e os pedidos ainda estão chegando. Além disso, já temos quase o mesmo número de vendas dos livros mais antigos dela. Caroline Trump vai estar muito ocupada amanhã. Acho até que vai...

Mia parou de falar de repente ao ver o olhar de susto no rosto de Nell. Mia sentiu o corpo ficar tenso de repente e quase se levantou da cadeira.

— Nell, o que aconteceu?

— O bebê acaba de se mexer. — A expressão de choque e espanto deu lugar a um olhar de encantamento. — Senti o bebê se mexer. Foi uma espécie de agitação, uma coceirinha por dentro. — E riu, apertando a barriga com a mão. — Foi tão rápido e forte, Zack. — Ela agarrou a mão dele, colocando-a sobre a barriga. — Nosso bebê se mexeu!

— Será que não é melhor você se deitar?

— Não. Acho que é melhor eu dançar. — E deu um pulo, puxando-o pela mão. — Preciso dançar.

— Você precisa... dançar?

— Sim! Dance comigo, Zack. — Ela atirou os braços em volta do pescoço dele. — Vamos dançar com Jonah.

— Mas ainda não sabemos se é um menino. — Sentindo-se inundado de amor, Zack a enlaçou e, com os braços em volta de sua cintura, colocou-a na ponta dos pés e a segurou firme. — Pode muito bem ser uma menina. Nesse caso, vamos dançar com Rebecca.

— Uh-oh... Agora os dois se empolgaram! — E antes que o clima passasse, Ripley se levantou e apontou para Mac. — Você vai dançar também.

— Alguém pode se machucar — murmurou ele.

Sam olhou o movimento dos casais por um momento e depois colocou a mão sobre a de Mia.

— Nós éramos muito bons nisso.

— Hein?...

Ela estava olhando para Nell, com o rosto melancólico e tão absorvida pela cena, que vê-la assim fez Sam sentir um aperto no coração. Lágrimas começaram a brilhar nos olhos de Mia. E Sam viu nela amor e nostalgia.

— Dançar... — Pegando na mão dela, ele se levantou. — Costumávamos ser muito bons nisso. Vamos ver se ainda somos.

Seguindo o impulso, ele a levou escada abaixo, até a base do barranco, quase na praia. Então, girou-a diante dele, a uma distância de um braço, trazendo-a de volta para junto dele logo em seguida.

O braço de Mia prendeu-se com suavidade em torno do pescoço dele, e os dois corpos se moldaram.

— Puxa... — Ele deixou os braços escorregarem até os quadris dela, começando a balançar o corpo junto com ela. — Ainda somos bons, sim!

Tinha se passado muito tempo, mas ela não havia esquecido os movimentos e o ritmo dele. E se lembrava bem do puro prazer que era se moverem como se fossem um só corpo, ao sabor da música. Entregando-se ao momento, ela chutou os sapatos para longe. A areia se infiltrou por baixo de seus pés, entre os dedos, à medida que ela dava voltas, afundava os pés para ganhar mais apoio e girava.

A dança sempre fora uma espécie de alegria; e, de certa forma, um inocente ritual de acasalamento deles. Acompanhado de explosões de alegria, coordenação e antecipação.

Mia parou de ouvir a música apenas com os ouvidos. Sentia os sons na pressão rápida da mão dele em suas costas, na pressão de seus dedos sobre os dela, na rotação do próprio corpo.

Quando a levantou acima do chão, ela atirou a cabeça para trás e sorriu. Então, uniu os braços em torno do pescoço dele, pela primeira vez em mais de uma década, apertando-o em um abraço que era a mais pura e simples manifestação de afeto.

Os aplausos e assobios explodiram do alto da varanda e a fizeram levantar a cabeça, com a lateral do rosto encostada em sua face enquanto tentava recobrar o fôlego.

— Eu disse que eles eram exibidos. — Ripley cutucou Mac, com um sorriso nos lábios.

— Ei, não temos que aguentar esse deboche. Venha comigo! — E, segurando a mão de Mia, Sam começou a correr pela praia, tão depressa, que Mia teve que correr mais ainda para acompanhá-lo.

— Mais devagar, Sam, ou vamos acabar nos esborrachando no chão!

— Eu seguro você. — E, para provar isso, ele a levantou bem no alto e a girou em círculos. — Que tal uma caída no mar?

— Não.

— Tudo bem, vamos continuar dançando, então. — Colocou-a de volta no chão, trazendo-a mais para perto dele e apertando-a contra o corpo. Os lentos e sedutores acordes da canção "Sea of love" flutuavam pelo ar e se espalhavam por toda a praia.

— Esta música é muito velha! — comentou ela.

— É um clássico! — corrigiu ele. —Agora, mudança de ritmo.

Sam enterrou o rosto nos cabelos dela enquanto tornavam a circular sobre a areia. O coração de Mia batia em ritmo forte e constante, como um tambor, contra o peito de Sam. Suas pernas roçavam nas dele de leve enquanto ficava na ponta dos pés, deslizando com ele até os dois formarem uma só sombra sob a luz do luar.

Sam se lembrava de tantas coisas, e tão bem, que as inúmeras formas e sons de todas as recordações do passado começaram a sussurrar e a se misturar em seu cérebro.

— Eles ainda organizam bailes no ginásio da escola?

— Ainda.

— E os meninos e meninas ainda fogem para o lado de fora a fim de ficarem se pegando?

— Provavelmente.

— Então vamos fingir que somos nós. — Virou então a cabeça fazendo os lábios deslizarem ao longo de seu queixo antes de se encontrarem com os dela. — Volte ao passado comigo.

E, antes mesmo que pudesse compreender ou pensar em resistir, ela se viu girando velozmente. De repente, eles já não estavam mais dançando na areia, mas sim enlaçados nos braços um do outro, nas sombras do lado de fora do ginásio da escola, enquanto uma brisa de outono espalhava o perfume das folhas que envelheciam, e os momentos de silêncio pareciam brotar em volta deles.

Geralmente, um pouco da música escapava do prédio ao longe, com um espocar rebelde da bateria e das guitarras. As mãos dela começaram a apertar a superfície gasta e fria da jaqueta surrada de Sam, subindo até o calor sedoso de seus cabelos.

O corpo dele era mais magro, e sua boca, menos hábil, mas, ah, como a dela respondia.

A tocha do amor queimava-lhe por dentro com um brilho ofuscante.

Ela sussurrou o nome dele, sem sentir. E queria lhe oferecer tudo.

E foi a dor que aumentava de intensidade dentro dela, latejando como uma ferida, que a trouxe de volta.

Respirando com dificuldade, Mia o empurrou.

— Droga, droga! Isso não é justo.

— Não, desculpe-me. — A cabeça dele estava girando. Por um momento ele ainda conseguiu ouvir o estalar das folhas e sentir o cheiro do outono na pressão úmida do ar de verão. — Não. Sei que não foi justo. Fiz sem pensar. Por favor, não vá embora. — Ele apertou os dedos nas têmporas quando ela ficou de costas para ele.

Ele não planejara aquilo; deveria ter encontrado uma forma de fazer parar o impulso que os levara de volta ao passado. Porém, de que outro modo ele poderia descobrir como seria a sensação de saber que ela o amava como antes? Como conseguiria sentir aquela absoluta pureza de emoções vindo dela?

E saber que ele jogara tudo fora, que talvez nunca mais conseguisse de volta.

Quando conseguiu firmar-se novamente, ela estava de pé na beira da água, abraçando-se a si mesma e olhando para o negrume da noite.

— Mia... — Ele foi até ela, mas não a tocou. Um dos dois, ele estava certo, iria desmoronar se ele o fizesse. — Não tenho justificativa, nem como me desculpar com você por esse tipo de manipulação. Tudo o que posso lhe dizer é que não planejei fazer isso.

— Você me machucou, Sam.

— Eu sei. — *E machuquei a mim mesmo*, pensou. *Mais do que poderia ter imaginado.*

— O tempo não pode ser apagado. E não pode mesmo. — Ela se virou para ele, com o rosto pálido de encontro à escuridão da noite. — Não quero voltar àquela garota ou àquele rapaz. Não quero desistir do que fiz de mim mesma.

— E eu nem pensaria em modificar o que você se tornou. Você é a mulher mais surpreendente e impressionante que eu já encontrei na vida.

— Palavras são fáceis de falar.

— Não, não são. Algumas jamais foram fáceis de falar, para mim. Mia...

Mas, quando esticou o braço para alcançá-la, ela já havia se virado novamente. E então se sentiu congelar ao ver a pálida luz azul que emanava de dentro da caverna.

— Pare com isso, Sam. Você já foi longe demais.

Ele viu a luz também; tocou em seu braço no mesmo instante, de modo que ela pudesse senti-lo e acreditar nele.

— Não sou eu que estou fazendo isso. Espere aqui.

Sam passou à frente dela e caminhou em passos largos em direção à caverna, só parando quando chegou na entrada, e foi inundado pela luz. Ele a sentiu chegar logo atrás dele, mas não disse nada, enquanto os dois olhavam lá para dentro.

A luz que vinha da caverna era suave e azulada, e as sombras, bem--definidas e imóveis, estavam estendidas sobre o chão, formando um poço profundo e escuro. Diante da luz estavam duas pessoas. Suas imagens estavam entalhadas como estátuas formadas pela própria luz.

Então ambos começaram a respirar.

O homem era muito bonito. Os músculos bem-definidos de seu corpo nu, esbelto e altivo, brilhavam molhados. Seu cabelo era preto e tinha tanto brilho que quase cintilava; descia reto por sobre os ombros, enquanto ele parecia se espreguiçar lentamente, deitado de lado, ainda em sono profundo.

A mulher era maravilhosa. Alta e esguia, de pé e envolta até a cabeça em um manto escuro, ela olhava atentamente para ele. De repente, atirou o capuz para trás, de modo que os caracóis ruivos de seus cabelos tombaram livres e desceram em cascata até a cintura.

Em suas mãos, ela segurava uma pele de foca, sedosa e preta como a noite mais escura, ainda molhada da água do mar.

Quando ela se virou para trás, Mia viu o que parecia ser o seu próprio rosto, com a pele brilhando como se mil velas estivessem acesas abaixo dela.

— O amor — disse, então, dirigindo-se a eles aquela que se chamava Fogo — nem sempre é sábio. — Ela caminhou em direção a Sam e Mia, embalando a pele como se fosse uma criança. — Não impõe condições e não mostra arrependimentos. — Acariciou a pele com a face, enquanto saía da caverna. — Vocês têm menos tempo do que imaginam.

Mia levantou a mão, em um gesto de aconchego e de comando.

— Mãe? — E a que se chamava Fogo parou. Sua beleza brilhou mais do que nunca no momento em que sorriu.

— Filha.

— Não vou desapontá-la.

— Não é só por mim. — Ela acariciou o rosto de Mia com seus dedos etéreos, que nesse instante sentiu na face uma espécie de calor. — Tenha cuidado para não falhar. Você é mais do que eu era.

Ela o olhou novamente para o chão da caverna.

— Você se esquece com muita frequência de que ele também está em você, filha. — Abraçou, então, a pele e virou-se lentamente, até seus olhos se encontrarem com os de Sam, completando: — E que eu também estou dentro de você.

E caminhou para longe, pela areia.

— Cuidado. Ele está à espreita, no escuro. — E desapareceu no ar como fumaça.

A luz dentro da caverna imediatamente se apagou.

— Eu consigo sentir até o cheiro dela. — E Mia esticou as mãos, colocando-as em concha como se estivesse retendo água, e a seguir as levou até o rosto. — Alfazema e alecrim. Você viu o amuleto que ela usava?

Sam levantou o disco de prata e pedra do sol que Mia usava, preso a um cordão.

— Era este aqui. Da mesma forma que, ao olhar para o rosto dela, o semblante que vi foi este — disse ele e levantou o queixo de Mia.

— Tenho muita coisa para pensar. — Ela começou a se afastar, mas seu olhar se levantou e fitou algo.

Enquanto ela olhava, uma névoa escura começou a envolver o contorno brilhante da lua.

— Temos problemas pela frente — sussurrou ela, segundos antes de ouvirem o rugido terrível.

A névoa veio deslizando pela superfície do mar e rastejou pela areia. O lobo, com o pentagrama brilhando com uma luz branca contra o corpo todo preto, começou a caminhar lentamente saindo da neblina. Arreganhou a boca, exibindo os dentes afiados.

Uma vez mais, Sam empurrou Mia para trás dele. Seu corpo a protegia como um escudo.

— Vá, Mia, corra. Agora! Vá para dentro da casa.

— Não. Eu não vou fugir correndo dele. — Saiu de lado, para se colocar bem à vista, e ficou observando todos os movimentos do animal, que vinha em sua direção. Sem ter tempo para formar seu círculo protetor, começou a entoar as palavras, sozinha.

> *Ar que gira e me rodeia, se levante agora*
> *Forme o vento que grita, geme e chora.*
> *Terra embaixo do mar, comece a tremer*
> *Muros de água forme, para me proteger.*

E jogou as mãos para cima, em meio à ventania que se formou ao redor dela. Seus cabelos se levantaram com o vento, formando selvagens chicotes vermelhos. E, ao clamor da sua voz, as calmas ondas da enseada começaram a se erguer, tornando-se mais altas a cada instante que rebentavam na praia.

O mundo rugiu, então, de modo ensurdecedor.

Girem, tragam sua força e que ela agora tudo sobrepuje
Ataquem aqui, ar, terra e o mar, que se levanta e ruge
Chama que dentro do meu sangue se agita e treme
Ordeno que forme em volta um circulo que queime
Agora que você saiu da névoa em corpo denso
Venha aqui, se ousar, para enfrentar meu fogo intenso.

Uma bola de fogo branco foi arremessada através do céu, resplandecendo como um cometa e formando um violento arco. Um segundo antes de atingir o solo, com fúria, ela viu o lobo preto encolher-se e voltar para dentro da névoa.

— Covarde! — gritou ela, comandando de modo selvagem o chicote de seu próprio Poder.

— Mia... — A voz de Sam estava firme como uma rocha. — Você consegue fazer com que ele recue?

— Acabei de conseguir isso.

— Não, querida. Estou falando do vagalhão que se aproxima.

— Ah... — Ela observou a muralha de água que chegava, resoluta. Era uma onda assustadora, que já tinha atingido mais de seis metros de altura e continuava vindo, enquanto as mandíbulas do vento abriam terríveis dentes em sua crista. Mia levantou os braços, focando sua energia em direção a ela como se estivesse apontando um rifle. Então, arremessou toda a carga energética.

A onda se dissolveu instantaneamente em um chuveiro de gotas prateadas. A chuva fria que seus pingos formaram caiu sobre a areia, por sobre seus cabelos e sua pele, enquanto ela girava seu punho fechado e comandava o vento para trás.

A noite, mais uma vez, ficou calma e clara como vidro, com a brisa brincando de leve, como se fosse uma fada.

Lançando a cabeça para trás, ela engoliu ar, enquanto o calor de seus poderes voltava para dentro de seu sangue.

— Bem, acho que isso deu a ele um gostinho, não foi?

Sam anda estava com os dedos enterrados no ombro dela, como estivera o tempo todo, desde que ela saíra de trás dele.

— Há quanto tempo você vem treinando esse encanto?

— Bem, na verdade, essa foi a primeira vez que fiz tudo ao mesmo tempo. — E, expirando em um sopro, quase rindo: — Devo dizer que foi melhor do que fazer sexo,

E, ouvindo a gritaria e os passos apressados que vinham descendo pela trilha do barranco, Mia se virou calmamente para tranquilizar os amigos.

— Você tem certeza de que está bem? — perguntou Nell.

Mia agarrou-lhe uma das mãos e respondeu:

— Eu estou muito bem.

— Bem, eu preciso beber alguma coisa. — Ripley abriu uma cerveja, oferecendo a Mia. — Você quer?

— Não, obrigada. — Ela já estava se sentindo maravilhosa e gloriosamente embriagada.

— Um pouco de limonada para a pequena mamãe. — Ripley serviu-lhe um copo. — E agora sente em algum lugar e fique quieta, Nell. Você está me deixando nervosa.

— Acho que a gente devia ir até lá embaixo, para ver o que eles estão fazendo.

— Ah, deixe-os lá, se divertindo com seus brinquedos. — Inquieta, Ripley andava pela varanda, de um lado para o outro. Mac e os outros homens haviam carregado equipamentos até a praia. Mesmo dali de cima dava para ouvir os apitos, bips e guinchos eletrônicos.

— Aquele foi um encanto e tanto, ainda mais com todo aquele vento. Você parecia Glenda, a bruxa boa de *O Mágico de Oz*. Como se sentiu?

— Importante. — Os lábios de Mia curvaram-se para cima de forma lenta, mostrando um pouco de orgulho. — Mesmo fazendo a conexão às pressas, no último instante, foi uma sensação fantástica. Isso, no entanto, sempre me deixa com um gostinho de quero mais.

— Zack vai se dar muito bem mais tarde — completou Nell, rindo, mas imediatamente parou de falar. — Como é que a gente pode ficar aqui rindo e pensando em sexo? Aquilo foi aterrorizante, Mia. Não conseguimos chegar até onde você estava. O vento que surgiu parecia mais um tornado.

— Uma pequena brisa de verão não teria resolvido. E vocês conseguiram chegar até mim, afinal. Senti a presença de vocês. — Com as mãos agarradas no gradil, ela se apoiou, com o rosto voltado para o céu. — Foi como se mil corações estivessem batendo dentro de mim, mil vozes em minha cabeça. Cada célula, cada músculo, cada gota de sangue dentro de mim adquiriram vida. Foi quando ele olhou para mim e rosnou. — Ela se virou. — Naquele momento, senti medo.

— Talvez agora tudo tenha terminado — disse Nell.

— Não. Ainda não. — Mia balançou a cabeça para os lados.

— Se já terminou ou não, eu tenho que dizer uma coisa. — Ripley terminou de beber a cerveja. — Não sabia que você tinha tanto Poder, e olha que eu a conheço a vida inteira. Vendo o que eu vi esta noite, consegui compreender melhor por que você sempre foi tão meticulosa e cuidadosa. Esse é um poder de fogo, grande demais para administrar.

— Isso é um elogio?

— Apenas uma observação. Com uma etiqueta de aviso: Espere por nós da próxima vez, entendeu? — Pegou mais três cervejas. —Agora, o recreio acabou. Vamos até lá ver o que Mac e seus amigos descobriram.

Na praia, Mac estava com um monte de sensores e monitores em toda parte, e cabos espalhados sobre a areia. Sentado no chão, martelava freneticamente o teclado de seu laptop.

Carregar juntos todo o equipamento lá para baixo e instalá-lo no lugar que Mac determinou tinha ajudado. Só que Sam precisava de alguma atividade mais física e exigente para aliviar a tensão.

— Olhe, Mac. Isso tudo é legal e interessante, mas que diacho esses aparelhos estão fazendo?

— Medindo, fazendo triangulação de dados, documentando tudo. — Mac bateu em mais teclas e franziu os olhos por trás dos óculos para ver melhor um monitor próximo. — Gostaria de ter tido tempo de pegar a câmera para gravar aquilo. Meu palpite é de que a onda tinha mais de seis metros. Mas é só uma estimativa, porque eu vi lá de cima.

— Acho que seis metros é pouco — disse Sam, baixinho. — Mas é só um palpite de quem viu daqui de baixo.

— Hummm... Ah! — Mac continuava a olhar para a leitura dos termômetros. — Qual é o seu palpite com relação à temperatura ambiente no centro do fenômeno, no momento do clímax?

— Temperatura ambiente? — perguntou Sam, que olhou meio perdido para Zack, que simplesmente encolheu os ombros. — Sei lá, ficou quente à beça.

— Mas era um calor seco ou úmido? — perguntou Zack, debochando, e Sam começou a rir.

— Vocês estão rindo, mas tem diferença, sabiam? — Mac colocou os óculos sobre a testa e franziu as sobrancelhas. — A temperatura ambiente em torno das energias negativas despenca. O ar fica gelado. Para tentar reconstruir e calcular os choques iônicos, assim como a direção da força dominante, é preciso obter uma estimativa razoável da temperatura em torno.

— Ficou muito quente — repetiu Sam. — Agora, quantos graus eu não sei, droga. Sou um bruxo, não um meteorologista.

— Muito engraçado. Então pegue aquele sensor ali e me diga o valor da leitura no lugar em que a bola de fogo caiu. Ei... Uau! — No momento em que uma das máquinas começou a zumbir como se fosse uma colmeia, ele perdeu o equilíbrio e quase tropeçou em um cabo; em seguida, saiu correndo na direção em que as mulheres estavam chegando, ainda descendo a escadaria que ia dar na praia.

— Ah, eu devia saber disso. — E balançou a cabeça, agachado, para conseguir ver melhor os valores.

— Vou dar uma olhada dentro da caverna — informou Nell a Mac. — Quero ajudar em alguma coisa, se puder.

Ele grunhiu alguma coisa, depois apontou um dedo em direção a Mia. Divertida com sua empolgação, ela foi se aproximando, finalmente parando quando ele levantou a mão de repente.

— Uau, garota! — disse ele. — Olhe para isso! Olhe só para isso! É fenomenal! Você está fazendo algum encantamento neste instante, em silêncio? Ou está com alguma coisa trabalhando sob o seu Poder, ativamente, em algum outro local?

— No momento, não. Por quê?

— Os registros de suas leituras estão alcançando picos inacreditáveis. Estão em toda parte, e sempre na parte alta da escala. Sei que você sempre teve registros altos, mesmo em repouso, mas isto aqui é uma explosão de energia. Espere um instante. Quero medir seus sinais vitais.

E tirou a pressão dela, mediu a temperatura do seu corpo, e estava estudando a fita com as medidas das ondas cerebrais quando o resto do grupo se juntou em redor deles.

— Como é que você consegue fazer isso? — A voz de Mac estava calma, agora, e séria.

— Fazer o quê, Mac? — Mia se inclinou em direção a ele, imitando o seu tom de voz e fingindo inocência.

— O nível de energia que está dentro de você neste momento faria a maioria das pessoas sair quicando pelas paredes de uma sala. Seus sinais vitais, no entanto, estão dentro dos padrões normais. E você está sentada aqui comigo, calma como um bloco de gelo, há dez minutos.

— É que tenho um controle admirável, Mac. Agora, devo informar a todos que estamos tendo uma noite agradável e muito movimentada, mas eu realmente preciso ir embora. — Levantou-se com um suave movimento que era pura graça e limpou a areia que ficara grudada em sua saia. — Vou ter um dia cheio amanhã.

— Por que não dorme aqui conosco, no quarto de hóspedes?

— Você não precisa se preocupar comigo, Mac.

— Mas ainda não acabou. Você sabe disso?

— Sei, sei que ainda não acabou. Mas, por esta noite, foi o bastante.

Capítulo Dezesseis

Mia não conseguiu dormir, nem esperava outra coisa. Em vez disso, colocou toda aquela borbulhante energia em uso. Fez um pouco de mágica na cozinha, preparou alguns feitiços de bolso. A seguir, poliu a mobília, raspou o piso e o encerou. Depois, fez as unhas.

Ao amanhecer, estava em seus jardins, selecionando e cortando com uma tesoura as flores que queria para decorar a loja.

Ao chegar na "Livros e Quitutes", às oito em ponto, seus níveis de energia não demonstravam nenhum sinal de diminuição.

Nell, confiável como o nascer do sol, chegou às nove, carregada de suprimentos.

— Você está com uma aparência incrível — disse Nell, enquanto Mia a ajudava a transportar as caixas e recipientes.

— Eu me sinto incrível. Hoje vai ser um grande dia.

— Mia. — Nell colocou a imensa caixa com o bolo sobre a mesa, ao lado das bebidas. — Eu confio em você. Mas não é do seu feitio ser tão indiferente a respeito do que aconteceu na noite passada. Aquele nível de Magia, aquela dimensão...

— Foi como segurar um dragão pela cauda — completou Mia. — Encaro o que aconteceu com muita seriedade. É uma onda que vou ter que seguir, irmãzinha. Fisicamente, nem tenho escolha. Só que isso não quer dizer que não esteja atenta ou que esteja subestimando aquela força, sem saber que o que está chegando é ainda mais potente.

Um dragão pela cauda?, pensou Nell. *Parecia mais uma manada deles.*

— Vi de perto o que você conseguiu invocar a noite passada. Senti um fragmento da energia passar por dentro de mim. Foi apenas uma fração, mas foi emocionante. Agora você está aqui, preparando a loja para a festa de autógrafos como se fosse a coisa mais importante que tem pela frente.

— No dia de hoje, é. — Pegou um empanado de maçã em uma das caixas. — Nossa, parece que não consigo parar de comer. Trata-se apenas de canalizar a energia, Nell, o que eu imagino que você tenha feito habilmente com Zack na noite passada. — Sorriu de leve enquanto mordia um dos folheados. — Eu, no decorrer dos anos, consegui praticar bastante a arte de encontrar outros caminhos que não fossem o sexo para canalizar as energias. Hoje de manhã o piso de minha cozinha estava tão limpo que dava até para comer nele.

— Eu achei que Sam e você iriam para casa juntos.

— Eu também. — Com olhar pensativo, Mia lambeu um pouco do açúcar que ficara na ponta dos dedos. — Aparentemente, ele tinha outras coisas para fazer.

— Depois que você foi embora, Mac fez medições em Sam. Ele não gostou. Zack teve que insultá-lo para que aceitasse. Você sabe, do jeito que os homens fazem.

— Questionando o tamanho e a energia do pênis dele.

— Basicamente. E também chamando-o de *Mary.*

— Ah, sim. — Mia deu uma risada e mais uma mordida. — Isso sempre funciona.

— As leituras de Sam estavam quase tão elevadas quanto as suas.

— Sério? — Ainda faminta, Mia avaliava a ideia de comer mais um empanado.

— A teoria de Mac, ou pelo menos uma delas, é que Sam estava no ponto zero e absorveu um pouco da energia que voou em volta. Agora, é claro, ele quer esperar alguns dias para fazer novas medições em Sam, para comparação. Anotar seus padrões de normalidade e assim por diante.

Mia desistiu de lutar contra a dieta, pegou mais um doce, e disse a si mesma que mais tarde feria uma hora extra de ioga.

— Sam não gosta dessas coisas.

— Não, de fato ele não gostou nada. Mas tenho a impressão de que vai cooperar. Mac é muito persuasivo; usou você para convencê-lo.

— Usou a mim?

— Disse que todos os dados são essenciais, que cada pedacinho de informação tem uma função no todo e ajuda, não fique brava com isso, a *proteger* você.

Mia esfregou os dedos para tirar o resto de açúcar e ficou admirando o tom coral que usara para pintar as unhas.

— Será que ontem à noite eu deixei a impressão de que precisava de proteção?

— É que eles são homens — disse Nell, com simplicidade, querendo justificar, e isso restaurou o bom humor de Mia.

— Bem, não conseguimos aturá-los, mas também não podemos transformá-los em asnos.

Com os preparativos na "Livros e Quitutes" sob controle, Mia desceu até o cais para esperar a barca das dez. Reparou que o cão de Pete Stubens tinha escapado da coleira mais uma vez e estava correndo em volta das docas com os restos de um peixe pendurado na boca.

Avistou o barco de Carl Macey no cais e imaginou que ele e sua tripulação deveriam estar descarregando uma remessa mais fresca e mais apetitosa de pescado.

Pensou em ir até lá e pedir-lhe para separar um peixe graúdo para ela pegar mais tarde. Pelo visto, seu apetite insaciável ainda estaria tão forte no final do dia como estava naquele momento.

— Oi, Sra. Devlin! — Dennis Ripley freou a bicicleta a poucos milímetros dos sapatos de grife de Mia.

— Oi, Sr. Ripley.

O menino sorriu, como sempre fazia. Estava crescendo depressa, Mia avaliou, e já parecia um varapau, de tão alto e magro. Estava começando a entrar na fase dos braços compridos e cotovelos desajeitados. Em poucos anos, já estaria circulando por toda a ilha em algum carro de segunda mão, em vez de usar a bicicleta.

E a ideia a fez suspirar.

— A minha mãe vai lá na sua loja hoje, para ver aquela moça escritora.

— Que bom saber disso.

— Minha tia Pat, que trabalha no hotel, contou que reservaram o melhor quarto para ela. Tem até banheira de hidromassagem e uma TV dentro do banheiro.

— É mesmo?

— Ela disse que os escritores ganham montanhas de dinheiro e levam vida de milionário.

— Suponho que alguns deles, sim.

— É tipo o Stephen King. Os livros dele são muito legais. Talvez eu escreva um livro um dia, e a senhora vai poder vendê-lo na sua loja.

— Nesse caso, nós dois vamos ficar ricos. — Ela puxou a aba do boné dele para baixo, o que o fez soltar uma gargalhada.

— Só que eu prefiro jogar no time dos Red Sox. Agora, preciso ir.

E saiu a toda, assobiando para chamar o cão de Pete, que foi correndo atrás dele. Mia se virou para olhá-los melhor e deu de cara com Sam.

Nenhum dos dois falou nada, por um instante, mas o ar entre eles pareceu estalar.

— Oi, Sra. Devlin.

— Oi, Sr. Logan.

— Desculpe-me, só por um momento. — Ele enlaçou os braços em volta de Mia, apertando-lhe a parte de trás do vestido com os dedos, e esmagou-lhe a boca de encontro à sua.

E o ar pareceu chiar como uma frigideira.

— Acabei não conseguindo fazer isso ontem à noite — esclareceu ele.

— Hoje ainda está valendo. — Os lábios dela vibraram com o calor dele.

Mia se afastou um pouco, um teste de resistência devido à energia que borbulhava dentro dela, e notou que a barca já vinha se aproximando em direção às docas.

— Bem na hora — comentou ela.

— Precisamos conversar a respeito de ontem à noite.

— Sim, é verdade: precisamos conversar a respeito de muitas coisas, mas hoje não.

— Amanhã, então. Nós dois vamos estar menos... distraídos.

— Isso é um eufemismo? — perguntou Mia, divertindo-se e dando um passo em direção à barca, que já estava atracando.

Um sedan preto desceu lentamente pela plataforma de desembarque e virou para o lado esquerdo. Antes mesmo que o motorista tivesse a chance de saltar e dar a volta para abrir a porta de trás, esta se escancarou, e uma linda loura saltou lá de dentro.

Deu um grito de alegria e veio correndo, rindo. Só faltou pular no colo de Sam. O beijo em seu rosto foi um gemido barulhento e audível, uma espécie de *mmmmm!* com um som de rolha no final.

— Ai, meu Deus, que bom ver você! Como foi que conseguiu ficar ainda mais bonito? Nem posso acreditar que estou aqui, na sua ilha. Fiquei pensando nisso durante mais de uma semana. Só assim consegui aguentar a turnê de guerra para o lançamento do livro. Deixe-me dar outro beijo em você.

Ah, claro, vamos nos beijar, pensou Mia secamente, enquanto observava a nova sessão de beijos. Caroline Trump era tão atraente em pessoa quanto nas contracapas de seus livros. Uma cascata ondulante de cabelos louros, da cor do sol, emoldurava um rosto bonito e travesso, aquecido por olhos cor de mel e dominado por uma boca bem delineada em um tom rosado. Uma boca que, Mia reparou, estava naquele momento fundida à de Sam.

Tinha o biotipo jovem e atrevido de uma animadora de torcida de escola ginasial, embora, segundo os dados oficiais, já estivesse com 36 anos.

Os dados, porém, não haviam mencionado que ela e Sam haviam sido amantes.

— Conte-me tudo o que tem feito! — exigiu Caroline. — Mal posso esperar para conhecer o seu hotel. Temos que encontrar uma brecha na programação para que você possa me mostrar este lugar, Sam. É lindo! A sessão de autógrafos provavelmente vai ser um fracasso. Só Deus sabe por que esses editores programam eventos sacais como este em um buraco escondido — falou, como se estivesse pensando em voz alta. — Enfim, acho que vou encurtar as coisas para me livrar de tudo mais cedo. Aí, então, quero ir à praia com você.

— Continua falando como uma matraca, hein? — disse Sam, afastando-a devagar e apertando-lhe os ombros. — Seja bem-vinda à Ilha das Três Irmãs. Caroline, esta é Mia Devlin, dona da "Livros e Quitutes".

— Opa! Dei um fora. — Caroline girou seu sorriso contagiante na direção de Mia. — Acho que eu realmente falo demais. Abro a torneira e esqueço de fechar. Não quis falar mal da sessão de autógrafos. — E tomou a mão de Mia, apertando-a com força. — É que estou toda ligada. Não via este bonitão sexy aqui há mais de seis meses, e ainda por cima já tomei um balde de café só agora de manhã. Não sei como lhe agradecer por me receber em sua loja.

— O prazer é todo nosso — respondeu Mia, com uma voz tão macia que fez Sam franzir a testa. A seguir, conseguiu escapar do aperto de mão de Caroline. — Espero que a viagem de barca do continente até aqui tenha sido agradável.

— Foi ótima, obrigada. Eu...

— Então só me resta adicionar meus votos de boas-vindas aos de Sam, e a seguir devo deixá-la para que possa se acomodar. Se houver alguma coisa de que precise, é só me procurar na "Livros e Quitutes". Até logo, Sam. — E, com um aceno de cabeça altivo, saiu.

— Ai, meu Deus, que furo! — Caroline bateu com o punho fechado na própria testa. — Sou uma imbecil. Posso começar a ter aulas de boas relações entre autores e livreiros.

— Não se preocupe com isso — disse Sam. Ele é que se preocuparia, mais tarde. — Agora vamos direto para o hotel. Acho que você vai gostar da sua suíte.

Uma hora mais tarde, Sam resolveu enfrentar bravamente o fogo inferno e foi até a "Livros e Quitutes".

— Lá em cima — berrou Lulu, sucintamente, sem levantar olhos ocupados em registrar algumas compras. — Ela está arrancando os cabelos!

Ele a encontrou dando instruções à funcionária extra que contratara para aquele dia, junto do balcão do caixa.

Não estava arrancando os cabelos, pensou; parecia uma eficiente proprietária que cuidava de detalhes de sua loja. Por outro lado, Lulu a conhecia bem demais.

Ela se afastou para reabastecer o estoque de livros que os primeiros clientes já tinham levado, na área de compras.

— Sua convidada VIP já se instalou?

— Já. Está trocando de roupa. Vou voltar daqui a pouco, para levá-la para almoçar.

— Espero que a nossa pequena sessão de assinaturas não interfira muito com os aspectos sociais do reencontro de vocês.

— Não podemos falar a respeito disso em algum lugar mais privativo?

— Temo que não. — Ela se virou, lançando um sorriso profissional para uma cliente que naquele momento pegava mais um dos livros da estante. — Não se esqueça de preencher o cupom para concorrer ao sorteio dos prêmios — lembrou Mia à cliente. — Como pode ver — continuou, voltando-se para Sam —, estou muito ocupada, organizando o evento sacal no meu pequeno buraco escondido, para ficar de papo com você.

— Ela não pretendia ofendê-la, Mia.

— Não na minha frente, pelo menos. Não precisa ficar defendendo nem explicando nada de sua *amiguinha* para mim. Em nenhuma situação.

— Eu ia sugerir que você se juntasse a nós para o almoço. — Ele nem piscou diante do olhar longo e lento que Mia lhe lançou. — Justamente para dar a ela a chance de consertar a desastrosa primeira impressão que deixou.

— Não apenas seria preciso muito mais do que um almoço para consertar isso, como eu também não tenho tempo e nem vontade. E certamente não estou interessada em fazer parte desse pequeno *ménage à trois*, por mais civilizado que ele seja.

Certo, pensou ele, então vamos explicar uma coisa de cada vez.

— Olhe, Mia, Caroline e eu não estamos envolvidos desse jeito há muito tempo. E eu não gosto de ficar explicando esse tipo de coisa no meio de uma loja movimentada.

Ela o cutucou para fora do caminho a fim de ter a chance de falar com alguns turistas que acabavam de entrar e pareciam perdidos.

— Bom dia! Espero que fiquem para o evento que teremos aqui na loja, à tarde. — Ela pegou um livro para lhes mostrar. —A srta. Trump estará aqui para um debate sobre seu novo romance e depois vai autografá-lo.

No momento em que terminou sua pequena propaganda e deixou os clientes olhando para o cartaz e a estante especial, com os livros, Mia notou que Sam já tinha ido embora.

— Esse evento vai ser um fracasso, não é? Uma ova que vai! — murmurou Mia.

— Vou ser tão charmosa que ela vai se esquecer do fora que eu dei na chegada.

— Pare de esquentar a cabeça com isso, Caroline.

— Não consigo. — Comeu então um pouquinho da salada Cobb, desanimada. — Vou me sentir magoada se você tiver esquecido que esse é o meu jeito. Esquentar a cabeça para mim é como respirar. Vou conquistar a simpatia dela, antes de ir embora, você vai ver.

— Coma seu almoço.

— Estou nervosa. Ela me deixou nervosa. Meu Deus, Sam! Eu só fiquei tagarelando.

— Você sempre fica tagarelando — deixando o café de lado, ele atacou a salada dela.

— Não senhor! Eu bato papo. Tagarelar é diferente. Ela é a tal, não é?

— A tal o quê?

— A tal namorada especial que você estava sempre lembrando. — Com a cabeça tombada um pouco para o lado, Caroline o analisava. — Eu sempre soube que havia alguém realmente especial. Dava para sentir, mesmo quando estávamos juntos.

— É, ela é a tal namorada especial, sim. Como vai o Mike?

— Ahh! — Ela balançou os dedos na sua frente para que ele pudesse ver com detalhes a aliança de casamento que reluzia, ainda nova. E embora fosse a segunda aliança que usava na vida estava determinada a garantir ser a definitiva. — Mike é fantástico, Sam. Sente saudades quando estou em turnês, o que é bom para o meu ego. Vou trazê-lo para passar umas férias aqui, que é maravilhoso. E — acrescentou ela— você mudou de assunto para me distrair. Não quer conversar a respeito de Mia Devlin.

— Você está linda, Caroline. Está feliz, é bem-sucedida, e eu realmente adorei seu novo livro.

— Está bem, não vamos falar dela. Quer dizer que você não vai mesmo voltar para Nova York?

— Não, não vou voltar.

— Bem. — Ela olhou em volta do salão de jantar do hotel. — Você tem um lugar magnífico, aqui.

E, analisando o retrato das três mulheres, virou o rosto para Sam com um olhar questionador. Ao ver que ele simplesmente continuava a comer, atirou o guardanapo sobre a mesa.

— Tenho que ir até lá para tentar fazer com que ela goste de mim ou não vou conseguir me acalmar.

— Acho que jamais vi você calma. — Então ele se levantou para acompanhá-la, fazendo um sinal discreto para o garçom. — Você ainda tem bastante tempo para dar uma volta pela cidade.

— Não, vamos logo resolver isso. Vou para lá, pois quero começar a sessão de autógrafos agora. Mais tarde a gente dá uma volta.

Ele a conduziu pelo saguão até a porta, e desta para a calçada.

— É um prédio magnífico! — disse ela, olhando o exterior da "Livros e Quitutes". Em seguida, respirou fundo e levantou os ombros. — Bem, vamos lá.

— Ela não vai cair com garras em cima de você, Caroline. Esperou por uma folga no trânsito, antes de acompanhá-la para atravessar a rua. — Mia quer que esse evento seja um sucesso total tanto quanto você.

— Meu caro, você não sabe como são as mulheres. — Caroline entrou na loja e piscou, encantada. — Uau! Que lugar! Uma livraria de sonho. E estou em toda parte. Nossa, Sam, está lotada! Não posso acreditar que eu disse que este lugar era antiquado e caído.

— De fato você não disse. Suas palavras foram: "evento sacal em um buraco escondido".

— Certo, certo. Será que eu mencionei também que sou uma imbecil?

— Sim, mencionou. Lulu, quero lhe apresentar Caroline Trump.

— Fico feliz por ter vindo. — Lulu entregou uma sacola cheia de livros a um cliente e esticou a mão. — Vivo pedindo os seus livros aos montes e fazendo estoques como se eles fossem entrar em extinção. Li o novo na semana passada. Tem muita força.

— Obrigada. Adorei a loja. — Ela girou, fazendo um círculo com o corpo. — Ai, quero vir morar aqui dentro. Olhe só para aquelas velas. Que coisa linda! Sam, preciso de dez minutos.

Quando ela se afastou, ele se encostou à parede e ficou olhando com carinho para tudo em volta, enquanto Caroline passeava pelos corredores, entre as estantes. Levou quinze minutos, mas afinal ele conseguiu conduzi-la ao andar de cima.

— Bem, já conseguiu fazer Lulu gostar de você — comentou.

— Essa é uma vantagem secundária. O estoque de livros é bastante grande, e não é só a escolha dos títulos que impressiona, mas também os produtos associados. Tudo aqui transpira classe. E olhe só isto!

— Parou no último degrau, fascinada.

A multidão era imensa. As mesas já estavam todas ocupadas, bem como as cadeiras extras. Acima do murmúrio da conversa, ela ouviu a voz densa e firme de Mia anunciar o nome dela e o horário do evento.

— É espantoso que ela não tenha me chutado para fora daqui — murmurou Caroline. — Olhe só, deve ter mais de cem pessoas aqui em cima.

— Já que está determinada a se sentir péssima, deixe-me dizer que Mia trabalhou muito para isso. Agora, passe essas informações, e tudo o que você está achando, para a sua agente. Conseguir trazer outros autores importantes para lançamentos na "Livros e Quitutes" vai ser a melhor maneira de desfazer o fora que você lhe deu na chegada.

— Pode ter certeza de que farei isso. Muito bem, lá vem ela.

Caroline usou seu melhor sorriso e caminhou na direção de Mia.

— Você tem a loja mais incrível que eu já vi. Só queria saber se há alguma coisa que eu possa fazer para compensar o fato de ser uma idiota.

— Não pense mais no que aconteceu. Quer que eu lhe traga alguma coisa para beber ou algo para beliscar? Temos muito orgulho da nossa cafeteria.

— Será que tem cicuta ou algo mais venenoso?

— Bem, podemos conseguir — disse Mia, apoiando a mão no ombro dela.

— Acho que vou aceitar uma Coca Light, e você pode me colocar para trabalhar.

— Temos um grande número de exemplares da pré-venda. Se quiser começar por eles, vai sobrar mais tempo para ir à praia, depois. Vou levá-la à nossa sala de estoque, para você se instalar. Pam! — chamou Mia a moça que estava servindo às mesas. — Será que você poderia levar uma Coca Light para a Srta. Trump? Estaremos na sala do estoque. Sam, se você vai ficar, é melhor procurar uma mesa. Venha comigo, Sr. Trump.

— Caroline, por favor. Já participei de bastantes sessões de autógrafo para saber o quanto de tempo e trabalho é necessário para organizar uma festa como esta. Quero lhe agradecer.

— Nós é que estamos empolgados por tê-la conosco.

Caroline acompanhou Mia até a sala de estoque. Também já vira os bastidores de muitas livrarias, para reconhecer a organização impecável que via ali.

— Abri os exemplares na primeira página para facilitar o trabalho — começou Mia. — Se não estiver conforme suas preferências, podemos mudar.

— Todos estes exemplares são da pré-venda? — Caroline umedeceu os lábios.

— Sim. Cinquenta e três, pela última contagem. Estes aqui ao lado são de clientes que pediram uma dedicatória personalizada. Fui informada de que você personaliza as dedicatórias. É isso mesmo?

— Claro. Sem problemas.

— Os nomes estão nas pequenas etiquetas adesivas amarelas na capa. Segundo a sua agente, esta é a marca de caneta de sua preferência, e...

— Espere só um instante. — Caroline pousou a pasta em cima da mesa e se sentou em um banco alto, ao lado do balcão. — Nunca vendi mais de cem livros em uma tarde de autógrafos.

— Pois vai bater seu recorde.

— Estou vendo. Estou reparando também nos detalhes. A minha caneta preferida e as rosas cor-de-rosa, minhas favoritas, na mesa de autógrafos.

— Espere até ver o bolo.

— Bolo?! — Caroline parecia perplexa. — Você preparou um bolo? E me enviou uma espuma para banho maravilhosa, e velas... e foi até a barca me receber.

— Como disse, estamos empolgadas de tê-la conosco.

— Ainda não acabei. A sua loja, que por sinal é surpreendente e linda, está lotada de clientes, e grande parte deles está com o meu livro nas mãos. E você me odeia pelas coisas impensadas, rudes e estúpidas que eu disse.

— Não. Fiquei apenas *chateada* com você, pelas coisas impensadas, rudes e estúpidas que disse. Mas não a *odeio* por isso. — Mia foi até a porta para pegar o refrigerante gelado que Pam acabara de trazer.

— E também porque, há algum tempo atrás, eu estive envolvida com Sam.

— Bem — com um tom gentil e agradável, Mia lhe ofereceu a bebida —, naturalmente eu a odeio por isso.

— Parece justo. — Caroline provou o refrigerante. — Porém, já que Sam e eu não representamos mais nada um para o outro, além de sermos amigos há mais de quatro anos, e já que agora eu estou casada e feliz — ela balançou os dedos da mão esquerda —, e também pelo fato de que ele é vidrado em você, que por acaso é uma mulher lindíssima, esperta, inteligente e mais jovem do que eu, além de possuir sapatos ma-ra-vi-lho-sos, eu é que vou acabar odiando você ainda mais.

Mia a considerou por um momento.

— Isso me parece bastante razoável. — Ela entregou a caneta a Caroline. — Deixe que eu vou abrindo estes exemplares para você.

Quatro horas depois, Mia estava em seu escritório contabilizando o total das vendas. Na hora em que o editor ligasse para ela, na segunda-feira, a fim de saber do sucesso do evento, ia cair duro.

Nell entrou, se jogou em uma cadeira e acariciou a barriga que, tinha certeza, já estava começando a ficar redonda.

— Foi o máximo. Foi notável. Foi cansativo.

— Reparei que, mesmo com as bebidas grátis, a cafeteria teve um movimento muito bom.

— Nem me conte! — Nell deu um enorme bocejo. — Quer os totais?

— Vamos esperar a livraria fechar para somar tudo. Entretanto, já tenho o total de livros de Caroline Trump que foram vendidos durante a presença dela em nossa loja.

— E o total deu?...

Só o livro novo, inclusive com os exemplares da pré-venda? Duzentos e doze. Somando os outros títulos dela, inclusive os de pré-venda, chegamos a 303.

— Não é de admirar que ela tenha saído da loja tão maravilhada. Meus parabéns, Mia. Ela é uma pessoa ótima, você não achou? Engraçada e simpática, durante o debate sobre o livro. Eu realmente gostei dela

— Sim. — Mia bateu com a caneta na ponta da escrivaninha. — Eu também gostei muito. Ela é ex-namorada de Sam.

— Oh! — Nell se colocou reta na cadeira. — Oh!

— Depois de tê-la conhecido, foi fácil ver por que ele se sentiu atraído. Ela é muito inteligente, popular e dinâmica. Não estou com ciúmes.

— Eu não disse nada.

— Não estou, mesmo — repetiu Mia. — Só queria não ter gostado tanto dela.

— Por que não vem lá pra casa comigo? Podemos nos espalhar no sofá, conversar sobre homens e comer sundae com cobertura de chocolate quente.

— Já ultrapassei em muito a minha cota de açúcar por hoje, o que provavelmente explica o fato de eu estar me sentindo um pouco irritada. Pode ir para casa. Eu ainda vou ficar para terminar. Depois, pretendo ir para casa para dormir por doze horas.

— Se mudar de ideia, a calda de chocolate é caseira. — Nell se levantou. — Você fez um trabalho e tanto, Mia.

— *Nós* fizemos. Foi realmente um trabalho estupendo.

Voltou ao teclado do computador e trabalhou até as seis horas. Ficar concentrada nas tarefas práticas do dia-a-dia deu à sua mente a chance de andar em círculos e considerar a situação. E lhe deu também a oportunidade de admitir que o zumbido que ainda vibrava dentro dela não ia se acalmar por si só.

Diante das alternativas que tinha, não viu razão para não escolher a mais atraente.

Sam despiu a roupa e colocou um short velho e desfiado na bainha. Em seguida, foi avaliar as sobras da comida chinesa que estavam na geladeira. Continuava, como tinha estado durante todo o dia, faminto. Pensou em talvez pedir uma pizza ou uma guarnição de bife bem suculento para acompanhar os ovos recheados e o risoto.

Sentira um grande alívio quando Caroline recusou o convite para jantar. Mesmo gostando dela, seu cérebro não ia suportar uma noite inteira de lutas para se manter concentrado na conversa.

Quanto mais depois de um dia como o que ele enfrentara. Ou uma noite como a anterior.

Ele tinha nadado por mais de uma hora, sem parar, depois de ter ajudado Zack a carregar todo o equipamento de Mac de volta até sua casa. Depois daquilo, tinha dado uma passada no hotel, antes de ir para casa, e fora direto para a sala de musculação. Malhara vigorosamente por mais uma hora, fazendo tudo o que podia para queimar energia. Depois, atravessou a piscina do hotel umas cinquenta vezes, encerrando tudo com uma ducha gelada.

E mesmo assim não conseguiu dormir a noite toda.

Depois da sessão de autógrafos, levara Caroline de volta ao hotel, onde ela comentara que ia tomar um longo banho de espuma. Usara o equipamento de musculação do hotel mais uma vez e suara muito. Fora para o chuveiro. Depois, passara mais uma hora nadando.

E seu sistema nervoso ainda não estava totalmente equilibrado.

Sam não gostava de tomar remédios para dormir, mesmo os preparados por ele mesmo. Chegou à conclusão, porém, de que aquela era a única solução possível.

Ou pelo menos a única solução prática, corrigiu. A mais satisfatória teria sido, sem dúvida, encontrar-se com Mia, arrastá-la para algum lugar, arrancar-lhe as roupas fora e gastar aquele excesso de energia em uma rodada de sexo louco e selvagem.

O que o levaria de volta à estaca zero no seu plano de tentar construir uma ligação com ela que não estivesse baseada apenas em sexo louco e selvagem.

Simplesmente não sabia o que mais o seu sistema nervoso sobrecarregado poderia aguentar.

Resolveu se arranjar com pizza.

Fechou a porta da geladeira e foi em direção ao telefone. E quando a viu de pé nos fundos da casa, por trás da porta de tela, todo o seu corpo se retesou como um punho fechado.

Era bem-feito, pensou, de modo sombrio, por tentar domar seus hormônios enlouquecidos simplesmente desligando-a da mente por algumas horas.

Sua expressão ao vê-la, porém, foi tão descontraída e agradável quanto a dela no momento em que foi abrir a porta.

— Não esperava vê-la aqui. Pensei que a esta hora você já estivesse em algum lugar com os pés para cima e um drinque na mão.

— Espero que não se importe por eu ter chegado sem avisar.

— Claro que não. — Ele abriu a porta de tela, disposto a se comportar.

— Eu lhe trouxe um presente. — Segurava uma pequena caixa na mão, lindamente embrulhada em um papel azul-escuro, com um lindo laço branco em cima. — Da proprietária da "Livros e Quitutes" para o proprietário da Pousada Mágica. — Ela entrou quase desfilando, fazendo questão de deixar seu corpo roçar levemente no dele, ao passar.

E então sentiu um rápido tremor.

— Um presente?

— Em agradecimento pela sua participação em tornar o dia de hoje possível. Foi um enorme sucesso para todos os envolvidos.

— Caroline estava meio desnorteada quando chegou de volta ao quarto. E olhe que é preciso muita coisa para deixá-la abalada.

— Com certeza, você deve saber — comentou Mia.

— Ela é casada. Somos amigos. É isso.

— Você está muito sensível. — Estalou a língua no céu da boca. — Por que não me oferece um drinque e toma um você também?

— Tudo bem. — Pegou uma garrafa de vinho, arrancando a rolha com força. — Tive uma vida terrível na última década, Mia. Imagino que você também.

— Naturalmente. Quer que eu traga alguns dos meus antigos amantes para desfilar diante de você? — Para ajudá-lo, pegou dois cálices no armário. O olhar flamejante que ele lhe lançou a deixou muito satisfeita.

Ele seria mais fácil e mais divertido de seduzir se estivesse enfurecido.

— Não, não quero ouvir falar a respeito deles. E não fiz Caroline desfilar diante de você.

— Não, mas também não me disse com antecedência. Isso tornou tudo esquisito e irritante. Mas eu decidi perdoar você.

— Ora, viva! Obrigado.

— Agora você ficou irritado. Por que não me deixa servir o vinho e vai abrir o seu presente? Vamos ver se o seu humor melhora.

— Bater sua cabeça contra a parede é que faria o meu humor melhorar.

— Mas você é civilizado demais para esse tipo de coisa.

— Não aposte demais nisso. — Ele abriu a tampa da caixa e puxou um móbile de vento, feito de tolos sapos de latão.

— Achei esse móbile curioso e divertido, e combina com o chalé. É bem adequado também, já que eu estou com a adorável fantasia de transformar você em um desses, por alguns dias. — Ela deu uma batida com o dedo em um dos sapos, levando-o a dançar e bater melodiosamente de encontro aos irmãos. Então, pegou o vinho.

— É uma peça muito... diferente. Sempre que eu colocar os olhos nestes sapos, vou me lembrar de você.

— Tem um gancho na porta da cozinha. Por que não o pendura lá agora, para ver como é que fica?

Atendendo à sugestão dela, ele foi até o lado de fora e prendeu o móbile no gancho.

— Você está com cheiro de mar — disse ela, deslizando o dedo de cima a baixo pelo centro das costas nuas de Sam.

— Estive nadando.

— Ajudou?

— Não.

— Eu poderia ajudar. — E se encostou nele, mordendo de leve o seu ombro. — Por que não ajudamos um ao outro?

— Porque, se fizéssemos isso, seria apenas sexo.

— E o que há de errado com sexo?

Ela estava enevoando seus sentidos. Magia feminina. Ele se virou e a agarrou pelos braços.

— Antigamente tínhamos mais do que isso. Quero ter mais, novamente.

— Já somos velhos o suficiente para saber que não conseguimos tudo o que queremos. Pegamos o que conquistamos. — Ela espalmou a mão sobre o peito dele, sentindo surpresa quando ele recuou. — Você me quer, eu quero você. Para que complicar as coisas?

— As coisas sempre foram complicadas, Mia.

— Então vamos simplificá-las. Preciso de uma válvula de escape para o que aconteceu ontem à noite. Você também.

— Nós precisamos é *conversar* sobre o que aconteceu ontem à noite.

— Você anda muito interessado em conversas, ultimamente. — Ela jogou os cabelos para trás. — Nell tem uma ideia estranha de que você está me cortejando.

— Essa não é a palavra que eu usaria. — Um músculo saltou no seu maxilar. — Diria que estamos saindo juntos. Tenho saído com você para namorar.

— Nesse caso — ela cruzou os braços, desfazendo os laços do vestido que estavam presos sobre os ombros e deixando-o deslizar até o chão —, acho que a gente já namorou demais.

Capítulo Dezessete

Ele poderia jurar que o mundo parara de girar. Por um longo e agitado momento não se ouviu som algum, nem movimento. Não havia nada, apenas Mia, alta, cheia de curvas e maravilhosa. Toda alabastro e fogo, usava apenas um fino cordão de prata que descia até o espaço entre os seios, de onde pendia uma pedra da lua, e uma tornozeleira feita de minúsculos nós celtas, acima de sandálias que consistiam apenas em três tiras estreitas e um salto-agulha.

Ficou com a boca cheia d'água.

— Você me quer. — A voz dela era um baixo ronronar felino. — Seu corpo está doendo tanto quanto o meu. E o seu sangue está igualmente fervendo.

— Desejar você sempre foi a parte mais fácil.

— Então isso deveria ser como estalar os dedos. — Caminhou em direção a ele, deixando as mãos correrem acima de seu torso e sobre todo o peito. — Você está tremendo! — Chegando mais perto, roçou os lábios sobre os ombros dele, sentindo os músculos, que estavam duros como pedra. — Eu também.

— E é essa a sua resposta? — Suas mãos se fecharam.

— Não preciso de uma resposta quando não tenho uma pergunta. — Levantou a cabeça até seus olhos se encontrarem. — Tenho carências, tanto quanto você. Desejos, quentes e inquietos, dentro de mim. Tanto quanto você. Podemos conseguir o que precisamos, sem magoar ninguém.

Ela se encostou nele, dando uma mordida mais forte no seu lábio inferior. — Vamos dar uma volta no bosque.

Quando ele a puxou com força de encontro ao próprio corpo, o rosto dela se acendeu com o triunfo. Um gemido rápido e um quase-riso escaparam no momento em que ele a enlaçou nos braços. O momento da vitória era quente e doce.

— Aqui! — disse ele. — Nesta casa. Na minha cama.

As necessidades borbulharam na mente enevoada de Mia, apenas por um instante. Instante que foi suficiente para que ele atravessasse a cozinha antes que ela conseguisse reagir.

— Não, aqui não.

— Não pode ser sempre do seu jeito.

— Não vou ficar com você aqui. — No minuto em que ela atingiu a cama tentou rolar para o lado, mas ele a segurava firme.

— Sim, vai sim.

Ela lutou com ele. Por puro instinto, começou a se debater embaixo dele, esquivando-se, lutando contra a pressão de seu corpo. Ela podia sentir o perfume das alfazemas que plantara do lado de fora da janela, e a doçura da fragrância fez seu coração rachar.

Ela não tinha ido ali em busca de doçura, nem de intimidade. Tinha ido em busca de sexo.

Tentou recompor seus sentimentos, tentou conseguir controle e usar de zombaria.

— Tudo que provou é que tem mais força física do que eu.

— É. A vida é assim — disse ele. A voz dela talvez estivesse calma, mas a raiva estava querendo-lhe saltar da pele. — Não vou deixar você escapar desta vez, Mia. Considerando o estado em que nós dois estamos, lutar só vai deixar as coisas melhores. Então, lute comigo! — Ele levantou-lhe os braços acima da cabeça. — Não quero que seja fácil. E não quero que seja rápido.

Sam prendeu-lhe os punhos como se usasse algemas e usou sua boca sobre ela.

Ela continuava a lutar, porque ele estava certo. Ela devia amaldiçoá-lo por aquilo, mas ele estava certo. A sutil ameaça de violência adicionava uma emoção irresistível que lhe alimentava a carência inquieta. Poderia se odiar por desejar aquilo, pela parte dela que queria ser sobrepujada, conquistada, invadida. Mas não conseguia negar aquilo.

Ele a violentava, sua boca assaltando-lhe o corpo. A pequena guerra fez sua pele brilhar com gotículas de suor e seus sentidos se entrelaçarem e formarem uma massa de prazer derretido. Seu corpo girou, arqueou, mas ele sempre encontrava novos pontos sensíveis para torturá-la e envolvê-la.

A energia que a queimava por dentro a açoitava até o ponto de explodir e de rasgar em um grito que lhe saiu da garganta no momento em que ele a levou ao primeiro clímax brutal, apenas com a boca.

E aquele rápido e glorioso momento de relaxamento só serviu de combustível para a sua fome de querer mais.

Ele sentiu o corpo dela estremecer, ouviu sua respiração ficar em suspenso. Sob seus lábios a pulsação estava mais violenta. Sua carne estava úmida e perfumada, eroticamente quente e escorregadia. Saber que ela estava lutando contra só aumentava a cruel paixão que se agitava em seu sangue.

Ele a cavalgou, indômito, até ambos ficarem tremendo.

Quando sua boca conquistou a dela, o beijo foi uma loucura. Não havia pensamentos, nem lugar para a razão. Em uma batalha de lábios, línguas e dentes, eles alimentavam um ao outro. Quando ele a sentiu decolar pela segunda vez, liberou um pouco suas mãos para agarrá-la mais.

Marcaram um ao outro como com ferro quente, rolando rapidamente por cima da cama, em busca de domínio mútuo e mais prazer. O ar ficou denso, e o sol que penetrava através das janelas transformou-se em ouro.

Ela subiu e ficou por cima. Suplicando por ela, ergueu o corpo, mordiscando o seu seio com a boca. Sugando-a como se respirasse.

Ela se deixou perder no frenesi da sensação. Entregou-se àquela necessidade primitiva de possuir e ser possuída. Ali havia apenas desespero, e ele o único homem que conseguia fazê-la sentir aquilo. A glória daquela urgência animal e a instintiva sensação de estar viva correram por dentro dela.

O tempo começou a fluir mais depressa e a seguir passou por ela, no momento em que a tempestade dentro de seu corpo já ribombava novamente.

Sem fôlego, ainda girando, ela se enroscou nele, agarrando-se como se fosse à própria vida. Seu coração tremeu e ameaçou se partir em dois.

Ouviu seus murmúrios ásperos, enquanto o corpo dele escorregava sobre o dela, seus lábios agitados sobre seu rosto e sua garganta. Ela balançou a cabeça para os lados, em uma rápida negação daquilo, enquanto as palavras em idioma galês atingiam o seu coração dolorido.

Uma luz morna e azul pulsava, saindo dele.

— Não. Não faça isso.

Mas ele não conseguiu parar. O que haviam trazido um ao outro enfraqueceu seu controle. A necessidade de completar a intimidade estava em estado bruto e aberta dentro de si.

— *A ghra. A am.ha.in.* Meu amor. Meu único amor.

As palavras saíam de sua boca desencontradas e sem planejamento. Seu Poder brilhou, à procura de sua outra metade, enquanto seu corpo suplicava por mais. Mas quando ele esfregou os lábios sobre a face dela e sentiu o gosto de lágrimas, apertou os olhos, mantendo-os fechados.

— Desculpe. — Sua respiração estava ofegante, e ele enterrou o rosto nos cabelos dela. — Só um instante. Preciso só de um instante.

Ele lutava por readquirir o controle, para puxar a Magia de volta para dentro dele. Não importa o que tivessem sido um para o outro, não tinha o direito de forçá-la a compartilhar com ele aquela porção dela mesma.

Ela o sentiu tremer enquanto se debatia para recolher aquilo. Era algo que iria machucá-lo, ela sabia. Uma dor profunda e física, que vinha da negação do sangue e da privação do alimento da alma.

Mesmo assim, ele a segurava enquanto se trancava fora dela. Ainda a segurava enquanto ela ouvia a sua respiração se rasgar com a dor.

Ela não podia mais aguentar, pelo bem dos dois.

Levantando a cabeça, olhou-o dentro dos olhos, E lhe entregou sua Magia.

— Divida comigo — disse ela, trazendo-o para dentro do beijo. — Compartilhe tudo!

A luz dela começou a brilhar em um tom forte de vermelho, que contrastava com o azul cada vez mais forte dele. O tremor refulgente a inundou, alagando-a, enquanto os Poderes dos dois se entrelaçavam e se fundiam. E, ao se fundirem, jorravam de ambos. Ela se deixou flutuar sobre aquilo e se levantou em sua direção enquanto ele a preenchia por completo.

Ouviu-se um barulho forte como uma ventania, uma onda sonora que parecia o som de cem harpas dedilhadas ao mesmo tempo. O ar inchou. Tudo o que ela e ele eram se estendeu na amplidão.

O ar resplandeceu, luz contra luz construindo um foco de incandescência radiante. E enquanto ele se movimentava suavemente dentro dela, em longos e lentos espasmos que o faziam saborear o presente, tomou-lhe as mãos entre as suas. Com os dedos entrelaçados e apertados com firmeza, fagulhas começaram a explodir e a girar acima deles, para ficarem dançando no ar.

Enquanto escalavam aquela montanha de prazer, a luz se intensificou, aumentando mais e mais, até chegar ao ponto de explodir como um relâmpago. E, com aquela explosão, ele juntou sua boca com a dela, e os dois decolaram.

Sam enfiou o nariz na curva do seu ombro e esfregou o rosto no dela, sussurrando suaves e tolos murmúrios de ternura. O Poder dele continuava a sussurrar dentro dela também. O corpo de Mia parecia incrivelmente macio. E, embora seu coração continuasse a bater como um tambor, sabia que não batia mais apenas por ela.

O que foi que ela fizera?

Jogara de lado, por livre e espontânea vontade, a última de suas defesas. Acabara de dar-lhe tudo o que ela era e possuía e tomar tudo o que *ele* era.

Ela se permitira amá-lo novamente.

Burrice, pensou ela. Fora uma decisão burra, descuidada e perigosa.

Mesmo sabendo disso, permaneceu deitada ali com o peso dele contra ela, querendo puxá-lo mais para perto para se agarrar aos ecos oníricos do que haviam compartilhado.

Ela precisava sair, limpar a mente da imagem dele. E pensar no que fazer em seguida.

Levantou o ombro dele com a mão, tentando empurrá-lo. Mas seus dedos escorregaram pelos seus cabelos.

— Mia. — A voz dele era pastosa e sonolenta. — *Allaina.* — Tão macio e tão adorável. Fique comigo esta noite. Acorde comigo de manhã.

Seu coração estremeceu, mas, quando ela falou, sua voz estava rápida e firme.

— Você está falando em galês.

— Hmm?

— Você está falando em galês. — Então, deu-lhe um ligeiro empurrão no ombro. — Isto significa que vai desabar dormindo em cima de mim.

— Não, não vou. — Ele se levantou, apoiando-se nos cotovelos para poder olhá-la. — Você faz minha cabeça girar. — Ele pousou um beijo em sua testa e depois na ponta do nariz. — Fico feliz por você ter aparecido.

— Eu também. — Era difícil resistir à afeição fácil. — Agora tenho que ir.

— Uh-uh. — Brincando vagarosamente com o cabelo dela, analisou seu rosto. — Sinto muito, mas não posso permitir isso. E, se você tentar, vou ter que usar de firmeza com você novamente. Você sabe que gostou disso.

— Por favor. — Ela o empurrou, tentando deslizar de lado para se libertar.

— Gostou muito. — E, inclinando-se, mordeu suavemente o ombro dela.

— Talvez, diante das limitadas circunstâncias, eu tenha achado... excitante. Precisava descarregar o excesso de energia que o encanto de ontem à noite provocou em mim.

— Fale-me disso. — Ele pegou o queixo dela em suas mãos. — Estou falando sério. Quero que me fale a respeito. Só que agora estou morrendo de fome. Você não está faminta? Tenho algumas sobras de comida chinesa.

— Parece apetitoso, mas...

— Mia, precisamos conversar.

— Conversar não é apropriado, considerando que estamos deitados nus na cama e você ainda está dentro de mim.

— Aí é que está. — Ele deixou as mãos envolverem seus quadris, levantando-os e deslizando-se ainda mais fundo dentro dela. — Diga-me que vai ficar.

— Eu não... — Prendeu a respiração.

— Quero ver você decolar de novo. — E massageou seus quadris, mantendo as estocadas lentas e constantes. — Deixe-me ver você.

Deixou-a sem escolha. Explorava a fraqueza dela, drenando sua vontade com uma delicadeza sem misericórdia.

Ele a viu se render. E quando ela se elevou, em uma longa onda, tremulou através dele. E ele a levantou, envolvendo-a e puxando-a mais para perto dele.

— Fique.

Com um suspiro, ela repousou a cabeça sobre seu ombro.

— Eu gostaria de comer.

Acabaram com as sobras da comida chinesa rapidamente, depois começaram a catar outras coisas. Quando já estavam com as mãos no fundo de uma embalagem de cereais, a fome começou a diminuir. Sam pegou um último punhado de flocos de arroz.

— Magia forte e bom sexo. Nada melhor para aguçar o apetite — disse ele.

— Comi dois bolinhos, um sanduíche, bolo e uma tigela de *rotini*. E isso tudo foi antes do sexo. Passe isso para cá. — Ela pegou a caixa das mãos dele, escavando lá no fundo. — Foi um encanto muito poderoso.

— Agora que limpamos a minha cozinha de todos os produtos comestíveis, vamos dar uma volta no bosque.

— Está ficando tarde, Sam.

— Sim, está. — Ele pegou a mão dela. — Nós dois sabemos disso. — Olhou para os pés descalços dela. — E já que eu não vejo como você vai conseguir caminhar com aquelas sandálias que trouxe, talvez fosse melhor irmos para a praia, em vez do bosque. É mais fácil para os seus pés.

— Estou acostumada a caminhar descalça pela floresta.

Era melhor, pensou ela, lidar com aquilo. Enquanto estivessem conversando, comendo ou seduzindo um ao outro, ela não teria que pensar em amá-lo. Ou no que faria a respeito disso.

— Você quer que eu explique o encanto, e eu não sei se vou conseguir.

— Não quero todos os detalhes. — Ele a carregou através do gramado em direção às sombras e ao caminho. — Mas gostaria de saber, primeiro, há quanto tempo você sabia que tinha aquele tipo de Poder.

— Não estou certa de que sabia, isto é, não exatamente. Eu sentia — explicou ela. — É como se houvesse um interruptor dentro de mim à espera de ser ligado.

— Não é tão simples.

— Não, não é. — Ela conseguia sentir o cheiro das árvores e do mar. E em uma noite como aquela, pensou, dava para sentir o cheiro das estrelas. Era uma pincelada fria sobre os sentidos. — Trabalhei naquilo, estudei, pratiquei. Você sabe isso.

— Também sei que fazer aquilo do jeito que você fez na noite passada, sem uma preparação real, está além de qualquer coisa que eu tenha experimentado.

— Tenho me preparado durante toda a vida. — E, na última década, lembrou a si mesma, aquele tinha sido seu único amor. — Mesmo assim, não consegui acabar. Não foi suficiente. — E a determinação fortaleceu a sua voz. — Mas vou conseguir acabar com ele.

— É aí que temos um problema. O que você fez foi perigoso para você. Não precisava ser.

— O risco era mínimo.

— Se tivesse me dito o que podia fazer, o que já tinha obviamente planejado fazer assim que aparecesse uma oportunidade, eu poderia ter me preparado. Poderia ter ajudado. Mas você não quis e não quer a minha ajuda.

Ela não disse nada; passavam naquele momento pelo pequeno riacho onde o arbusto de dedaleiras se inclinava, nas margens.

É que já faz muito tempo desde a última vez em que eu pensei contar com a sua ajuda.

— Eu já voltei há dois meses, Mia.

— E esteve fora por dez anos. Aprendi a fazer muitas coisas sem você, nesse longo espaço de tempo. Sem ninguém — acrescentou —, já que Ripley se isolou de mim e de tudo o que compartilhávamos, durante o mesmo período. Peguei o que me tinha sido dado e o afiei, construí.

— Está certo, você fez isso. Fico me perguntando se você teria feito o mesmo se eu tivesse ficado aqui.

Ela se virou para ele, a raiva aumentando rapidamente no momento em que o pensamento lhe ocorreu.

— Isso é uma nova forma de racionalização? Um novo motivo para o que você fez?

— Não. — Ele encarou a fúria dela com absoluta calma. — Minhas razões para ir embora foram completamente egoístas. Isso não parece mudar o resultado. Você está mais forte do que estaria.

— E devo lhe agradecer por isso? — Virou a cabeça para o lado. — Talvez devesse. Talvez esteja na hora de reconhecer que a sua partida foi a melhor coisa para nós dois. Eu via você como o princípio e o fim da minha vida e tudo o que havia no meio. Mas você não era. Sobrevivi sem você. E quer você fique ou vá embora, vou continuar a viver, a trabalhar. A existir. Posso aproveitar você agora, sem ilusões. É um bônus agradável compartilhar a mim mesma com alguém que compreende o Poder e não espera nada de volta, a não ser o prazer pelo prazer.

Isso atiçou a raiva dele, como imaginou que fosse a intenção dela.

— Não me agradeça tão cedo — disse ele. — Você estava querendo entender o porquê de eu ter tentado manipular você para conseguir um encontro. Precisava lhe mostrar, e talvez provar a mim mesmo, que há mais do que sexo entre nós.

— É claro que há. — Novamente calma, ela começou a caminhar. — Há Magia, há uma história em comum. E, embora a princípio eu não acreditasse nisso, há um amor comum pela ilha. Temos os mesmos amigos.

— Fomos amigos um dia.

— Somos amigáveis agora. — Ela respirou fundo. — Como é que as pessoas vivem sem ter o mar perto? Como respiram?

— Mia. — Ele tocou a ponta dos seus cabelos. — Quando fizemos amor, eu não pretendia pedir para que compartilhasse a Magia comigo. Não foi premeditado.

— Sei disso. — Embora parasse de caminhar, ela se manteve de costas.

— Por que você deixou?

— Porque você teria parado. Significou muito para mim saber que você teria parado quando eu pedi. E também, imagino, porque eu sentia falta daquilo. Compartilhar o Poder excita e preenche.

— Não houve mais ninguém em todos esses anos?

— Você não tem o direito de me perguntar isso.

— Não, não tenho. Então, em vez disso, vou lhe dizer o que você não me perguntou. Não houve ninguém a não ser você. Jamais outra pessoa, apenas você, nesse sentido.

— Não importa.

— Se não importa — disse ele, segurando-lhe o braço antes que ela conseguisse andar novamente —, então você deveria conseguir me ouvir. Jamais superei você, e quando estava com outra mulher, nunca foi do jeito que costumava ser entre nós. Cada uma delas merecia mais do que eu podia dar. Não consegui dar mais a elas porque nenhuma delas era você.

— Não há necessidade de me dizer isso — começou ela.

— Eu preciso. Amei você toda a minha vida. Nenhum encanto, nenhum feitiço e nem a força de vontade foram capazes de mudar isso para mim.

O coração dela falhou dentro do peito. Foi preciso toda a sua força para equilibrá-lo de novo.

— Mas você tentou, Sam.

— Tentei. Com mulheres, com trabalho, com viagens. Não amar você está além dos meus poderes.

— Você acha que, mesmo que fosse apenas o meu coração que estivesse em risco, eu poderia depositá-lo em suas mãos novamente?

— Então simplesmente tome o meu. Não vou fazer mais nada com ele.

— Não posso. Não sei quanto do que eu sinto é um eco do que era. Não sei quanto há de raiva misturado aqui. Mas — disse, virando-se de volta para ele —, não sei quanto do que você acredita sentir é real. Tudo está em jogo, agora, e emoções não definidas são perigosas.

— Minhas emoções não são indefinidas. Foram, há muito tempo.

— Agora as minhas é que são. E eu aprendi a me afastar delas. Eu me importo com você. A ligação é muito forte para ser de outro jeito. Mas não quero me apaixonar por você novamente, Sam. E essa é a minha escolha. Se você não consegue aceitar isso, então precisamos nos afastar um do outro.

— Consigo aceitar que essa seja a sua escolha, por enquanto. Mas vou fazer tudo o que puder para fazê-la mudar de ideia.

— Enviando-me flores? Marcando piqueniques? — Ela levantou as mãos, em sinal de frustração. — Isso tudo são enfeites, armadilhas.

— São românticos.

— Eu *não quero* romance.

— Então aguente. Eu era jovem demais e bobo demais para dar tudo isso a você, no passado. Estou mais velho e mais esperto, agora. Houve um tempo em que era muito difícil, para mim, dizer que amava você. Não saía naturalmente da minha boca. E, com certeza, não era uma frase que era dita para lá e para cá na minha casa.

— Não quero que me conte isso.

— Você sempre dizia primeiro. — Ele viu a surpresa em seu rosto. — Você nunca percebeu, não é? Eu jamais seria capaz de dizer isso para você, a não ser que você dissesse antes. Os tempos mudam. As pessoas mudam. Algumas pessoas levam mais tempo do que outras. Eu compreendo que estava esperando, Mia, manipulando novamente, para que você me dissesse primeiro. Era mais fácil para mim daquele jeito. Você costumava fazer as coisas ficarem muito fáceis para mim.

— Felizmente, isso mudou. Agora tenho que ir. Já está tarde.

— Sim, está tarde. Eu amo você, Mia. Amo você. Não me importo de dizer algumas centenas de vezes, até você acreditar.

Machucava ouvir aquilo. Era uma dor rápida, uma fisgada. Ela usou aquela dor para manter o coração frio e a voz firme.

— Você já me disse palavras antes, Sam. Dissemos palavras um ao outro. Elas não foram suficientes. Não posso dar o que você quer.

E seguiu adiante pelo caminho.

— Você não vai me dar — replicou ele —, por enquanto.

Não parou até chegar ao carro. Não tornou a entrar na casa dele para pegar os sapatos, nem se lembrou deles. Queria apenas sair dali, dirigindo a toda até se acalmar de novo.

Ela se permitira amá-lo novamente. Ou melhor, seu coração se virara contra ela quando estava vulnerável. Aquilo, porém, era um problema dela, que só ela poderia resolver.

Pensando de forma racional, se amá-lo fosse a escolha certa, isso não a deixaria tão infeliz.

Se ouvi-lo dizer que a amava era a solução, como é que ela tinha sentido um golpe no coração quando ele falou?

Ela não se tornaria vítima das próprias emoções, não de novo. Não mergulharia no amor descuidadamente, colocando tudo que importava, inclusive ela própria, em risco.

Equilíbrio, disse ela a si mesma, e mente clara. Isso era essencial quando alguém estava diante de uma decisão de vida ou morte. Talvez fosse hora de viajar por alguns dias, para se recompor. Ela andava querendo abraçar o mundo, decidiu. Precisava estar consigo mesma.

Sozinha.

— Que diacho você quer dizer com "ela foi embora"? — Irritada por ter sido acordada antes das oito e meia da manhã de um domingo, o *único* dia da semana em que podia dormir até tarde, Ripley olhou de cara feia para o telefone.

— Ela saiu da ilha. — Uma pulsação acelerada estava golpeando a garganta de Sam, causando dor quando a voz saía. — Para onde ela foi?

— Não sei. Cristo! — Ela se sentou na cama e passou a mão no rosto. — Ainda nem estou acordada direito. Como é que você sabe que ela está fora da ilha? Talvez tenha apenas ido caminhar ou esteja dando uma volta de carro.

Sam sabia porque estava conectado com ela. E foi a quebra da conexão que o tinha acordado. Da próxima vez, pensou com ar sombrio, ele não limitaria o alcance da ligação ao perímetro da ilha.

— Eu simplesmente sei. Estive com ela a noite passada. Ela não me falou que tinha planos de ir ao continente.

— Bem, eu não sou secretária dela. Vocês brigaram ou algo assim?

— Não, não brigamos. — O que acontecera não podia ser explicado por uma palavra tão simples. — Se tiver alguma ideia de para onde ela pode ter ido...

— Não tenho. — Mas a preocupação transpareceu em sua voz. — Escute, pergunte a Lulu. Mia não vai a parte alguma sem avisar a ela. Provavelmente foi só fazer compras ou algo desse tipo, e... — Com cara feia, Ripley olhou para o fone enquanto ouvia o sinal da linha. — Bem, até logo para você também.

Ele nem se deu ao trabalho de pegar no telefone, desta vez. Entrou no carro e foi direto para a casa de Lulu. Nem notou que ela mudara a cor da casa, de um laranja berrante, que ele lembrava do seu tempo de menino, para roxo forte. Bateu na porta da frente.

— Você tem dois segundos para me dizer por que me acordou de um sonho onde eu estava dançando com Charles Bronson, ambos nus. Senão vou chutar a sua...

— Onde está Mia? — perguntou de repente, segurando a porta com a mão antes que Lulu pudesse batê-la na sua cara. — Diga-me apenas se ela está bem.

— Por que não estaria?

— Ela contou a você para onde estava indo?

— Se contou, não vou dizer a você. — Ela podia sentir sua raiva e seu medo. — E se tentar me colocar um feitiço, não só vou dar um chute na sua bunda, mas esfregar o chão com ela. Agora caia fora.

Revoltado consigo mesmo, deu um passo para trás. Quando a porta bateu, ele se sentou nos degraus da varanda e apoiou a cabeça nas mãos.

Será que ele a tinha afastado de vez? Será que aquilo era alguma brincadeira cruel do destino que continuava fazendo com que um dos dois amasse tanto que o outro se sentia impelido a fugir?

Não importava, disse a si mesmo. Não naquele momento. Tudo o que importava é que ela estivesse bem.

Ao ouvir a porta se abrir novamente, ficou onde estava.

— Você não precisa me dizer onde ela está, o que está fazendo ou por que foi embora. Só preciso ter certeza de que ela está bem.

— E você sabe de alguma razão para ela não estar?

— Eu a deixei chateada a noite passada.

— Devia ter imaginado.

Fungando, Lulu foi até a varanda e deu um leve chute em Sam, com o pé descalço.

— O que você fez?

— Disse que a amava.

— E o que ela disse ao ouvir isso? — Por trás dele, Lulu apertou os lábios.

— Que não queria ouvir nada.

— Ela é uma mulher sensata — disse Lulu, sentindo-se mal por ter dito, na mesma hora, mais do que esperava. — Ela vai tirar alguns dias de folga, é só. No continente. Vai fazer compras, vai se periquitar. Isso vai fazer bem a ela, vai ajudá-la a descontrair, se quer saber. Ela tem trabalhado muito.

— Certo. — Esfregou as mãos nas pernas da calça, levantou a cabeça e olhou para Lulu. — Obrigado.

— Você disse que a amava para bagunçar mais a cabeça dela?

— Eu disse que a amava porque é verdade. Bagunçar a cabeça dela foi só um bônus.

— Não sei por que diabos eu sempre gostei de você.

— Está falando sério? — Sam estava chocado.

— Se não estivesse, teria arrancado a pele da sua cara por colocar as mãos na minha menina. Bem, agora já acordei — disse ela, enterrando as mãos na desordenada massa de cabelos desgrenhados para coçar a cabeça. — É melhor você entrar e tomar um café.

Muito intrigado com o convite, ele a seguiu até a cozinha.

— Sempre quis saber por que você não morava na casa do penhasco.

— Para começar, porque eu não aguentava aqueles Devlin, arrogantes e egoístas. — Ela pegou pó de café em uma embalagem com o formato de um leitão. — Não me importava de ficar alguns dias lá quando eles estavam fora, em alguma de suas viagens, mas, quando estavam na casa, eu precisava de um espaço só meu. Senão ia acabar estrangulando os dois quando estivessem dormindo.

— E quando é que eles foram embora... de vez?

— Eles se foram poucos meses depois de você.

— Depois que eu... mas ela estava só com 19 anos.

— Perto de completar 20. Eles se mudaram para... ahh, quem se importa? Voltaram uma ou duas vezes naquele primeiro ano, só para constar, se quer saber. Quando Mia fez 21 anos, as visitas acabaram. Acho que eles chegaram à conclusão de que o trabalho deles, no que se referia a Mia, estava encerrado.

— Mas eles jamais fizeram o trabalho deles — afirmou Sam. — Você é que fez.

— Foi mesmo. Ela foi minha desde a primeira vez em que a avó dela a colocou em meus braços. E ainda é. — Lançou um olhar de desafio por cima dos ombros.

— Eu sei e me alegro com isso.

— Talvez tenha algum juízo nesse seu cérebro de minhoca, afinal. — Ela despejou água de uma chaleira vermelho-cereja dentro da cafeteira. — Enfim, depois que eles saíram da ilha, Mia me perguntou se eu não queria ir para lá para morar com ela. Havia muito espaço. Mas eu gostava da minha casa e sabia que ela gostava de ficar sozinha lá em cima.

Lulu analisou Sam enquanto a cafeteira começava a soluçar e resmungar.

— Você está pensando em convencê-la a deixá-lo se mudar para lá com ela?

— Ahn... Ainda não pensei tão à frente assim.

— Você não mudou, não é? Sempre fugindo do ponto-chave da questão.

— E qual seria esse ponto-chave?

— Aquela menina — disse ela, cutucando-o no peito com a ponta do dedo. — A minha menina. Ela quer se casar e quer filhos. Quer um homem com quem possa passar a vida inteira, para o que der e vier, e não um que fica branco toda vez que a palavra *casamento* surge na conversa. Como está acontecendo com você agora.

— Casamento não é o único compromisso sério que...

— Você acha que pode enrolá-la com esse papo ou está apenas enganando a si mesmo?

— Um monte de gente cria e mantém laços sem precisar de uma cerimônia legal. Mia e eu não ligamos para tradições. — O olhar penetrante de Lulu o fez se sentir novamente como um adolescente, trazendo Mia de volta para casa depois da hora marcada. — De qualquer modo, eu nem pensei muito no assunto. Chegamos a um ponto em que ela nem sequer se sente confortável ao me ouvir dizer que estou apaixonado.

— Esse foi um discurso muito bom. Cheio de vento, mas quase bonito.

— E o que há de tão importante no casamento? — quis saber ele. — Você é divorciada.

— Agora você me pegou. — Com um olhar divertido, Lulu apanhou duas canecas amarelo-canário. — A vida é mesmo engraçada. Não se pode ter garantia de nada. A gente colhe o que plantou.

— É... — Novamente deprimido, Sam pegou a caneca. — Eu já ouvi isso antes.

Capítulo Dezoito

Ela pretendia relaxar, fazer compras, presentear-se com um dia em um spa ou em um salão de beleza. Pretendia pensar nos problemas o menos possível durante três dias e três noites. Focar-se apenas em seu bem-estar físico e emocional.

Não pretendia perder tanto tempo nem fazer todo aquele esforço para conseguir entrar nas instalações do hospital psiquiátrico federal em que Evan Remington continuava preso.

Mas já que ela acabara indo até ali, poderia racionalizar a decisão. O tempo estava acabando. Se o destino a estava levando ao encontro de Remington, seguiria essa trilha. Não estava exposta a nenhum perigo verdadeiro, e havia a possibilidade, ainda que pequena, de conseguir alguma coisa boa com a visita.

Nem questionou o fato de que conseguiu marcar a visita sem maiores problemas. Havia forças trabalhando ali, que zombavam dos meandros confusos da burocracia. E ela era parte dessas forças.

Mia se encontrou face a face com ele em um balcão dividido ao meio por uma barricada de vidro grosso e reforçado. Pegou o fone que os conectaria, e ele fez o mesmo.

— Sr. Remington, o senhor se lembra de mim?

— A prostituta— murmurou ele, entre os dentes.

— Ora, vejo que se lembra. Os meses que o senhor passou aqui não melhoraram o seu humor.

— Vou sair em breve.

— É isso que ele lhe diz? — Ela se inclinou um pouco mais para perto.
— Ele está mentindo.

— Vou sair em breve — repetiu ele, e um músculo em sua boca começou a se repuxar. — E você vai morrer.

— Mas nós já o derrotamos duas vezes. E algumas noites atrás fugiu de mim com o rabo entre as pernas. Ele não lhe contou isso?

— Eu sei tudo o que vai acontecer. Já vi. Sei que todos vocês vão morrer gritando. Consegue ver isso?

Por um instante ela conseguiu, refletido no vidro entre eles. A tempestade escura, em ebulição, os relâmpagos, o redemoinho do vento que rugia enquanto o mar abria uma boca faminta e engolia toda a ilha.

— Ele lhe mostra os desejos dele, não a realidade.

— Vou ter Helen. — Sua voz ficou sonhadora, como uma criança que fica repetindo um versinho. — Ela vai voltar para mim. E vai pagar pelo seu erro, pela sua traição.

— Nell está fora do seu alcance. Olhe para mim. Para mim — ordenou. Ela não ia permitir que nem mesmo os pensamentos dele atingissem Nell.

— É comigo que ele tem que se ver. Ele o está usando, Evan. Como faria com uma marionete ou com um cãozinho mau. Ele usa a sua doença, usa a sua raiva. Vai acabar destruindo você. Não posso ajudá-lo.

— Ele vai foder você antes de matá-la. Quer uma prévia?

Aconteceu muito rápido. A dor penetrou em seus seios como se garras tivessem sido enterradas em sua carne. Sentiu uma lança de gelo atingi-la com um golpe certeiro bem entre as pernas. Mas não gritou, embora um grito de fúria e horror tivesse chegado em sua garganta. Em vez disso, ela revestiu-se com seu Poder como se fosse uma armadura e repeliu aquela força com vigor.

A cabeça de Remington foi atirada para trás, e seus olhos se esbugalharam com o choque inesperado.

— Ele o usa — disse, com calma. — E é você quem paga. Acha que ameaças e truques podem me fazer tremer? Eu sou uma das Três. O que me dá forças está além da sua compreensão. Eu posso ajudá-lo. Posso salvá-lo do horror que ele vai lhe trazer. Se você confiar em mim e ajudar a si próprio, posso separá-lo dele. Posso criar um escudo protetor à sua volta para que ele não consiga mais usá-lo ou feri-lo.

— Por quê?

— A fim de salvar a mim mesma e aos que amo, poderia salvar você.

Ele quase encostou o rosto no vidro. Ela podia ouvir sua respiração ofegante pelo fone. Por um momento, uma verdadeira sensação de pena surgiu dentro dela.

— Mia Devlin. — Ele lambeu os lábios, que logo em seguida se abriram em um sorriso largo e louco. — Você vai queimar! Queimem a bruxa! — Ele gargalhou alto, no momento em que o guarda correu para acudir e tentar contê-lo. — Vou assistir a tudo, enquanto você estiver morrendo aos gritos.

Embora Remington tivesse deixado o fone cair quando o guarda o arrastou, ela ainda ouviu sua risada selvagem por muito tempo depois de a porta ter sido fechada e trancada.

O riso, ela pensou, dos condenados.

Sam tinha uma reunião com o Contador. Os ganhos estavam altos, mas os custos e as despesas gerais, também. A Pousada Mágica estava operando no vermelho pela primeira vez em trinta anos, mas para Sam aquilo ia mudar. Já agendara duas convenções para o outono, e, com o pacote de inverno que estava associando aos eventos, esperava recuperar um pouco das perdas daquele período, que historicamente tinha um movimento pequeno.

Até chegar esse momento, poderia e continuaria a colocar dinheiro do próprio bolso para manter o hotel.

Se tanto o hotel quanto a ilha afundassem no oceano em poucas semanas, não seria por falta de fé de sua parte.

Para que merda de lugar ela tinha ido? Será que não poderia ter esperado para fazer a sua farra de compras depois que suas vidas, seus destinos e seus futuros estivessem mais seguros?

Quantos pares de sapatos uma mulher precisa na vida, pelo amor de Deus?

Aquilo era só uma desculpa para se afastar dele, pensou. Ele dissera que a amava, e ela fugira como um coelho. As coisas começaram a ficar mais sérias, e, em vez de se manter firme e encará-las, ela vai e foge para o continente...

Ele parou e olhou com cara amarrada para a sua assinatura ainda pela metade na correspondência à sua frente.

— Idiota — murmurou.

— Como disse?

— Nada. — Balançou a cabeça enquanto olhava para a assistente, e completou a assinatura. — Verifique os folhetos para o inverno, Sra. Farley — disse, enquanto assinava o documento seguinte. — Quero ter certeza de que as correções serão todas feitas até o fim do mês. Quero que marque uma reunião com o chefe de Vendas para amanhã. Arrume um horário na minha agenda.

Ela pesquisou seus compromissos e disse:

— O senhor tem um horário vago às onze e outro às duas.

— Onze. E envie um memorando para o pessoal da manutenção para... Há quanto tempo estão casados?

— O senhor quer saber há quanto tempo o pessoal da manutenção está casado?

— Não, Sra. Farley. Há quanto tempo *a senhora* está casada?

— Fiz 39 anos de casada em fevereiro.

— 39 anos. Como conseguiu?

A Sra. Farley pousou o bloco no colo e tirou os óculos.

— Acho que é um pouco como no alcoolismo — disse ela. — Um dia de cada vez.

— Jamais pensei nisso dessa maneira. Casamento como uma espécie de vício.

— Bem, certamente é uma doença. E também uma espécie de emprego, que exige dedicação e trabalho, cooperação e criatividade.

— Isso não me soa muito romântico.

— Não há nada mais romântico do que caminhar pela vida, em meio a todas as suas reviravoltas, com alguém que você ama. Alguém que ama e compreende você. Alguém que vai estar ao seu lado nos grandes momentos. Filhos, netos, uma casa nova, uma promoção merecida. E também para as horas más. Doenças, um jantar queimado, um mau dia no trabalho.

— Há pessoas que conseguem se acostumar a usufruir os grandes momentos e enfrentar as más horas sozinhas.

— Admiro a independência. O mundo seria mais forte se nós fôssemos capazes de lidar com a vida por nós mesmos. Mas ser capaz não significa ser incompetente para compartilhar e depender de outra pessoa. Não deve significar falta de determinação para isso. Esse é o romance.

— Eu nunca vi meus pais compartilharem muito mais além de um interesse por decoradores italianos e um camarote na ópera.

— É uma pena, não é? Algumas pessoas não sabem como dar amor ou como pedi-lo.

— É porque às vezes a resposta é não.

— E às vezes não é. — Uma leve ponta de irritação apareceu em sua voz.

— Algumas pessoas esperam que as coisas caiam do céu, no seu colo. Ah, elas podem até trabalhar um pouco para conseguir. Pensam: *Vou balançar bem esta árvore, e, se eu conseguir sacudi-la bastante, aquela linda maçã vermelha vai cair bem na minha mão.* Jamais lhes ocorre que pode ser que seja necessário subir na tal da árvore, despencar dela uma ou duas vezes e levar alguns arranhões e pancadas até chegar na maçã. Porque, quando a maçã vale a pena, então também vale a pena o risco de quebrar o pescoço.

Com um suspiro, ela se levantou.

— Preciso bater este memorando.

Ele estava tão surpreso que, quando ela se levantou, saiu do escritório e fechou a porta devagar, ele não a chamou de volta para dizer que ainda não tinha ditado o memorando.

— Veja só o que acontece quando tenho uma conversa sobre casamento — pensou em voz alta. — Minha assistente me passa um sermão. E eu sei como subir nessa maldita árvore. Já subi muitas vezes.

E, naquele mesmo instante, se sentiu pendurado pela ponta dos dedos em um galho muito instável. E a maçã mais bonita ainda estava fora do seu alcance.

Pegou uma pasta para analisar, disposto a enterrar suas frustrações no trabalho. E sentiu uma luz se acender dentro dele.

Mia estava de volta à Ilha das Três Irmãs.

Da barca, ela ligara para Lulu, de modo que já estava por dentro dos negócios na loja e das novidades na ilha. Como pediu para Lulu passar na casa dela naquela noite para completar o relatório, não havia necessidade de passar na loja. Deixou para o dia seguinte o momento de enfrentar a pilha de recados telefônicos e a montanha de pedidos, depois de três dias de ausência.

Ela telefonara para Ripley também e para Nell. E, já que chegara à conclusão de que a melhor maneira de contar os detalhes de seu encontro com Remington seria dar um jantar civilizado em sua casa, na noite seguinte, precisava dar uma passada no Mercado da Ilha para comprar suprimentos.

Ainda faltava ligar para Sam.

Ligaria para ele. Empurrando o carrinho de compras pela seção de verduras, ficou olhando para a rúcula. Assim que decidisse como lidar com ele e avaliar as coisas que haviam sido ditas, ligaria.

A vida corria melhor quando era bem planejada, com um rumo definido, ainda que flexível.

— Continua fazendo compras?

Às vezes, Mia compreendeu ao se virar e olhar para Sam, o destino não conseguia esperar até o plano estar pronto.

— Para mim, fazer compras é uma atividade constante. — Ela pegou um pé de alface, enquanto avaliava os tomates para a salada. — Esta é uma hora estranha para encontrar um homem de negócios no mercado.

— Meu leite acabou.

— Acho que você não vai encontrar leite aqui, na seção de verduras.

— Pensei em levar uma maçã também. Uma maçã vermelha e linda.

— As ameixas estão bonitas, hoje. — E continuou a escolher itens para a salada.

— Às vezes, só serve o que a gente quer. — Enroscou as pontas dos cabelos dela nos dedos. — Você aproveitou o tempo que esteve fora?

— Foi muito produtivo. — Por se sentir pouco à vontade, seguiu para a seção de laticínios. —Achei uma linda loja de artigos de Magia. Lá tem uma bela variedade de redomas de vidro.

— Redomas de vidro nunca são demais.

— Também acho — concordou Mia, pegando uma caixa de leite para ele.

— Obrigado. — Ele pegou a caixa da mão dela e a colocou embaixo do braço. — Por que não jantamos juntos, esta noite? Você pode me contar sobre a viagem.

Ele não estava agindo da maneira que ela esperava. Não houve nenhuma explosão de raiva pela sua partida inesperada nem questionamentos sobre onde tinha ido. Como resultado disso, ela se sentiu pequena e culpada.

Ele era muito esperto.

— Na verdade, Lulu vai passar lá em casa hoje à noite, para resolvermos alguns assuntos da loja. Mas vou receber alguns amigos amanhã para jantar. Tinha pensado em convidar você. — Colocou um pequeno queijo Brie no carrinho. — Tenho coisas a discutir com todos. Sete horas está bom para você?

— Claro.

Sam se inclinou, pegando no rosto dela com a mão livre e encostando os lábios nos dela. Suavemente, com calor, prolongando o beijo, que foi do casual para algo mais adequado ao escurinho.

— Eu amo você, Mia. — Seus dedos deslizaram sobre o rosto dela antes de recuar. — Amanhã nos vemos.

Ela ficou onde estava, com as mãos agarradas no carrinho, enquanto ele saía com a embalagem de leite ainda embaixo do braço.

Durante anos, tantos anos de sua vida, Mia teria dado tudo para vê-lo olhar para ela da maneira como acabara de fazer, dizendo que a amava, exatamente como fizera.

E agora que finalmente acontecera, por que tinha que ser tão difícil?

Por que tinha que sentir aquela vontade de chorar?

Lulu se instalou atrás do volante de seu fusca laranja todo batido, mas adorado. Desde a noite em que dera aquele mergulho inesperado, estava se sentindo mais segura, a salvo.

Não sabia que tipo de encantos Ripley e Nell haviam conjurado, mas eles estavam funcionando como... bem, como por encanto. Qualquer que fosse o nome que se quisesse dar àquela força que estava pairando sobre a ilha, suas meninas iam acabar com ela, encostá-la na parede.

Mesmo assim, ela se sentia melhor sabendo que Mia estava de volta à ilha, protegida em sua casa nos penhascos, pronta para voltar à rotina. E, embora fosse duro de engolir, estava também mais à vontade com relação à segurança de Mia, desde que Sam começara a dar em cima dela.

O rapaz tinha sido um idiota, decidiu, enquanto dirigia pela cidade com o som clássico do Pink Floyd estourando os alto-falantes. Mas ele era jovem. Ela também tinha feito muitas asneiras quando era jovem.

Cada uma daquelas asneiras a levara para aquele lugar. Ela supunha, já que queria ser justa, que tudo o que Sam fizera também o encaminhara de volta para a Ilha das Três Irmãs e para Mia.

Isso não significava que ela ia desistir de vez de implicar com ele. Só que seria em doses menores.

Só uma coisa importava. A felicidade de Mia. Se Sam Logan era a resposta para aquilo, então servia muito bem para atingir esse alvo.

Nem que ela fosse obrigada a chutá-lo até conseguir.

A ideia a fez rir com crueldade, no momento em que entrava na estrada que margeava o despenhadeiro. E não notou a névoa que surgiu e a envolveu.

Quando a música se transformou em um ruído insuportável de estática, ela olhou para o rádio e bateu com irritação no pequeno toca-fitas instalado sob o painel.

— Droga, é melhor não mastigar a minha fita do *The Wall*, sua máquina cretina.

A resposta foi um uivo longo e profundo que saiu dos alto-falantes e a fez apertar o volante. O carro trepidou em volta dela, enquanto a névoa se infiltrava, fria como a morte, através das janelas abertas.

Dando um grito, pisou no freio com toda a força, uma reação instintiva quando a sua visão da pista desapareceu. Em vez de parar, o pequeno carro acelerou, e o seu ruído macio se transformou no rá-tá-tá-tá de uma metralhadora. Sob as mãos dela, o volante vibrou, depois ficou frio e começou a girar sozinho. Embora parecesse uma cobra gelada e pegajosa, ela o apertou com força e tentou girá-lo de volta. O barulho dos pneus ecoou seus próprios gritos quando ela viu, de relance, a beira do abismo.

A sua frente, o para-brisa se transformou em uma explosão de gelo que se quebrava sobre gelo. E então as estrelas escureceram.

A colher com que Mia mexia o molho para o macarrão que preparara para Lulu caiu no chão, escorregando de sua mão dormente. Ao atingir o chão, a visão surgiu com um grito agudo e passou pela sua cabeça, cheia de sons enfurecidos. Sua garganta se apertou como se uma mão a tivesse estrangulando, e ela se lançou velozmente para longe do fogão.

Saiu de casa, cega de pânico, correndo até a estrada, a pé. Do alto do morro, viu a névoa suja se arrastar por trás do pequeno fusca laranja na estrada lá embaixo e começar a envolvê-lo. Então, viu o carro girar fora de controle, em direção ao abismo.

— Não, não, não! — O medo provocou um branco em sua mente e embrulhou o seu estômago, provocando dor. — Ajude-me. Ajude-me. — Ela repetia a frase sem parar, enquanto lutava para achar seus poderes por trás de uma muralha de terror.

Tudo o que tinha, tudo o que era, conseguiu reunir. E lançou a Magia de dentro dela em direção ao carro, no momento em que este arrebentou a mureta da estrada e ficou pendurado, tal como um brinquedo atirado longe por uma criança zangada.

— Espere, espere. — Ah, Deus, ela nem conseguia *pensar*.

> *Que sopre o ar, que venha o vento*
> *Formem uma ponte neste momento*
> *Coloquem-na a salvo deste tormento.*

— Por favor, por favor — entoava, baixinho.

> *Uma rede, uma ponte, um muro de pedra*
> *Salvem-na agora desta terrível queda.*

Ofegante, sua visão se turvou com as lágrimas, e ela correu os últimos metros até o lugar onde o carro balançava, sobre a mureta quebrada, acima das imensas rochas do despenhadeiro.

> *Você não vai levar o que me ê caro*
> *Que assim seja, eu aqui declaro.*

Sua voz ficou rouca quando ela chegou na mureta, gritando:

— Lulu!

O carro estava equilibrado precariamente, de cabeça para baixo, balançando sobre a mureta esmagada. O vento que Mia conjurara soprava em seus cabelos com violência, afastando-os do rosto enquanto ela subia na mureta.

— Não toque no carro!

Pequenas pedras e porções de terra se esfarelaram no chão e caíram sobre a borda instável quando ela se virou para trás, na direção do grito. Sam saltou do próprio carro.

— Não sei por quanto tempo o carro vai aguentar. Eu o sinto escorregando, dentro de mim.

— Você consegue segurá-lo. — Ele avançou em meio à ventania, subindo na mureta até a estreita beirada. — Foque. Você tem que se focar. Vou tirá-la de lá.

— Não. Ela é minha.

— Esse é o ponto. — Sam gastou um momento desesperado para pegar os braços de Mia e sacudi-la. O carro estava para cair a qualquer momento, ele sabia. E a estreita beirada onde estavam, também. — Ela é sua, esta é exatamente a questão. Segure firme. Você é a única que tem força suficiente para isso. Suba na mureta.

— Não quero perdê-la — gritou Mia. — Nem perder você.

Suas pernas tremiam quando subiu na mureta. Suas mãos estavam instáveis quando ela as levantou. Mia viu a névoa se levantar novamente. E viu a escura forma do lobo que surgia nela.

Seu corpo ficou rígido. A fúria cravou-se dentro dela e levou o medo para longe.

— Você não vai levá-la! — A mão que mantinha esticada estava firme como uma rocha, agora. Ela encarou o lobo e reuniu todo o peso da Magia que conjurou sobre seus ombros. — Você pode me levar; isso é destino. Mas, por tudo o que sou e por tudo o que tenho, não vai levá-la.

O lobo rosnou e avançou para cima dela. Ele poderia tomar sua vida naquele momento, pensou Mia. Que fosse. Sua mágica, porém, teria que segurar o carro. Ela arriscou uma olhada rápida para Sam e viu, com horror indescritível, que ele estava puxando uma Lulu inconsciente e ensanguentada para fora do veículo. E o fusca se inclinava, instável, balançando para a frente e para trás.

Com um último impulso ela se deixou aberta e indefesa e canalizou todas as forças para o penhasco.

E o lobo se preparou para saltar.

Quando já estava no ar, uma carga de energia entrou nela e saiu. O golpe atingiu o lobo com a violência de um raio. Com um ganido furioso, ele desapareceu na névoa.

— Não contava com as minhas irmãs, não é, canalha?

O vento soprou o resto de névoa, e Mia viu Ripley e Nell saltarem do carro antes de ela se virar e correr em direção a Sam.

Ele estava com Lulu nos braços. A beirada do despenhadeiro se esfarelou debaixo de seus pés, e ele teve que se atirar para a frente quando um pedaço do chão se soltou e caiu sobre o mar lá embaixo. Mia esticou o braço e o agarrou no mesmo instante em que o carro tombava. Sam estava passando por cima da mureta quando ouviu o tanque explodir atrás dele.

315

— Ela está viva — conseguiu dizer.

— Eu sei. — E beijou o rosto pálido de Lulu, colocando a mão sobre o coração dela. — Vamos levá-la para a clínica.

Do lado de fora da clínica, onde o ar estava calmo e a brisa era um bálsamo, Nell cuidava dos cortes nos pés de Mia.

— A maluca tem seis milhões de pares de sapatos — afirmou Ripley enquanto andava de um lado para o outro, inquieta como uma gata — e corre descalça por cima de vidro quebrado.

— É mesmo. Tolice, não é? — Mia não sentira o vidro cortar-lhe a pele da sola dos pés quando correu para o carro acidentado. Naquele momento, sob os cuidados curativos e gentis de Nell, não sentia dor alguma.

— Pode desabar. — Ripley estava com um tom de voz suave, e colocou a mão no ombro de Mia. — Tem todo o direito.

— Não preciso desabar, mas obrigada. Ela vai ficar bem. — Mia fechou os olhos por um instante e esperou até se sentir mais estável. — Vi os ferimentos dela. Lulu vai se sentir infeliz e furiosa por causa do carro, mas vai ficar bem. Nunca considerei a hipótese de que ela pudesse ser atacada dessa forma. Usada dessa forma.

— Machucando-a, ele consegue atingir você — disse Ripley. — Foi isso que Mac... — Ela parou de falar de repente, franzindo os olhos.

— Mac? O que quer dizer? —Apesar dos protestos de Nell, Mia se levantou. Um raio de luz bateu em seu rosto, e ela ficou branca como cera. — Algo aconteceu antes. A praia. — Furiosa, agarrou os braços de Ripley. — O que houve?

— Não culpe a ela. Culpe a todos nós. — Nell se levantou e se alinhou com Ripley. — Lulu não queria que você soubesse, e nós concordamos.

— Não queria que ela soubesse o quê? — perguntou Sam, enquanto chegava com uma bandeja cheia de copos de café para viagem.

— Como é que você ousou manter qualquer coisa que se relacione com Lulu longe do meu conhecimento? — Ela se virou para Sam, pronta para atacá-lo.

— Ele não sabia de nada — interrompeu Nell. — Nós também não contamos para ele.

Ripley relatou tudo, bem depressa. E observou o rosto de Mia ir de palidez total à explosão vermelha de fúria.

— Ela poderia ter morrido. Eu a deixei sozinha. Deixei sozinha e fui para o continente. Vocês acham que eu faria uma coisa dessas se soubesse que ela era um alvo? Vocês não tinham o direito, nenhum direito de me deixar por fora disso.

— Sinto muito. — Nell levantou os braços e os deixou cair da novo. — Fizemos o que achamos que era melhor. Estávamos errados.

— Não tão errados. Você vai ter que aceitar isso, Mia — acrescentou Sam quando ela se virou para ele. — Você quase perdeu tudo na beira do penhasco esta noite, porque dividiu sua energia. Pior que isso. Você canalizou tudo para fora de você e se deixou vazia e desprotegida.

— E você acha que eu daria menos que a minha vida para proteger Lulu, ou alguém que eu ame?

— Não, sei que não. — Ele tocou em seu rosto. Quando ela afastou o rosto para o lado com violência, ele simplesmente avançou e segurou-lhe a cabeça entre as mãos. — E ela também não. Ela também não tem o direito de pensar em você?

— Não quero falar disso agora. Preciso ficar com Lulu. — E se afastou, caminhando para a porta. Mas parou ao abri-la. — Obrigada pelo que fez hoje — disse a Sam. — Jamais vou esquecer.

Mais tarde, Mia estava sentada ao lado da cama de hospital de Lulu, e Ripley e Nell entraram de mansinho no quarto. Durante algum tempo, ficaram em silêncio total.

— Eles querem mantê-la aqui até amanhã — disse Mia depois de algum tempo. — Por causa da concussão. Ela não gostou muito da ideia, mas está tão fraca que não conseguiu discutir. O braço... — ela precisou de um momento para firmar a voz — ... foi fraturado. Ela vai ter que permanecer engessada por algumas semanas, mas vai ficar bem.

— Mia — começou Nell —, sentimos muito.

— Não. — Mia balançou a cabeça, mantendo os olhos no rosto muito machucado de Lulu. — Estou mais calma agora, e pensei muito no assunto. Entendo o que fizeram e por quê. Não concordo com isso. Formamos um círculo e temos que valorizar e respeitar isso e também umas às outras. Mas sei muito bem como ela é teimosa e persuasiva.

As pálpebras de Lulu tremeram levemente, e sua voz estava fraca e muito rouca.

— Mia, pare de falar de mim como se eu não estivesse aqui.

— Fique quieta — ordenou Mia. — Não estou falando com você. — E segurou a mão que Lulu estendeu. — Graças a Deus vamos ter que lhe comprar um carro novo. Aquela pequena monstruosidade finalmente se foi.

— Vou procurar outro igualzinho.

— Não deve haver outro carro igual àquele. — Mas, se houvesse, Mia pensou, ela iria encontrar um para Lulu.

— Não fique enchendo as meninas ou os rapazes — resmungou Lulu. Abriu um dos olhos roxos e tornou a fechar, porque sua vista estava embaçada. — Eles fizeram o que eu mandei. Respeitaram os mais velhos.

— Não estou zangada com eles. Só com você. — E Mia pousou os lábios com carinho nas costas da mão de Lulu. — Vão para casa, vocês duas — disse, virando-se para as irmãs. — Digam a seus maridos que não vou transformá-los em sapos. Pelo menos não agora.

— Vamos voltar amanhã de manhã. — Nell foi até a cama e plantou um beijo na testa de Lulu. — Eu amo você.

— Não precisa ficar melosa. Foram só uns arranhões.

— Que pena. — Com a voz um pouco grossa, Ripley se inclinou sobre o gradil da cama e beijou Lulu no rosto. — Porque eu amo você também, apesar de ser baixinha e feia.

Com uma gargalhada fraca, Lulu soltou a mão boa do aperto da de Nell e fez um gesto para enxotá-las.

— Vão embora logo. Não quero um bando de mulheres cacarejando aqui em volta.

Depois que elas saíram, Lulu se virou na cama.

— Está doendo? — perguntou Mia.

— Não tenho posição.

— Então, olhe aqui. — E, levantando-se, Mia passou os dedos sobre o rosto de Lulu e sobre o braço engessado. Murmurou suavemente algumas palavras, enquanto a acariciava, até ouvir Lulu suspirar.

— Ah... Muito melhor do que drogas. Estou me sentindo leve, agora. Isso está me trazendo boas lembranças.

— Vá dormir, Lu. — Aliviada, Mia tornou a se sentar.

— Eu vou. E você, vá para casa. Não faz sentido você ficar a noite toda aqui me vendo roncar.

— Certo, eu vou, assim que você pegar no sono.

Mas Mia ficou ali sentada enquanto Lulu dormia, mantendo vigília no quarto semiescuro.

E ainda estava ali, de sentinela, quando Lulu acordou de manhã.

— Você não precisava ter chegado tão cedo.

— Zack tinha que trazer a viatura. — Nell estava ajudando Mia a colocar a mesa e admirava a maravilhosa porcelana antiga. — Nesta época do ano, não dá para saber se ele vai ser chamado para alguma coisa. E eu queria ver Lulu.

— Foi preciso apelar para culpa, raiva e até fazer ameaças para fazê-la concordar em passar uns dois dias aqui comigo em um dos quartos de hóspedes. Parecia que estava indo para a prisão.

— Ela gosta de ter o próprio espaço — disse Nell.

— Vai poder tê-lo de volta quando estiver mais forte.

— E você, como está? — Nell passou a mão sobre o cabelo de Mia.

— Estou bem. — A longa noite de vigília tinha lhe dado bastante tempo para pensar e fazer planos.

— Pensei em chegar mais cedo para dar uma mãozinha. Não que você precise.

E olhou para a sala de jantar, com as flores e as velas já em seus lugares. A janela estava totalmente aberta para o verão.

— Você pode ir dar uma olhada no meu fricassé — disse Mia, colocando o braço em torno do ombro de Nell. O gesto e o calor descontraído apagaram quaisquer resíduos de tensão que ainda pudesse haver entre elas.

— Pelo cheiro, parece que está perfeito. — Quando chegaram na cozinha, Nell levantou a tampa da panela enquanto Mia servia dois copos grandes de chá gelado. — Está tudo perfeito.

— Bem, o tempo é que não está cooperando. — Inquieta, Mia foi até a saída, abriu a porta e aspirou o vento. — Vamos ter chuva depois que a noite cair. Uma pena. Não vamos poder tomar café no jardim. Mesmo assim, minhas ipomeias cresceram quase trinta centímetros nos últimos três dias. Talvez a chuva faça seus botões se abrirem.

Ela se virou para dar de cara com Nell olhando fixamente para ela.

— O que foi?

— Ah, Mia, eu gostaria de que você me dissesse o que além disso está perturbando você. Detesto vê-la triste.

— Eu, triste? Não estou triste. — Saiu para a parte de trás da casa, olhando para o céu. — É que prefiro a tempestade à chuva miúda. Não tivemos muitas tempestades neste verão. É como se o clima estivesse reunindo as forças para lançar tudo de uma vez. Gosto de ficar vendo os relâmpagos nos meus penhascos.

Ela se voltou, cobrindo a mão de Nell.

— Não estou triste, apenas agitada. O que aconteceu com Lulu me deixou com todos os sentidos abalados. E agora alguma coisa aqui dentro está aguardando, aumentando, como aquelas tempestades. Sei o que preciso fazer. Sei o que vou fazer, mas não consigo ver o que está chegando. É frustrante, para mim, saber e não conseguir enxergar.

— Talvez você esteja olhando no lugar errado. Mia, sei o que há entre você e Sam. Consigo sentir até quando estou a três metros de distância. Quando me apaixonei por Zack e estava me sentindo empurrada em todas as direções, você estava ali para me ajudar. Por que não me deixa fazer o mesmo por você?

— Mas eu confio em você.

— Até certo ponto. Acontece que você recua para trás de uma linha que só você pode atravessar novamente. E tem se afastado cada vez mais desde que Sam voltou para a Ilha das Três Irmãs.

— Então isso quer dizer que ele conseguiu afetar o equilíbrio.

— Afetar o *seu* equilíbrio — corrigiu Nell. Esperou que Mia se virasse.
— Você está apaixonada por ele?

— Uma parte de mim já nasceu apaixonada por ele. Mas fechei essa parte. Não tive escolha.

— E esse é o problema, não é? Não saber se deve abrir uma parte novamente ou mantê-la fechada.

— Cometi um erro uma vez, e ele partiu. Não posso me permitir cometer o mesmo erro de novo, quer ele fique ou vá embora.

— Você não acredita que ele vá ficar.

— Não é uma questão de acreditar. É uma questão de considerar todas as possibilidades. Se eu me abrir para ele novamente, completamente, o que vai acontecer se ele for embora? Não posso arriscar isso. Não é só por mim, mas por todos nós. O amor não é uma coisa simples, você sabe disso. E também não é uma flor para ser colhida em um impulso.

— Não, não é uma coisa simples. Mas acreditar que dá para controlá-lo, moldá-lo, determinar a sua direção? Acreditar que você *tem* que fazer isso? É um erro.

— Não quero amá-lo de novo. — A voz dela, sempre tão segura, tão firme, tremeu. — Não quero. Deixei esses sonhos para trás. Não preciso deles agora. Tenho medo de buscá-los novamente.

Sem dizer nada, Nell enlaçou os braços em torno de Mia e a trouxe mais para perto.

— Nell, eu não sou mais aquela pessoa da época em que o amava.

— Nenhuma de nós é. O que você sente agora é o que interessa mais.

— Meus sentimentos são tão confusos quanto a minha visão. Antes de tudo acabar, farei tudo o que precisar ser feito. — Ela suspirou. — Não estou acostumada a ter um ombro onde chorar.

— Os ombros estão aqui. Você apenas não está acostumada a se recostar neles.

— Talvez esteja certa. — Mia fechou os olhos, deixou se focar em Nell e na vida que estava brilhando dentro dela. — Consigo ver você, irmãzinha — murmurou. — Posso vê-la em uma velha cadeira de balanço de madeira, em um quarto bonito à luz de velas. Há um bebê mamando em seu seio, e o seu cabelo é macio como uma penugem e brilhante como um raio de sol. Quando eu a vejo assim, encontro essa esperança. Essa coragem.

Ela se afastou um pouco, dando um beijo na testa de Nell.

— Seu bebê vai estar a salvo. Isso eu sei, com certeza.

De repente, ouviu o barulho da porta da frente batendo.

— Deve ser Ripley — disse ela, secamente. — Não só não se dá o trabalho de tocar a campainha como não pode resistir em bater uma porta com força. Vou levar uma bandeja lá em cima para Lulu. Depois, acho que vou servir os drinques e aperitivos no jardim, enquanto o tempo estiver firme.

E enquanto Mia entrava para receber seus convidados, Nell pensou como tudo era típico. Ela começara a oferecer conforto, e foi Mia quem acabou trazendo conforto a ela.

— E então o bobalhão estava dizendo: *Mas, policial, eu não estava roubando a geladeira cheia de cerveja. Estava só trocando o isopor de lugar.* — Ripley pegou um pouco mais de fricassé. — Quando eu argumentei que aquilo não explicava o bafo de Budweiser e três latas de cerveja vazias à sua volta, na areia, ele disse que provavelmente alguém tinha bebido aquela cerveja enquanto ele estava dormindo. E provavelmente alguém havia derramado cerveja nele também, porque estava se sentindo meio largado, e ainda eram três da tarde.

— E o que você fez? — perguntou Zack.

— Dei-lhe uma multa por beber em uma área proibida e sujar a praia. Aliviei o lado dele quanto à geladeira, porque os caras de quem ele tinha passado a mão não quiseram dar queixa, já que também estavam com as cervejas em uma área proibida, para começo de conversa.

— Imagine só. — Sam abanou a cabeça. — Ficar de porre na praia.

— Regras são regras — declarou Ripley, inflexível.

— Claro. Nenhum de nós aqui jamais levou uma caixa de cerveja para a praia.

— Mas eu me lembro de alguém que pegou uma garrafa do melhor uísque do pai. — Zack começou a rir. — E depois a dividiu generosamente com os amigos, que logo brindaram animadamente àquele gesto.

— Fale por você mesmo. — Ripley balançou o garfo. — Uma dose daquele troço foi o bastante para mim. Grande delito.

— Essa é a minha garota — disse o irmão.

— Pode ser, mas eu não fui a única que levou um esculacho quando chegou em casa.

— Foi mesmo. Eu estava com 18 anos — lembrou Zack. — Mas mamãe ainda me arrancava a pele.

— Depois veio tentar arrancar a minha também. — A lembrança fez Sam apertar os olhos. — Jesus, a mãe de vocês conseguia me aterrorizar. Não importa o que você fizesse, ela ficava sabendo de tudo antes mesmo de você acabar de aprontar. E, se não soubesse, conseguia arrancar tudo de você. Ficava só olhando para a sua cara e forçava a barra até você confessar tudo.

— É assim que vai ser com os meus filhos. Não vão ter moleza. — Ripley olhou meio de lado para Mac, com um jeito convencido, e ele colocou a mão sobre a dela.

A revelação surgiu diante de Mia como uma luz rápida e brilhante.

— Você está grávida.

— Ei. — Ripley levantou o copo com água. — Nell não é a única que consegue emprenhar por aqui.

— Um bebê! — Nell pulou da cadeira e foi dançando em volta da mesa até envolver o pescoço de Ripley. — Isso é maravilhoso! E que jeito de dar a notícia!

— Estive estudando um jeito de encaixar a novidade na conversa desde a hora do almoço.

— Que tal isto? — Com um sorriso que tinha um quilômetro de largura e uma voz que não estava muito firme, Zack foi até Ripley e puxou o seu longo rabo de cavalo. — Eu vou ser tio.

— Vai ter uns dois meses para pegar a prática, sendo papai primeiro. Em meio às brincadeiras e congratulações, Mia se levantou.

Caminhou até Ripley, passando as mãos carinhosamente nos braços dela, para cima e para baixo. Ripley também se levantou. Então Mia simplesmente a abraçou bem apertado e a ficou segurando.

A emoção inundou a garganta de Ripley, que virou o rosto e o enterrou nos cabelos de Mia.

— São dois — sussurrou Mia.

— Dois?! — O queixo de Ripley caiu. — Dois? — Era tudo o que ela conseguia dizer enquanto afastava o corpo. — Você quer dizer... — Meio tonta, ela olhou para a sua barriga achatada. — Puxa vida!

— Dois o quê? — Ainda bebendo o vinho que Sam colocara em seu cálice para erguer um brinde, Mac sorriu para a mulher. Gradualmente, o choque foi transparecendo em seu rosto. — Dois? Gêmeos? Temos dois bebês aí dentro? Acho que eu preciso me sentar.

— *Você* precisa se sentar?

— Certo. Nós dois precisamos nos sentar. — E Mac se sentou, puxando Ripley e colocando-a em seu colo. — Dois pelo preço de um. Isso é muito legal.

— Eles ficarão a salvo. Eu posso ver. — Mia se inclinou e beijou o rosto de Mac. — Vão lá para a sala de estar, fiquem à vontade. Vou buscar café. E chá para as mamães. Ripley, você vai ter que cortar a cafeína.

— Alguma coisa está errada — comentou Sam quando Mia foi para a cozinha. — Tem alguma coisa além de Lulu pesando sobre ela.

— Ela fica assim quando se trata de bebês. — Com a mão na barriga, Ripley tentava imaginar dois.

— Não, é mais do que isso. Vou dar uma mãozinha com o café.

Quando Sam entrou na cozinha, Mia estava de pé na porta dos fundos, fitando a suave chuva de verão que caía sobre os jardins.

— Quero ajudar você.

— Não precisa.

— Não estou falando do café — disse ele, chegando junto dela. — Quero ajudar você.

— Já ajudou. — Ela pegou a mão dele e a apertou forte, por um momento. — Arriscou a própria vida ontem por alguém que eu amo. Confiou em que eu conseguiria segurar os dois e mantê-los a salvo para que pudesse tirá-la do carro.

— Fiz a única coisa que poderia ser feita.

— A única coisa que poderia fazer, Sam. Ser você.

— Que seja. Só que eu quero ajudar a resolver o que está preocupando você agora.

— Você não pode. Não agora, pelo menos. Esta é a minha batalha, e agora há mais coisas em jogo do que nunca. Tudo o que me importa na vida está dentro desta casa, esta noite. E aquela força está lá fora, querendo entrar. Você consegue senti-la? — E sussurrou: — Bem junto do meu círculo. Pressionando e se movendo. Esperando.

— Sim. Não quero que fique aqui sozinha.

Quando ela começou a se mover, ele a pegou com firmeza pelos ombros e a girou.

— Mia, não importa o que você ache, sinta ou queira de mim, você é esperta demais para deixar de lado o Poder que eu posso somar ao seu. Você acha que algum de nós, sozinho, poderia ter salvado Lulu?

— Não. — Ela expirou com força. — Não, eu sei que não.

— Se você não quiser que eu fique junto de você, posso dormir em um dos quartos de hóspedes, ou no maldito sofá. Você está com o seu dragão para protegê-la, e um braço quebrado não vai impedi-la. Não se trata de querer chegar à sua cama.

— Eu sei. Deixe-me pensar no assunto. Temos outras coisas a discutir esta noite.

Ela podia pensar o quanto quisesse, ele decidiu enquanto ela acabava de preparar o café. Mas ia ficar com ela nem que tivesse que dormir lá fora, no carro.

Ela serviu café e fatias de bolo recheado com creme. Então, fez uma coisa que Nell jamais a vira fazer desde que elas se conheceram.

Fechou todas as cortinas e isolou a noite lá fora.

— Ele está observando. —A voz dela estava calma, enquanto andava pela sala acendendo mais velas. — Ou pelo menos tentando. Este meu gesto foi uma tentativa de ser rude e desprezá-lo. Uma pequena bofetada. Pequena — continuou ela, enquanto se sentava e pegava o próprio café —, mas satisfatória. Estou devendo muito mais do que uma bofetada, por ferir Lulu.

E ela pagaria com mais. Muito mais.

— Devo dizer que o momento não é dos melhores. Deveríamos estar celebrando a boa notícia de Ripley e Mac. E assim o faremos.

Ela parecia uma rainha, pensou Sam. Uma rainha guerreira se dirigindo às tropas. Ele não estava certo de como se sentia diante dessa imagem. Mas, quando fixou os olhos nela e estreitou o seu campo de visão apenas na figura dela, sua barriga se embrulhou ligeiramente.

— Aonde você foi, Mia? Quando deixou a ilha, aonde você foi?

Ele viu, pela rápida expressão de surpresa em seu rosto, que conseguira pegá-la desprevenida. Assim, passou pela pequena brecha e tentou puxar mais dela. E extraiu o bastante para fazê-lo se colocar de pé.

— Remington? Você foi visitar Remington?

— Sim. — Ela tomava o café lentamente e reunia os pensamentos, enquanto as emoções na sala ricocheteavam e agitavam tudo em volta.

— Ah, essa é ótima! Perfeito, maravilhoso! — Diante da explosão de Ripley, Mia olhou para ela com frieza. — Você é quem fica o tempo todo me passando sermão sobre cautela e controle. Sobre estar bem preparada.

— É isso mesmo. E eu estava. Não fui descuidada nem tola.

— E eu sou?

Mia levantou os ombros com um jeito elegante.

— Eu usaria a palavra *impulsiva,* que é o que você tende a ser. Ir vê-lo foi um risco calculado, um risco que alguém tinha que correr.

— Você teve a coragem de nos ridicularizar ontem à noite por não termos jogado limpo sobre Lulu, mas guardou isso só para você.

— Não é bem assim — disse Mia suavemente. — Por livre e espontânea vontade, estou contando a vocês agora o que eu fiz e o que aconteceu.

— Você não devia ter ido sozinha. — A voz de Nell estava calma, e com isso o efeito era ainda maior. — Você não tinha o direito de ir sozinha.

— Discordo. Os sentimentos de Remington por você teriam acabado com qualquer possibilidade de discussão. O gênio de Ripley teria muito provavelmente forçado um confronto ali mesmo, na hora. De nós três, eu sou a mais capaz de lidar com ele, e tenho mais necessidade também, a essa altura, de fazer isso.

— Há quatro de nós — lembrou Sam a todos.

— Ora, cacete, há seis de nós! — Zack não tinha falado nada até aquele momento, mas de repente se pôs de pé. — Você tem que começar a lembrar que aqui há seis — ordenou Zack a Mia. — Não quero saber se consegue fazer raios saírem da ponta dos seus dedinhos. Há seis pessoas nessa história.

— Zack.

— Fique quieta — respondeu a Nell, que ficou de boca aberta, olhando para ele. Então se voltou para Mia: — Você acha que, porque dois de nós aqui dentro desta sala não fazemos o vento assobiar nem atraímos a lua ou sei lá o que você faz, vamos ficar aqui com as mãos atadas? Tenho tanta coisa em jogo quanto você, Mia. E ainda sou o xerife da Ilha das Três Irmãs.

— Eu descendo delas, tanto quanto você. — Agora era Mac que atraía o olhar de Mia. — Não tenho os poderes que você tem, mas passei a maior parte da vida estudando todo o caso. Deixar-nos de fora não é só um insulto, mas também uma prova de arrogância.

— E só mais um jeito de tentar provar que você não precisa de mais ninguém — completou Sam.

— Essa não era a minha intenção. — Ela se forçou a olhar diretamente para Sam. — Sinto muito se esse foi o resultado. Sinto muito — repetiu e levantou as mãos, abrindo-as para os lados em um gesto que abrangia a todos. — Não teria ido ver Remington se não estivesse certa de que conseguiria lidar com ele. Naquele momento e sob aquelas circunstâncias.

— Você jamais está errada, não é mesmo? — atirou Sam.

— Ora, mas eu já estive errada em outras ocasiões. — E, por sentir o café amargar em sua língua, colocou a xícara de lado. — Mas não estava errada com relação a isso. Ele não conseguiu me ferir. — Ela guardou as lembranças das garras e do frio. — Remington está sendo usado, e o seu ódio e a sua loucura são ferramentas muito poderosas. Havia uma possibilidade de alcançá-lo, desligá-lo daquela fonte de energia. Ele é um condutor — disse, olhando para Mac em busca de confirmação. — Feche a válvula, por assim dizer, e o poder enfraquece.

— É uma teoria válida.

— Danem-se as teorias — reclamou Ripley. — O que aconteceu?

— Ele está muito envolvido. Acredita nas mentiras, nas promessas. E já condenou a si mesmo. Mas isso é apenas uma fraqueza, aquela ânsia de trazer dor e sofrimento. A peculiaridade desse objetivo é que ele já nasceu com defeito. No fim, vai destruir a si próprio. Mas acho que podemos, e devemos, levar o processo adiante. Depois do que aconteceu ontem, temos que seguir em frente. Não quero arriscar mais nada com Lulu, e, enquanto ele não conseguir me atingir, vai continuar tentando atingi-la.

— Acho que você está certa nesse ponto — continuou Mac. — Seus sentimentos por ela seriam encarados como uma fraqueza. Um calcanhar de Aquiles.

— Então temos que agir logo, porque isso não é uma fraqueza. É outra arma.

— Um ataque preventivo? — sugeriu Sam.

— De certo modo, sim — concordou Mia. — Um movimento ofensivo em vez de defensivo. Estou pensando nisso já há algum tempo. Sei, sem sombra de dúvida agora, que o poder dele está aumentando com o tempo. Havia mais força quando eu o enfrentei ontem. Por que esperar até setembro? E lhe dar ainda mais tempo para reunir mais poderes contra nós? Com você, Sam, Ripley e Nell, temos os quatro elementos representados. Temos vida nova, um novo círculo se formando dentro do antigo, três crianças que carregam o sangue antigo e estão só esperando para nascer. Isso é Magia poderosa. Um encanto de expulsão já com ritual completo.

— Mas a lenda exige mais uma coisa — lembrou Sam a ela. — Ela exige que você faça uma escolha.

— Estou ciente disso. Estou consciente de todas as interpretações, todas as nuances. Todos os riscos e sacrifícios. Nosso círculo não está rompido como o dela estava. Nosso Poder não está menor, como o dela estava.

— A voz de Mia se transformou em aço. — Ao atingir Lulu, ele só conseguiu me dar mais motivos para acabar com isso, por quaisquer meios que sejam necessários. A minha parte chegará quando tiver que chegar. E um ritual de expulsão poderia ser uma tremenda distração, algo inesperado para ele, e muito possivelmente colocaria um ponto final nas coisas. Mac?

— Você vai precisar esperar pela lua cheia — acrescentou Mac, com a sobrancelha franzida enquanto fazia os cálculos. — Isso não lhe dá muito tempo.

Mia simplesmente sorriu, mas era um sorriso feroz e frio.

— Já tivemos trezentos anos.

Capítulo Dezenove

— O que foi que deixou de dizer aos outros?

— Não há mais nada a dizer. — Mia estava sentada junto da penteadeira, escovando os cabelos. Ela sabia que Sam não iria embora, mesmo, e não fazia sentido brigar por causa disso.

Batalhas infrutíferas desperdiçavam energia. E estava disposta a manter a dela para quando fosse mais importante.

— Se achasse realmente que um feitiço de expulsão poderia virar o jogo, já teria tentado fazer isso, antes.

— Você não estava aqui, antes.

— Estou de volta desde maio. E será que em algum momento você vai deixar de jogar isso na minha cara?

— Você tem razão. — Ela colocou a escova de lado, e se levantou para abrir as portas da varanda e ouvir os sons da chuva. — Estou sendo chata e repetitiva. Funcionava melhor, antes de eu perdoar você.

— E já perdoou?

A chuva estava quente, maravilhosamente suave. Mesmo assim, ela sentia falta da tempestade.

— Passei algum tempo olhando para trás, tentando enxergar aqueles dois jovens de forma mais objetiva. A mocinha estava tão envolvida com o rapaz que, em suas visões do que queria para sua vida, não conseguiu ver que ele ainda não estava pronto. Não é que ela tenha ignorado ou não tenha percebido. — Mia procurara fundo em seu coração para chegar a essa conclusão. — É que ela realmente não conseguia ver. Supôs que ele a amava tanto quanto ela e queria o que ela queria; jamais viu além disso. O que aconteceu com eles foi culpa dela, tanto quanto dele.

— Não, não foi.

— Tudo bem. Talvez não tanto quanto dele, porque ela era honesta o máximo que podia, e ele, não. Mas ela não estava isenta de culpa. Ela o segurou demais. Talvez... talvez porque ela mesma também não estivesse pronta, exatamente como ele. Simplesmente queria estar. Sentia-se tão sozinha em sua casa nos penhascos, tão desesperadamente sedenta de amor...

— Mia.

— Você não deve me interromper no momento em que eu estou perdoando você. Não pretendo fazer disso um hábito. É um sinal de fraqueza tão grande, e tão típico, culpar os pais pelos próprios defeitos e fracassos na vida. E uma mulher de 30 anos certamente já deveria ter conseguido trabalhar seus defeitos e seus fracassos... e seus triunfos.

Ela havia pensado naquilo também, longamente e com atenção, enquanto esteve fora.

— Mas, em consideração àquela jovem — continuou —, temos que ser honestos. Ela era nova demais para colocar a culpa em outro lugar. — Voltou até a penteadeira e distraidamente abriu um pote de creme, enfiou os dedos nele e o espalhou pelas mãos. — Meus pais jamais me amaram. Isso é triste e doloroso, mas o pior é que jamais se importaram se eu os amava ou não. Sendo assim, o que eu faria com todo aquele amor que ardia dentro de mim? Havia Lulu, graças à deusa. Mas eu tinha tanto mais a oferecer. E lá estava você. O pobre Sam, de olhar triste. Joguei então todo o meu amor em você, até que você se sentiu sufocado, soterrado.

— Eu queria que você me amasse. Eu precisava daquilo. E de você.

— Mas não a ponto de nos ver instalados em um lindo chalé com três filhos e o fiel cão da família. — Ela disse isso com leveza, embora lhe fosse difícil se livrar daquela linda e doce imagem. — E não posso culpá-lo por isso. Posso culpá-lo, sim, pela forma como terminou tudo. Foi tão rápida, tão cruel. Mas é a tal coisa... você também era muito novo.

— Vou me arrepender pelo resto da vida pela maneira como terminei tudo. É um arrependimento por achar que o único modo de salvar a mim mesmo era machucando você.

— A juventude às vezes é cruel.

— E eu fui. Disse a você que estava cheio de você e deste lugar. Que não ia mais ficar preso na armadilha. Que nunca mais ia voltar. Você simplesmente olhou para mim, com lágrimas descendo pelo rosto. E é tão difícil ver você chorar. Aquilo me deixou em pânico, e então eu fui ainda mais cruel. Sinto muito por isso, Mia.

— Acredito em você. Gostaria de pensar que eventualmente poderemos colocar essa parte de nossas vidas onde ela merece ficar. No passado.

— Preciso lhe contar por que motivo eu esperei tanto tempo para voltar.

— Isso é passado também. — Ela recuou o corpo, sem sair do lugar.

— Entretanto, quero que você saiba que, quando eu disse que não ia voltar nunca mais, estava falando sério. Aquela necessidade de ficar longe, de respirar outros ares, me empurrou para a frente nos primeiros anos. Todas as vezes que eu pensava em você, acordado ou dormindo, fechava essa porta. Então, um dia, me vi de pé dentro daquela caverna na costa oeste da Irlanda. — Ele foi até a penteadeira, pegou a escova e a ficou girando repetidamente sobre a palma da mão. — Tudo o que sentia por você, a alegria, o medo, voltou correndo. Mas eu já não era um menino, e aqueles sentimentos não eram mais os de um menino.

Colocou a escova no lugar e olhou para ela.

— Então soube que estava voltando. Isso já faz cinco anos, Mia.

Essa informação a deixou abalada e fez com que controlasse cuidadosamente os pensamentos e a voz.

— Você não teve pressa — disse.

— Porque eu não queria voltar para você, nem para esta ilha, do jeito que tinha saído. Como o filho de Thaddeus Logan, aquele rapaz da família Logan. Eu carregara aquilo como uma corrente em volta do pescoço por muito tempo e estava disposto a quebrá-la. Precisava construir algo por mim mesmo. Por mim. E por você. Não, deixe-me acabar — disse, quando ela começou a falar. — Você tinha todos os sonhos antes, todos os objetivos, todas as respostas. Agora, eu tenho os meus. O hotel não é apenas um imóvel para mim.

— Eu sei disso.

— Talvez saiba — concordou ele. — Talvez saiba. Ele sempre foi meu, em parte um símbolo, em parte uma paixão. Precisava provar que estava voltando com mais do que um nome e uma herança. Comecei a voltar incontáveis vezes nos últimos cinco anos, mas, todas as vezes que decidia isso, algo me impedia. Não sei se era eu mesmo ou a mão do destino. Mas sinto que, antes desse momento, ainda não era a minha hora.

— Você sempre teve mais do que um nome e uma herança. Talvez nunca tivesse conseguido enxergar isso.

— Isso nos traz para o agora, para o presente.

— Agora, sou eu que preciso de tempo para considerar se o passo que dei foi por mim mesma ou pela mão do destino. Você é bem-vindo para dormir aqui. Preciso ver como Lulu está. Depois, quero ficar algum tempo na torre antes de vir para a cama.

A frustração circulou por dentro dele e o fez enfiar as mãos fechadas nos bolsos.

— Estou pedindo uma oportunidade para provar a você que pode confiar em mim novamente, que pode me amar novamente. Quero que você more comigo, fique comigo sabendo que nunca mais vou magoar você deliberadamente. Mas sei que não vai me dar muita oportunidade para isso.

— O que eu posso prometer é o seguinte: depois da lua cheia, depois do ritual, isso tudo vai mudar. Não quero mais ficar brigando com você. Não podemos nos permitir isso.

— Há algo mais, além disso. — Sam agarrou-lhe o braço quando ela passou a seu lado. — Há mais alguma coisa.

— Não posso dizer agora. — Seus dedos estavam formigando de vontade de tirar a mão dele do seu braço, antes que ele insistisse muito ou visse demais. O tempo, pensou ela, seria um elemento essencial. Resistindo, sustentou o olhar dele. — Você quer que eu confie e acredite em você. Então, tem que confiar e acreditar em mim também.

— Confio, se você me prometer que não vai fazer nada que a coloque em risco, fora do seu círculo e sem mim.

— Quando chegar a hora da decisão, eu vou precisar do meu círculo. E isso inclui você.

— Tudo bem. — Se era só aquilo, ele estava disposto a aceitar. Por enquanto. — Posso usar sua biblioteca?

— Fique à vontade.

Depois de se certificar que Lulu estava dormindo, Mia foi até a varanda do andar de cima e ficou debaixo da chuva fina. Podia ver, daquela altura, tudo o que lhe pertencia. E a escuridão que pressionava seus limites, com uma respiração gelada contra o seu calor, fazia com que um vapor subisse em jorros intermitentes.

Quase de forma inconsciente, levantou a mão em direção ao céu e sentiu o Poder tremer pelo braço. Atraiu um raio do céu, no meio da noite, e o atirou como uma lança através da névoa do vapor.

Então se virou e entrou na torre.

Formou o círculo, acendeu as velas e o incenso. Tentaria usar a visão do futuro, mas não queria que nenhuma porção daquilo escorresse para fora do círculo. O que estava em seu coração e em sua mente poderia ser usado contra ela e também contra os que ela amava.

Comeu as ervas, bebeu do cálice ritual e se colocou de joelhos dentro do círculo, no centro do pentagrama, limpando a mente. Em seguida, abriu o terceiro olho.

Sentiu uma tempestade que se abatia com violência sobre toda a ilha, e, apesar das fortíssimas rajadas de vento, toda a terra estava coberta por uma fina camada de névoa. O mar fustigava a base dos penhascos, e ela voava sobre eles, através da chuva incessante, dos clarões dos relâmpagos e acima da neblina que se espalhava e se tornava mais densa.

Na clareira, dentro do coração da ilha, estava o seu círculo. Suas mãos estavam unidas — as dela e as das irmãs. A névoa voraz lambia e agitava as bordas do círculo, mas não conseguia ir além.

A salvo, pensou ela enquanto se ajoelhava no piso da torre. A salvo e forte.

Podia sentir o tremor da terra embaixo, e o ribombar do céu acima. E o bater do próprio coração no lugar em que se ajoelhou e viu a si mesma.

Os elementos chamaram, de volta. Terra, Ar, Água e Fogo. O Poder estava forte. Aumentando e se espalhando. Embora penetrasse na neblina, a massa enevoada se refazia. E de dentro dessa massa surgiu o lobo que levava a sua marca.

Quando ele saltou, ela estava sozinha na ponta do penhasco. Viu seus olhos vermelhos se aproximando. Ouviu sua própria voz gritar, um grito de desespero e de triunfo, que lançou enquanto se abraçava ao animal e o levava com ela para o fundo do abismo.

Enquanto caía, viu a lua, cheia e branca, atravessar a névoa e brilhar, com o fogo branco das estrelas, sobre toda a ilha.

Dentro da torre, ainda ajoelhada, sentiu os olhos embaçados pelas visões e o coração martelar.

— A senhora me deu tudo isso só para poder tirar? Há um preço a pagar pelo meu dom, afinal? A senhora, que é mãe do meu coração, deixaria que inocentes fossem destruídos? Afinal de contas, é uma questão só de sangue?

E se deixou escorregar para o chão. Pela primeira e última vez na vida, amaldiçoou o seu dom.

— Ela está escondendo alguma coisa. — Sam andava de um lado para o outro na cozinha da casa onde crescera. — Eu sinto isso.

— Talvez esteja. — Mac empurrou para o lado os documentos espalhados na mesa da cozinha. Eles tinham sido sua companhia desde o café da manhã, até Sam aparecer. — Tinha algo martelando na minha cabeça ontem à noite, mas eu não consegui identificar o quê. Estive pesquisando todo o material que tenho sobre a Ilha das Três Irmãs. A terra, as mulheres, os descendentes. Reli o diário de minha antepassada. E sinto que estou deixando passar alguma coisa importante. Algum ângulo. Alguma... qual foi a palavra que Mia usou?... *Interpretação.*

Sam colocou a sacola que trouxera em cima da mesa, dizendo:

— Pode adicionar tudo isto ao seu material de pesquisa, pelo menos até ela notar que eu peguei da biblioteca dela.

— Eu estava querendo pegar este material, mesmo. — Com cuidado, quase de forma reverente, Mac apanhou um livro com capa de couro, antigo e muito gasto, dentro da sacola. — Mia me deu sinal verde para vasculhar seus livros.

— Então podemos alegar isso quando ela ficar aborrecida ao saber que eu os trouxe até você. Vou falar com Zack. — Sam balançou algumas moedas no bolso, distraído, e começou novamente a andar pela cozinha. — A família Todd está na ilha desde o início, e sempre houve o dedo deles em tudo que se relaciona com a ilha. Talvez, se eu pensar nas perguntas certas, consiga as respostas certas.

— Temos pouco mais de uma semana, até a lua cheia.

— Pare de pressionar, professor. — Sam olhou o relógio. — Tenho que ir para o trabalho. Se descobrir alguma coisa, me avise.

Mac murmurou que sim, já absorvido pelo primeiro livro.

Em vez de ir para o carro, Sam seguiu o instinto e desceu até a praia, em direção à caverna.

Sempre houvera alguma coisa que o atraía para lá, mesmo antes de Mia. Desde menino, ele escapava dos cuidados da mãe ou da babá e ia circular por ali. Mesmo que fosse apenas para se deitar no chão encolhido e dar um cochilo. Ainda se lembrava de uma ocasião, quando tinha 3 anos, em que a polícia fora chamada para procurá-lo. O pai de Zack o tinha encontrado lá, o pegara no colo e o arrancara de um sonho onde ele se via dormindo nos braços de uma mulher maravilhosa, de cabelos ruivos e olhos acinzentados.

Ela havia cantado para ele, em idioma galês, uma cantiga que contava a história de um lindo *selkie* que se apaixonara por uma bruxa e depois a abandonara para voltar para o mar.

Ele compreendera todas as palavras, e o idioma da canção se tornou o dele.

Quando ficou mais velho, ele e os amigos sempre iam brincar na caverna, usavam-na como forte, como submarino ou como covil de ladrões. Ainda assim, frequentemente ele ia até ali, sozinho, escapando sorrateiramente de seu quarto depois da hora de dormir para se esticar no chão, acender uma pequena fogueira com a força do pensamento e ficar ali, olhando a sombra das chamas dançar pelas paredes.

Quando começou a deixar de ser um menino para se transformar em rapaz, a mulher lhe aparecia cada vez menos nos sonhos, e com menos clareza. Mas ele a reconhecera em Mia. As duas imagens foram se sobrepondo em sua mente, até que sobrou apenas a imagem dela.

Ele entrou na caverna e podia sentir-lhe o cheiro. Não se corrigiu, fascinado. Ele sentia o cheiro das duas. O perfume de ervas da mulher que cantara para ele e o cheiro mais rico e envolvente da mulher que ele amava.

Mãe, foi como Mia a chamara na noite em que eles a viram carregar a pele daquele lugar, dobrada no braço. Com o calor da afeição e um respeito formal, Mia se dirigira à visão como se elas já tivessem se encontrado muitas vezes antes.

E ele imaginava, embora Mia não lhe tivesse dito, mesmo no tempo em que parecia lhe contar tudo, que eram velhas conhecidas.

Ele se agachou, estudando o solo liso onde vira o homem dormindo, de lado.

— Você tinha o meu rosto — disse em voz alta —, como ela tinha o de Mia. E eu acreditei que isso significava que nós dois não deveríamos ficar juntos. Foi mais uma das muitas desculpas. Você foi embora, e eu também. Mas eu voltei.

Ele se virou, lendo as palavras que havia gravado na pedra, tanto tempo antes. Enquanto lia, colocou a mão sob a camisa para pegar a corrente que usava. Seu sapato chutou algo que bateu na pedra, fazendo um barulho metálico.

Com uma das mãos fechadas sobre o anel que usava no cordão, pegou no chão o anel que era seu par.

O anel menor estava muito fosco, embaçado, mas ele conseguia reconhecer a gravação em volta dele. Era o mesmo padrão do nó céltico que envolvia o anel que encontrara na caverna da costa oeste da Irlanda. E também o mesmo padrão do desenho que Mia entalhara sob a promessa que ele gravara na pedra.

Cuidadosamente, fechou os dedos em torno do anel e recitou um antigo encanto quase esquecido, dedicado a mães de família. Quando abriu a mão de novo, o pequeno anel brilhava em prata.

Ele o estudou por longo tempo e por fim o enfiou no cordão, junto com o seu par.

Em seu escritório, Mia imprimia os pedidos que haviam chegado por e-mail, colocando-os de lado para atendê-los. Depois, eficientemente, começou a examinar a papelada gerada em sua rápida ausência. Usara o trabalho como uma desculpa legítima para sair de casa logo cedo. Embora, lembrou, Sam não parecesse ansioso para impedi-la.

Às nove horas, já tendo feito um progresso considerável, parou para dar o primeiro telefonema do dia. Precisava ver o seu advogado na primeira oportunidade para fazer novos ajustes em seu testamento.

Disse a si mesma que não estava sendo fatalista, apenas prática.

Da pequena bolsa, tirou alguns papéis pessoais que trouxera de casa. Seu contrato de sociedade com Nell, no Bufê das Três Irmãs, estava em ordem. Mia pretendia deixar a sua parte como herança para Ripley, se algo lhe acontecesse.

Tinha certeza de que Nell aprovaria aquilo.

Pelo testamento, do jeito que estava naquele momento, a livraria ia direto para Lulu, mas ela resolveu modificá-lo e designar uma parte da loja para Nell. Lulu iria aprovar, ela também tinha certeza.

Pretendia ainda deixar um pequeno fundo de investimentos no nome dos filhos de suas irmãs, incluindo a escritura de propriedade do chalé amarelo. Era algo que ela faria de qualquer modo.

Sua biblioteca ficaria integralmente para Mac, pois ele faria o melhor uso dela. Para Zack, deixaria sua coleção de estrelas e o relógio que tinha sido de seu bisavô.

Era o tipo de coisa que alguém deixaria como herança para um irmão.

A casa ficaria para Sam. Mia podia confiar nele para preservá-la, sabia que seu jardim seria sempre bem-cuidado e que o coração da ilha estaria protegido.

Colocou todos os papéis em sua gaveta de baixo e a trancou. Não tinha a intenção de ver aqueles acertos atendidos em um futuro próximo, mas acreditava piamente em estar preparada.

Recolheu os pedidos, levou-os para baixo, para atendê-los, e seguiu com a rotina do seu dia e da sua vida.

— Há alguma coisa errada.

— Sim — concordou Ripley. — Há gente demais na praia, e mais da metade é idiota.

— É sério, Ripley. Estou muito preocupada com Mia. Faltam só dois dias para a lua cheia.

— Eu sei em que dia do mês vai cair. Olhe aquele sujeito ali, deitado em uma toalha do Mickey. Tostando o corpo como se fosse um peixe na frigideira. Aposto que é de Indiana ou outro estado desse e nunca tinha visto uma praia antes. Espere só um minuto.

Ela marchou pela areia, dando uma cutucada no sujeito de cor rosa-choque com a ponta da bota. Nell ficou esperando, mudando o peso do corpo de um pé para o outro, enquanto Ripley lançava o seu discurso, apontando para o sol e se abaixando para pressionar o ombro do homem com o dedo, como se estivesse testando o grau de cozimento.

Quando ela já estava voltando, o homem pegou o protetor solar e começou a espalhá-lo pelo corpo.

— Minha boa ação da semana. Agora, sobre a Mia...

— Ela está calma demais. Anda de um lado para o outro na loja, como se tudo estivesse normal. Apareceu na reunião do Clube do Livro ontem à noite e está lá dentro agora, fazendo levantamento do estoque. Estamos às vésperas de realizar o maior encanto que eu já vi, e ela fica me dando tapinhas nas costas, dizendo que tudo vai dar certo.

— Ela sempre teve água gelada correndo nas veias; isso não é novidade.

— Ripley.

— Certo, certo. — Bufando com força, Ripley começou a acompanhar Nell ao longo da mureta do calçadão, para terminar sua ronda na praia. — Nell, eu estou preocupada também, tá? E mesmo que não estivesse, Mac consegue ficar agitado por nós dois. Está atolado em pesquisas, passa horas tomando notas. Acha que Mia está planejando alguma coisa sem nos contar.

— Eu também.

— Então somos três. Não sei que droga de atitude a gente deve tomar.

— Zack e eu conversamos sobre isso. Podíamos encostá-la na parede, todos nós, ao mesmo tempo.

— Como assim? Feito uma intervenção? Fala sério. Não dá para rachar aquela mulher nem com uma britadeira. Gostaria de não apreciar tanto essa qualidade dela.

— Tive outra ideia. Pensei que, só entre nós duas, poderíamos... Bem, já que estamos conectadas, poderíamos atravessar esse escudo protetor que ela levantou e ver o que ela está pensando.

— Você está me propondo penetrar nos pensamentos de Mia contra a vontade dela?

— Sim. Esqueça que eu disse isso. É uma coisa rude, intrometida e desprezível.

— É verdade, por isso é que gostei tanto. Grande ideia. Posso tirar uma hora, deixe ver... — Ela consultou o relógio. — Agora mesmo. A sua casa é mais perto.

Vinte minutos depois, Ripley estava deitada de costas no chão da sala de estar da casa de Nell, ofegante e suada.

— Caramba! Ela é danada! Temos que admirá-la por isso.

— Parece que estamos furando concreto com um palito de dentes. — Nell passou o braço na testa. — Não era para ser tão difícil.

— Ela sacou que poderíamos tentar isso. Estava pronta para nós. Cara, ela é boa mesmo. E tem algo a esconder. — Ripley enxugou as mãos suadas nas calças. — Agora eu estou bem preocupada. Vamos tentar Sam.

— Não podemos. O que quer que ela esteja protegendo, provavelmente tem a ver com ele. Não seria correto, Ripley. Ela o ama.

Olhando para o teto, Ripley tamborilou com os dedos sobre a barriga.

— Se essa for a escolha dela — falou.

— Ela não fez a escolha. Pelo menos isso ela está mostrando. Ela o ama, mas, pelo que sei, não está feliz.

— Ela nunca conseguiu ser simples. Sabe o que eu acho? Acho que vai tentar alguma coisa durante o encanto de expulsão. Uma urucubaca dupla. Já deve ter tomado a decisão. Ela não resolve nada no calor do momento.

— Ripley, ela disse que nossos bebês estariam a salvo.

— Foi.

— Mas nunca disse que *ela* estaria.

Sam afrouxou a gravata enquanto observava Mac circular pela parte externa do chalé com uma das suas geringonças portáteis. De vez em quando ele se desviava, ficava de cócoras, murmurava algo.

— Ele dá o maior show, não é? — Ao lado de Sam, Ripley estava na ponta dos pés, para a frente e para trás. — Desde que estreou com essa nova superprodução, Mac tem feito a verificação na nossa casa e na casa de Lulu duas vezes por dia.

— O que está acontecendo, Ripley? — Sam viera direto de uma reunião para o que parecia ser outra. Zack e Nell estavam para chegar a qualquer momento. — Por que vamos fazer exatamente sei lá o que sem a Mia?

— É ideia de Mac. Só sei de algumas partes. — Ela virou o rosto para o lado enquanto Mac voltava na direção deles. — E então, Dr. Booke, qual é o lance?

— Você mantém este lugar bem protegido — disse a Sam. — Bom trabalho.

— Obrigado, doutor. Agora, que droga está acontecendo por aqui?

— Vamos esperar pelos outros. Tenho que pegar algumas coisas no carro. Mia está esperando por você agora?

— Não tenho relógio de ponto. — Notando o olhar de riso que os dois trocaram ao ouvi-lo dizer isso, Sam rangeu os dentes. — Olhe, ela vai para casa logo, logo. Lulu, que deve ter passado a teimosia dela para Mia por osmose, já voltou para sua casa. Não gosto de deixar Mia sozinha por muito tempo.

— Vamos deixar você ir para o parque de diversões logo — começou Ripley, e então viu o olhar de raiva no rosto de Sam. — Ei, ei! Vai com calma, Sam. Estamos jogando no mesmo time, lembra?

— Está muito quente aqui fora. — Dizendo isso, Sam se virou e entrou na casa.

— Nervosinho.

— E quem não está? — perguntou Mac. — Nell e Zack estão chegando. Vamos começar.

Em menos de dez minutos, Sam viu seu pequeno chalé ser invadido. Nell, evidentemente imaginando o estado precário de sua despensa, trouxera cookies e uma garrafa térmica com chá gelado. Conseguiu arrumar tudo como se fosse para uma festa, mesmo com Mac espalhando as anotações e os livros sobre a mesa.

— Nell, quer se sentar por favor? — Zack a empurrou na direção de uma cadeira. — Deixe o bebê descansar por cinco minutos.

— Ei, eu tenho dois — disse Ripley para se exibir, enquanto ia até o balcão da cozinha e roubava um cookie. — Sendo assim, posso comer o primeiro. Bem, pessoal, Nell e eu decidimos realizar uma pequena missão de espionagem, ontem...

— Não era espionagem.

— Teria sido — disse Ripley —, se tivéssemos conseguido. Mas não conseguimos. Mia está totalmente bloqueada. Trancou-se como se estivesse dentro de um cofre.

— E você acha que isso é novidade? — perguntou Sam.

— Ela está armando alguma coisa naquele cérebro arrumadinho dela e não quer que ninguém saiba — continuou Ripley. — Não é só irritante, como também preocupante.

— Ela já decidiu o que vai fazer.

— Acho que tem razão — disse Mac a Sam. — Naquela noite em que estivemos todos juntos, ela disse alguma coisa sobre conhecer todos os aspectos e interpretações. Aquilo me deixou pensando. Na superfície, tudo já são favas contadas. A tarefa dela, podemos chamar assim, tem a ver com amor. Amor sem limites. Podemos analisar isso como ela tendo que amar desse jeito ou deixar o amor ir embora, livremente, para se libertar de uma conexão que a prendia. Sinto por dizer isso — acrescentou.

— Já passamos por tudo isso antes.

— Sim, só que o que parece estar completo e acabado raramente está. A primeira irmã, que seria a equivalente dela, prendeu o homem que amava em uma armadilha. Quando você esconde a pele de um *selkie,* você o prende à terra onde ele está e a você. Assim, eles construíram uma vida juntos, uma família. Mas os sentimentos dele por ela foram produzidos por Magia, não por vontade própria. Quando encontrou sua pele, ele voltou à sua forma anterior e a abandonou.

— Ele não conseguiu ficar — completou Sam.

— Não nego. Agora, uma das possíveis interpretações é que Mia precisa *encontrar* um amor sem fronteiras. Um que venha a ela sem qualificação ou Magia. Que seja apenas o que é.

— Eu estou apaixonado por Mia. Já disse isso a ela.

— Ela tem que acreditar em você. — Zack colocou a mão no ombro de Sam. — E aceitá-lo ou deixá-lo ir.

— Mas essa não é a única interpretação. Acompanhem comigo, aqui. — Mac pegou em um dos livros antigos e o abriu em uma página que marcara.

— Esta é uma história da ilha, escrita no século XVIII. Fala de documentos que eu nunca encontrei. Caso Mia possua esses documentos, não os deixou com os outros, na biblioteca.

— Se são tão importantes, ela não os deixaria lá. — A preocupação voltou ao olhar de Sam. — Provavelmente ela os guardaria na torre.

— Gostaria de vê-los, mas, para nossos objetivos imediatos, isto aqui é o bastante. Fala da lenda em detalhes — continuou Mac. — Vou destacar os pontos principais.

Ele ajustou os óculos, passeando os olhos pelas páginas amareladas e lendo:

Pela magia foi formada e pela Magia deverá vencer ou perecer
Assim as escolhas do círculo consideram o ato de viver ou morrer
Sangue do sangue delas, mão da mão delas, uma vez para três
As que viverem têm que enfrentar o escuro, cada uma por sua vez
Ar deverá encontrar a coragem que não teve,
Fugir do que a destruiria e manter-se contra ele.

— Você fez as duas coisas — disse Mac a Nell.

Quando ela enxergar a si própria e se der pelo que ama
O círculo se manterá inteiro, dentro de sua chama
Terra buscará justiça, sem lâmina, lança ou drama
Disposta a derramar seu sangue em defesa do que clama
Sem fazer mal a ninguém, pelo bem dos que ela ama.

Ripley virou a mão para cima e avaliou a fina cicatriz que marcava sua palma, dizendo:

— Acho que resolvemos essa parte, também.

— Você teve escolha. — Mac se virou para a mulher. — Mais até do que imaginávamos. A seguir, leu:

Quando a justiça for alcançada, sua roda não será quebrada
Fogo terá que ver no coração que sua hora é chegada
Deverá abri-lo sem medo e deixar a porta destrancada
Para encontrar um amor sem fronteiras e dar de mão beijada
O que tem de mais caro, sua vida, que será então penhorada
E, com o coração livre, a vida circular não será cortada.

O Poder das Três vai se unir, e tudo vai suportar
E os quatro elementos vão as trevas conquistar.

— Sacrifício? Ela vai oferecer o que de mão beijada? A *vida* dela? — Sam se lançou para a frente. — Ela pode sacrificar a própria vida?

— Aguente firme. — Zack segurou o ombro de Sam com força. — É assim que você está interpretando, Mac?

— Podemos interpretar que qualquer uma das três poderia ter oferecido a própria vida para salvar as outras. Este livro veio da biblioteca particular de Mia, portanto é uma opção que ela conhece. A pergunta é: será que é uma opção que ela pensaria em usar?

— Sim. — Com o rosto pálido, Nell olhou para Ripley. — Cada uma de nós teria feito isso.

— Se ela achar que é a única saída — concordou Ripley. — Mas ela não pensaria desse modo. — Inquieta, afastou-se do balcão. — Ela iria tentar contrapor todos os seus poderes contra qualquer força, contra qualquer coisa.

— Não é o bastante. — Sam fechou o punho, como se pudesse encarcerar a fúria e o medo dentro dele. — Não está nem perto de ser o bastante. Não vou ficar longe enquanto ela planeja morrer para salvar alguns quilômetros quadrados de terra. Temos que parar com esta maldição agora.

— Você sabe como funciona. — Com os nervos à flor da pele, Ripley arrancou o boné com raiva. — Você não pode parar uma maldição que foi colocada em ação há séculos. Eu tentei e quase fui atropelada por ela.

— Mas não é a sua vida que está em jogo agora, correto?

Se tivesse visto raiva nos olhos de Sam, Ripley teria respondido à altura, mas o que viu foi medo.

— Então, Sam, que tal descontarmos esse estresse em Mia, quando estiver tudo resolvido?

— Topo. — Ele deu um aperto carinhoso no ombro de Ripley para depois deixar a mão cair. — Não há motivo para confrontar Mia agora. Não vamos conseguir convencê-la. Carregá-la fisicamente para fora da ilha também não vai mudar nada. Já que o último passo vai ter mesmo que ser dado, é melhor que seja aqui. Com todos nós.

— O centro do Poder — concordou Mac. — O centro dela, o círculo dela. Os poderes dela são os mais refinados e os mais fortes. Mas isso me leva à conclusão de que o que vai se erguer contra ela também vai estar com os poderes aumentados, para enfrentá-la à altura.

— Mas há mais de nós agora — lembrou Nell. E estendeu a mão para o marido enquanto colocava a outra sobre a barriga. — Unidas, nossas forças são gigantescas.

— Existem outras fontes de poder — concordou Sam, enquanto a ideia tomava forma. — Vamos utilizá-las. Todas elas.

Sua mente estava clara, e seus pensamentos, sob controle quando ele se encaminhou para a casa nos penhascos. Mia não era a única que podia criar um bloqueio.

Encontrou-a no jardim, tomando calmamente uma xícara de chá enquanto uma borboleta batia as asas na palma de sua mão estendida.

— Que quadro lindo! — disse Sam, beijando-lhe o alto da cabeça, para em seguida se sentar à sua frente. — Como foi o seu dia?

Por um momento ela não respondeu. Ficou estudando o rosto dele e bebendo o chá. Dentro dela havia uma imensa saudade, por baixo da determinação de ferro.

— Foi um dia cheio e produtivo. E o seu?

— O mesmo. Um garoto enfiou a cabeça entre duas barras de ferro em uma das varandas e ficou preso. Ele estava calmo, mas a mãe gritava feito uma desesperada e queria que a gente cortasse o metal para libertá-lo. Como eu não estava disposto a causar danos a uma grade com séculos de existência, já estava a ponto de tirá-lo dali com um encanto rápido. A camareira chegou antes de mim. Encheu a cabeça do pestinha com óleo para bebês e a puxou para trás como se fosse uma rolha de garrafa.

Mia sorriu e foi gentil o suficiente para oferecer a Sam um pouco de vinho. Seus olhos, porém, estavam vigilantes e desconfiados.

— Ele deve ter curtido todo o movimento. Sam, eu reparei que alguns dos meus livros não estão na biblioteca.

— Hein? — Estendeu a mão, e a borboleta voou da palma da mão dela, graciosamente, e veio pousar na dele. — Você falou que eu poderia usar a biblioteca.

— Onde estão os livros?

— Passei algum tempo estudando alguns deles, pensando em encontrar um ângulo novo para resolver todo este problema.

Ele passou o vinho e a borboleta de volta para ela.

— Ah, foi? — Um calafrio apertou-lhe o coração. — E então?

— Nunca fui um grande intelectual — explicou, encolhendo os ombros. — Mencionei o assunto de passagem com Mac, e ele me pediu emprestados os livros. Não imaginei que você fosse se incomodar.

— Preferia que os livros permanecessem na minha casa.

— Ah... Bem, vou pegá-los de volta, então. Sabe de uma coisa?... Ficar aqui sentado junto de você me parece perfeito. E, cada vez que a olho, meu coração se torce dentro do peito. Isso me parece perfeito, também. Eu amo você, Mia.

— Preciso arrumar alguma coisa para o jantar. — Seus olhos baixaram.

Quando ela se levantou, ele lhe estendeu a mão.

— Deixe-me ajudá-la. — Manteve os dedos entrelaçados nos dela enquanto se levantavam. — Não há necessidade de fazer todo o trabalho sozinha.

Não me toque, pensou ela. *Ainda não. Não agora.*

— Eu me ajeito melhor na cozinha quando estou sozinha.

— Então chegue para o lado — sugeriu ele —, porque eu não vou a lugar algum.

Capítulo Vinte

Ele estava com alguma coisa na cabeça, Mia tinha certeza. Estava gentil, atencioso, cheio de consideração. Se ela não soubesse das coisas, poderia até mesmo achar que alguém lhe tinha colocado um feitiço para deixá-lo com bom temperamento.

Embora parecesse ridículo, mesmo para ela, Mia preferia vê-lo sempre a ponto de estourar. Pelo menos desse jeito sabia o que esperar.

Por outro lado, estava sem tempo para pesquisar mais a fundo, pois não podia arriscar que ele também começasse a investigar os sentimentos. E, mesmo que tivesse tempo, não podia desperdiçar energia. Estava estocando seus poderes como se fossem ações da Bolsa.

Estava resolvida, preparada e tão confiante quanto possível. Quando os nervos se agitavam, ela usava sua energia. Quando as dúvidas chegavam mais perto, rapidamente as colocava de lado.

No dia da lua cheia, ela se levantou ao amanhecer. Tinha vontade, quase uma dolorosa necessidade, de rolar por cima de Sam e se acalentar com seu calor. Queria ter seus braços em volta dela, como às vezes ele fazia durante o sono. Eles não haviam feito mais nada a não ser dormir juntos, no sentido mais inocente do termo, desde aquela noite no chalé.

Ele não a havia questionado com relação a isso e nem tentara seduzi-la. O fato de ela considerar esse respeito ligeiramente insultante só fazia com que ficasse ainda mais aborrecida consigo mesma.

Tinha sido ela que, mais de uma vez, quase o procurara durante a noite, quando a mente estava cheia de sonhos, e o corpo, cheio de carências.

Mas, naquela manhã, a mais vital de todas, deixou-o dormindo e ficou de pé em seus penhascos. Ali ela recolhia o fogo do sol que se levantava e a força do mar que se despedaçava lá embaixo.

Com os braços esticados, ela bebeu o Poder e deu graças pelos seus dons.

Quando se virou, viu-o na varanda do andar de cima, observando-a. Seus olhares se encontraram e se sustentaram. Uma luz explodiu entre eles. Com os cabelos levantados pelo vento, ela caminhou de volta para casa e ignorou a névoa preta que rastejava em volta dos limites do seu mundo.

Foi para a loja para manter a paz de espírito. Construíra aquilo com suor e sonhos. Apesar do braço quebrado, Lulu estava de volta, trabalhando no caixa. Já que não havia como impedi-la, Mia nem se deu ao trabalho de discutir.

Além do mais, tinha que admitir que o trabalho e as visitas de vizinhos e amigos pareciam mantê-la com um bom estado de espírito.

Mesmo assim, ela preferia que Lulu voltasse ao trabalho de forma gradual, em vez de chegar com aquela disposição.

Pelo fato de a loja estar com muito movimento, ela não teve a oportunidade que queria para passar algum tempo com Lulu e paparicá-la mais sem dar muita pinta. Parecia, porém, que todas as pessoas da ilha procuravam um motivo para passar na loja e ficar algum tempo com ela.

Ao meio-dia a cafeteria estava apinhada, e ela mal podia passar sem alguém chamá-la para dar uma palavrinha.

Para conseguir escapar para respirar, Mia se refugiou na cozinha, e pegou uma garrafa de água na geladeira.

— Hester Birmingham acabou de me dizer que a sorveteria do Ben e do Jerry está em promoção esta semana.

— Gosto muito dos dois — respondeu Nell enquanto montava um sanduíche de frango grelhado com queijo Brie para acompanhar a sopa especial do dia.

— Ela estava tão empolgada com a novidade que pensei que fosse começar a chorar a qualquer momento.

— Algumas pessoas encaram sorvete com muita seriedade. Por que não vamos lá comprar um pouco? Podemos fazer um sundae logo mais à noite... depois que acabarmos.

— Ótimo. Fico feliz em ver que você não está preocupada com hoje à noite. — Mia se aproximou e passou a mão carinhosamente no braço de Nell. — Você já tem tudo de que precisa. Amanhã estará tudo acabado. Não haverá mais sombras.

— Acredito nisso. Mas vai ter que aturar um pouco da minha preocupação com você.

— Irmãzinha. — Mia pousou o rosto junto do cabelo de Nell por um breve instante. — Eu amo você. E agora vou embora daqui. Ainda tenho um monte de coisas para fazer; tudo que consegui até agora foi bater papo com as pessoas. Nós nos veremos hoje à noite.

Assim que ela saiu, Nell fechou os olhos. E rezou.

Não era, conforme Mia descobriu, apenas uma questão de sair. Quando conseguiu chegar em seu escritório, apanhar os papéis que trancara lá dentro, voltar para a loja e descer as escadas, uma hora já havia passado, voando.

— Lulu. Dois minutinhos, por favor — disse, apontando para a sala nos fundos da loja.

— Estou ocupada.

— Só dois minutos — repetiu Mia, entrando na sala.

— Não tenho tempo para ficar tagarelando e não preciso de outro intervalo para descanso. — Com a cara amarrada, Lulu entrou a contragosto. O gesso de seu braço estava coberto por autógrafos coloridos e algumas figuras obscenas. — Estou cheia de clientes.

— Eu sei. Sinto muito, mas tenho que ir para casa.

— Estamos no meio do maldito expediente. Preciso lembrar a você que estou trabalhando só com um braço, em vez dos seis que uso normalmente?

— Desculpe.

Uma onda de emoção subiu-lhe pela garganta e fez sua voz ficar rouca, antes que conseguisse engolir. Ali estava a mulher que tinha sido a sua mãe, seu pai, sua amiga. A única coisa constante e permanente em sua vida além do seu dom. E ainda mais preciosa do que a Magia.

— Você está passando mal? — quis saber Lulu.

— Não, não, estou bem. Podemos fechar a loja pelo resto do dia. Não quero sobrecarregar você.

— Nem morta que vamos fechar. Se você quer fazer gazeta, vá em frente. Não sou uma maldita inválida e sei muito bem como tomar conta da loja.

— Eu sei. Depois a recompenso.

— Vou cobrar isso. Vou tirar uma tarde inteira de folga na semana que vem, e você vai ficar sozinha na batalha.

— Combinado. Obrigada. — Com cuidado para não machucar o braço, Mia a abraçou, e depois, sem conseguir se segurar, apertou o rosto contra o cabelo de Lulu. — Obrigada por tudo.

— Se soubesse que você ia ficar tão emocionada, teria pedido duas tardes de folga. Vá logo, já que tem que ir.

— Eu amo você, Lu. Estou indo.

Ela agarrou a bolsa e a colocou no ombro. Ao sair correndo, não reparou nas lágrimas que nadavam nos olhos de Lulu nem a ouviu fungando.

Quando teve certeza de que Mia não conseguia mais ouvi-la, Lulu sussurrou:

— Seja abençoada, minha menina.

— Está tudo em ordem, Sra. Farley?

— Está.

— Obrigado pela ajuda. — Sam assentiu. — Agora, vou ter que deixar os outros assuntos em suas mãos capazes.

— Senhor... Sam — emendou ela. — Você foi um menino interessante, um bom rapaz e tudo o mais. E se transformou em um homem ainda melhor.

— Eu... — As palavras lhe faltaram. — Obrigado. Tenho que *ir* para casa, agora.

— Tenha uma boa noite.

— Vou passar a noite lendo — predisse, enquanto saía do escritório. Havia coisas que ele precisava pegar no chalé. Ferramentas que não havia levado para a casa de Mia. Embrulhou-as. Ali estavam o seu tatame mais antigo e sua espada ritual, além do velho jarro onde guardava o sal marinho. Colocou uma camisa escura e calça jeans e decidiu levar o manto preto dobrado, em vez de ir dirigindo já vestido com ele. Embalou sua varinha favorita em seda.

Tudo isso ele colocou em uma caixa de madeira entalhada, que estava em sua família havia muitas gerações.

Em vez de um amuleto ou um pingente, levava no pescoço o cordão com os dois anéis de prata.

Antes de se encaminhar para o carro, parou para olhar para trás, para a casa e o bosque que se espalhava por trás dela. A sua proteção iria mantê-la a salvo. Recusava-se a acreditar em outra coisa.

Conseguiu sentir na pele a vibração do próprio Poder quando cruzou a borda do escudo protetor para chegar ao carro, que estava estacionado na rua.

A força inesperada o atingiu com violência, e foi como se seu corpo inteiro sentisse um golpe que o levantou do chão e o fez voar para trás. Caiu de costas, e mil estrelas escuras pareceram girar em sua cabeça.

— Vai levar uma hora para você conseguir instalar todo esse equipamento — reclamou Ripley quando Mac carregou a última leva de aparelhos na traseira do Land Rover.

— Não vai, não.

Você sempre diz isso.

— Provavelmente nem vou precisar de tudo, mas não quero me arriscar. Este está prometendo ser o maior evento paranormal já registrado na história. Pronto. — Ele fechou o porta-malas. — Podemos ir?

— Até que enfim. Vamos...

E Mac viu, petrificado, quando os olhos de Ripley giraram descontrolados e suas mãos agarraram o próprio pescoço, enquanto ela ficava engasgada, sem conseguir respirar.

Nell esperou enquanto Zack colocava a sacola com os equipamentos de Magia dentro do carro.

— Isso vai funcionar, vai dar tudo certo — disse para ele. — Mia trabalhou nisso a vida toda.

— Mas não faz mal ter um apoio.

— Não, e a ideia de Sam não só foi brilhante, como também diz muito do propósito da ilha.

Zack pegou a embalagem térmica com sorvete e os acompanhamentos para o sundae.

— Acredito nisso também. Mas fiquei um pouco grilado quando soube que Remington ficou catatônico. Meu contato no hospital psiquiátrico disse que foi como desligar um interruptor. De repente ele apagou.

— Ele está sendo usado. Consigo sentir pena dele, deixando-se aberto para uma força que vai, sem dúvida, destruí-lo.

— O que está dentro dele quer você, Nell.

— Não. — Tocou o braço de Zack. O homem que um dia fora seu marido e seu terror já não lhe trazia mais medo. — O que está nele agora quer tudo, inclusive Mia, mais do que ninguém.

Ela se virou para entrar no carro, mas então, com um grito de choque, se dobrou de dor.

— O que foi? Nell!

— Contrações. Meu Deus, o bebê!

— Aguente firme. Por favor, aguente firme. — Ele a amparou com os braços, lutando contra o pânico ao mesmo tempo em que via a dor estampada em seu rosto. — Vou levá-la ao médico. Tudo vai dar certo.

— Não, não, não. — Apertando o rosto contra seu ombro, ela lutava contra a dor e o terror. — Espere. Espere só um pouco.

— Nem um segundo. — Ele abriu a porta do carro, pronto para acomodá-la, mas ela estava agarrada nele como um carrapato.

— Não é real. Não é real. Mia disse que o bebê estava a salvo. Tinha certeza do que dizia. Isto *não é* real. — Ela se dobrou, olhando para o chão, e encontrou Poder por baixo do medo. — É só uma ilusão para nos manter longe. Para nos impedir de formar o círculo. — Expirou com força, tremendo, e, quando levantou a cabeça e olhou para Zack novamente, sua pele estava brilhando. — É tudo uma mentira — confirmou ela. — Temos que ir logo para onde está Mia.

Ela foi para o penhasco primeiro. Ficou parada, coberta por seu manto, branco como a lua que ainda estava para nascer, cujo halo já aumentava gradativamente de tamanho. Podia sentir a escuridão pressionando, sua ponta fria como gelo e afiada como uma lâmina.

Observou, com calma, enquanto a névoa vinha rolando sobre a superfície do mar, centímetro por centímetro, e começava a se espalhar sobre a ilha.

Embora ela guardasse com toda a força os pensamentos, uma coisa estava clara. A batalha daquela noite era mesmo a definitiva.

— Que assim seja — murmurou e, virando-se, penetrou nas longas sombras à luz do crepúsculo que se infiltravam pela floresta.

A névoa começou a envolvê-la. Fria e cheia de sussurros. Aquilo a fez ter vontade de correr. Ela podia sentir os horrendos dedos gélidos que tocavam em sua pele. Uma espécie de provocação.

Ouviu o longo e grave uivo de um lobo, e o som era quase como um riso. O pânico começou a se infiltrar pela sua armadura de determinação, enquanto a névoa se arrastava de forma repugnante por baixo da barra de seu manto.

Fazendo um som de nojo, ela repeliu a névoa, fazendo-a recuar e sair do caminho, embora soubesse que, ao fazer isso, estava desperdiçando um pouco da energia tão cuidadosamente acumulada.

Com a pulsação disparada, entrou na clareira. Foi até o coração para esperar pelo seu círculo.

Não ia ser fácil, pensou, trazendo as emoções de volta. Imaginou-as escuras e brilhantes, aglutinando-se em um raio estreito encerrado em seu coração. Não ia ser tão fácil magoar aqueles a quem ela amava e usar aquele amor para destruir.

Ela iria proteger. E venceria.

Nell chegou primeiro, correndo pela floresta com Zack, para atirar os braços em volta de Mia.

— Você está bem?

— Sim. — Com delicadeza, Mia afastou Nell para trás. — O que aconteceu?

— Ele tentou nos impedir. Mia, ele já está muito perto.

— Eu sei. — Pegou em ambas as mãos de Nell e as apertou com firmeza. — Você e os seus não vão ser atingidos. Temos que começar. O sol já quase se pôs.

Soltando a mão de Nell, ela abriu os braços, e as velas que espalhara em volta da clareira acenderam ao mesmo tempo. — Ele quer a escuridão — explicou, então se virou ao ver Ripley chegar à clareira.

— O filho da mãe pensou que podia me apavorar. — Ela colocou no chão a sua sacola de ferramentas, enquanto Mac trazia a primeira leva de equipamentos. — Já está na hora de mostrarmos a esse canalha com quem ele está lidando.

— Eu preciso de ajuda para trazer meu equipamento — disse Mac.

— Você não vai ter muito tempo — explicou Mia.

— Há tempo suficiente. — Sam entrou, carregando um dos monitores de Mac e a sua caixa entalhada.

Mia foi até Sam e colocou a ponta do dedo num dos cantos de sua boca.

— Você está sangrando.

— O palhaço me deu um soco. — Ele limpou o sangue com as costas da mão. — Estou devendo um nele também.

— Então, vamos lutar. — Ripley pegou a sua sacola e tirou a espada ritual.

Pela primeira vez em vários dias, Mia caiu na risada, e com vontade.

— Você nunca muda, Ripley. Este lugar é sagrado. É o coração. Um círculo dentro de um círculo, por sua vez dentro de um círculo, que nos protege a todos do frio e da escuridão. Aqui, onde um dia as três irmãs se juntaram, vou encontrar o meu destino.

Enquanto falava, caminhava para as bordas da clareira, com os pés descalços a poucos centímetros da névoa que se revolvia.

Depois que o círculo estiver formado
O laço que nos une jamais será quebrado.

— Este não é o princípio do ritual de expulsão — disse Sam, mas ela o ignorou e continuou.

O sol que se põe passa para mim o seu fogo
E a lua subirá e entrará no nosso jogo.

Pegou um recipiente e formou um círculo de sal em volta dos maridos de suas irmãs.

Cada uma pelas três, e as três por uma
Pelo sangue, a rede foi tecida na bruma
O que é escuro e mau e minha marca carrega
Vai levá-la eternamente, a partir desta refrega
Que assim se cumpra sob a luz que a noite cega.

Levantou os braços e clamou pelo trovão.

— Invoque o próximo círculo — disse, olhando para Sam. — Pode deixar, que eu sei o que estou fazendo.

— Eu também sei.

Mac estudava seus medidores enquanto o círculo era invocado.

— Até onde eu estou conseguindo acompanhar, ao formar um círculo externo, em volta da clareira, por si só, Mia está concentrando todas as forças negativas nela. Mesmo estando ligada com as outras, ela é o alvo.

— Sam entendeu isso — replicou Zack.

— Entendeu. E ela nos circundou com sal como defesa secundária. Seu plano é que fiquemos aqui dentro deste anel protetor, não importa o que aconteça.

— Não brinca! — exclamou Zack.

— Estou falando sério. A força já está aumentando. — Ele conseguia sentir.

Em volta do círculo, a luz começou a brilhar em um tom dourado forte. Com a ponta das lâminas, cada uma escreveu os seus símbolos no chão. O primeiro cântico subiu junto com a lua.

Ar, terra, fogo, água, mãe para filho e filho para filha, sempre e sem parar
Em nome do sangue reivindicamos o direito do poder da noite.
Sob a luz da Lua que ilumina as campinas, pedimos nesta hora
Tudo do que precisamos, o Poder, a visão e a luz da aurora.

Nell levantou os braços.

Do Ar eu vim, e todo o Ar comando
Mando o vento descer, forte ou brando
Para varrer da terra o que busca magoar
E a magia e o encanto aqui liberar
Ela sou eu, e eu sou Ar
Que assim se faça, sob o luar.

E, enquanto o vento começava a aumentar e rugir, Ripley levantou as mãos, dizendo:

Da Terra eu vim, e imploro que acreditem
Terremoto e vida, sob meus pés se agitem
Que meu poder as trevas engula
Que o mal pereça nessa força que ondula
Eu sou Terra, e ela faz parte de mim,
Que tudo se cumpra, aqui, agora e assim.

A terra tremeu. A seguir, Sam abriu os braços e os levantou.

Da Água eu vim, pela Água eu choro
Do mar ou do céu, pela chuva, imploro
Que possa toda a ilha lavar com luz
E protegê-la da fera que as trevas conduz
Sou a Água, sempre benfazeja
Que assim aconteça e que assim seja.

A chuva desceu, lavando tudo, e Mia jogou a cabeça para trás.

Do Fogo eu vim, dele tenho saudade
Fagulha, chama e calor que arde
Para derrotar a fera que sangue quer jorrar
E proteger aos que amo, venho aqui suplicar
Eu sou Fogo, que em mim brilha
E que assim seja, por sua filha.

Relâmpagos violentos iluminaram o céu, e raios subiram do chão. Fizeram o ar rugir e brilharam como diamantes na chuva.

A tempestade caiu com fúria inclemente, fazendo o ar se mover em redemoinho pela clareira e indo em direção à floresta.

— Meus equipamentos não estão conseguindo medir nada — berrou Mac, tentando se fazer ouvir entre as explosões dos trovões. — Não dá para fazer uma leitura exata.

— Você não precisa de leituras, agora. — Ao lado dele, Zack pegou na arma. — Escute o uivo. É o lobo. E está chegando cada vez mais perto.

Dentro do círculo, os quatro uniram as mãos. Com a lua brilhando como um farol em meio à tempestade, Mia juntou a mão de Nell com a de Sam e deixou o círculo ficar só com três.

Por duas vezes as Três frustraram o seu negro bafo
Agora sozinha, eu o desafio e faço disso um desabafo
Venha para o escuro e faça o que tem que fazer
O destino em minhas mãos está, e agora o vou romper
Qual de nós vai encontrar a morte?
Chegou a hora de decidir a nossa sorte
Enfrente esta bruxa, e vamos ver quem é mais forte.

Colocando os pés no fogo que ela mesma havia feito, Mia saiu do círculo.

O lobo negro foi tomando forma na névoa que se condensava e rosnou na borda da clareira. No momento em que Mia avançou em direção a ele, Sam levantou sua espada ritual. Uma luz azul muito brilhante saiu da ponta da arma enquanto ele se posicionava, usando o próprio corpo para proteger Mia.

— Não. — Um traço de pânico atravessou o seu controle de ferro, e a luz em volta da clareira diminuiu. — Isto não é com você.

— Você é minha. Vou para o inferno com ele antes que ele consiga machucar você. Volte para o círculo!

Mia olhou para ele, e, no momento em que o lobo deu o primeiro passo, testando para ver se conseguia invadir a clareira, o pânico dela desapareceu. Seu Poder surgiu forte, vindo do coração, e se espalhou por todo o corpo.

— Não vou perder — disse ela, com toda a calma. — Não posso. — E, com o seu destino gravado na mente, correu para fora da clareira, com o lobo pulando logo atrás dela.

Aquilo ia acabar quando ela determinasse. Disso ela tinha certeza. Mia correu pela floresta, o calor do seu corpo cortando a névoa gelada que cobria o chão e a trilha e ferroava o ar em movimento. Aquilo que a perseguia gritava de ganância e ódio. Ela conhecia cada curva do caminho, cada elevação do terreno, e correu pela noite, açoitada pela tempestade, como uma flecha em direção a um alvo.

Saindo da floresta, ela correu direto para os penhascos que surgiam, lisos e negros, da névoa que fedia. Recolhendo fúrias, ela arremessava ondas de poder para trás a fim de ganhar o tempo de que precisava, e a cada vez ouvia um grito de dor e ultraje. Sentia, por baixo daquilo, um prazer dissimulado.

Ela estava muito além do seu círculo. Separada e só. E chegara na ponta do penhasco, no mesmo local que aquela que se chamava Fogo fizera a sua última escolha. Atrás dela estava o mar furioso; abaixo, as rochas implacáveis.

Estava encurralada. Ouviu os murmúrios em sua cabeça. *Fique aqui e seja feita em pedaços. Dê um salto para trás e escape.*

Sem fôlego por causa da corrida e devido ao que crescia dentro dela, deu um passo para trás. O vento vergastava a borda molhada do seu manto, e as pedras escorregadias sob seus pés tremiam e balançavam.

Toda a ilha estava coberta pela névoa, sufocada por seu peso. Mas ela já previra aquilo. Viu ao longe um círculo claro na ponta da cidade, onde as luzes brilhavam como se fossem milhares de velas. Aquilo ela não previra, nem o fluxo de energia que vinha daquelas luzes e entrava nela com a força do amor.

Ela se embrulhou no manto, protegeu-o com seu próprio Poder e observou o lobo, que escalava lentamente os penhascos.

Venha me pegar, pensou ela. *Isso, chegue mais perto. Eu esperei por isso toda a minha vida.*

Ele escancarou a boca, mostrou os dentes e se levantou como um homem, colocando-se de pé sobre as patas traseiras. *Tenha medo de mim, pois sou a sua morte e vim lhe trazer dor,* era a mensagem dele.

Um raio negro desceu do céu com violência e chamuscou a pedra a seus pés. Ela deu mais um passo para trás e viu o brilho de triunfo naqueles olhos vermelhos.

— Ainda não acabei — disse Mia com frieza, e atirou um jato de fogo na direção dele.

Foi isso que Sam viu quando saía da floresta. Mia na ponta do penhasco, com o manto branco brilhando como prata e os cabelos esvoaçando, enquanto a forma monstruosa crescia e se aproximava dela. Uma barreira de fogo surgiu em volta deles, e a fumaça começou a subir, grossa e lenta. Do alto do céu turbulento, lanças de luz caíam como chuva flamejante.

O grito de Sam foi mais de fúria do que de medo no momento em que, com a espada na mão chiando e brilhando como um relâmpago, lançou-se na direção do penhasco.

Agora!, pensou ela, e começou a guiar, movimentando-se em círculos sobre as rochas como se estivesse em um salão de baile.

> *Nesta noite eu me alegro e faço a minha escolha*
> *Ele escolhe a mim, eu a ele, e que a noite nos recolha.*

Ela abriu os braços e deixou o coração desprotegido.

> *Sob esta luz não há poder que se mantenha no breu*
> *Meu coração é dele, e o coração dele é todo meu*
> *E este é o destino que juntamos, como a vida escolheu*
> *Minha vida eu daria para salvar tudo o que é meu.*

E gritou bem alto, com a voz forte como um trovão, enquanto via os seus amigos e suas irmãs saírem das sombras da floresta, logo atrás de Sam.

Para salvar os que amo, tudo eu ousaria
Trezentos anos para dar fim a esta agonia
E com estas palavras afirmo, cheia de alegria:
Eu escolho o amor, porque esta é a maior Magia.

E agarrou a mão de Sam, que já estava ao seu lado.

Escolho a vida, que de todas é a maior alquimia.

A forma do lobo se transformou, trepidante, no corpo de um homem. E os rostos daquele corpo mudavam, e eram legião, e se retorciam e trocavam de face incessantemente. A marca de Mia aparecia no semblante de todos.

Você vai deixar este lugar a salvo, mas não vai se salvar.
Nem que vá para o fundo comigo, agora vai acabar.

O hálito daquilo saía em ondas de vapor podres e fétidas. Ele pulou, e então a espada de Sam, com aspecto cristalino como água, foi lançada certeiramente.

— Você carrega a marca dela. E esta é a minha! — berrou ele.

Ao ser atingida, a forma se rachou e se dividiu em mil partes, transformando-se em uma névoa serpenteante que deslizava sobre as pedras como se fossem centenas de cobras.

— Os covardes nunca jogam limpo — disse Mia enquanto a névoa assobiava, cuspia e se arrastava em direção aos pés dela. Então o Poder, uma força branca e estável, começou a queimar dentro de si. — E a minha missão é acabar com ele.

— Então acabe — disse-lhe Sam.

Ela se libertou de todas as defesas, pôs de lado todos os escudos, abriu todas as trancas. O Poder que até então pulsava dentro dela explodiu, livre, e ela ficou subitamente em chamas sob o céu destruído.

Por tudo o que sou e serei, aqui
Envio as trevas de volta para ti
Com coragem, justiça, coração e tudo o que sou
Termino o que meu sangue há tantos anos começou
Agora sinta o gosto do medo mais robusto
E enfrente o meu fogo puro, íntegro e justo.

Esticou o braço, e das suas mãos em concha uma bola de fogo se formou.

Seu destino foi forjado pelas irmãs, todas as três
E assim será para sempre, desta vez.

Por Lulu, pensou ela, *e por todos os outros inocentes, em toda parte.*

Ela lançou a bola de fogo sobre as cobras rastejantes feitas de névoa. Elas começaram a queimar e a se retorcer. Arderam em chamas e escorreram como fogo líquido pela ponta do penhasco, caindo lá embaixo em urros desesperados, para serem engolidas pelo mar.

A voz de Sam trovejou na noite:

Que se afoguem no inferno e morram na escuridão e no horror
Queimem eternamente com a marca da mulher que é meu amor
Sua força será engolida pelo mar, encerrando toda a dor
Que assim se faça sob o poder...

Do nosso amor, completou Mia, virando-se para ele.

Sam deu um passo para trás e a levou com ele, dizendo:

— Saia da beirada, Mia.

— Mas a vista daqui é magnífica.

Ela riu, uma gargalhada cheia e rica, um som de júbilo que a fez levantar os olhos para o céu, onde as estrelas estavam saindo das nuvens que se dissipavam. A lua pairava lânguida como um veleiro branco sobre o mar calmo.

— Meu Deus, que se1nsação maravilhosa. Você deve ter perguntas a fazer — disse ela. — Só que eu preciso de um minuto, antes, com Nell e Ripley.

— Vá em frente.

E ela desceu da ponta do penhasco e se lançou nos braços das irmãs.

Mais tarde, ela deixou os outros na cozinha e foi para o jardim com Sam.

— Deve ser difícil para você compreender por que eu não compartilhei com vocês tudo que planejava fazer. Não foi arrogância. Foi...

As palavras ficaram bloqueadas em sua garganta quando ele a girou e a enlaçou em seus braços e a apertou junto dele.

— Foi necessário — conseguiu dizer ela, por fim.

— Não fale nada por alguns instantes. Simplesmente... Mia. — Ele enterrou o rosto em seus cabelos, embalando-a e sussurrando palavras suaves e fortes em idioma galês. Então, abruptamente, ele a agarrou e afastou-a dele, sacudindo-a com força. — Necessário uma ova! Era necessário arrancar o meu coração do peito? Você tem ideia de como é ver você de pé na beira do penhasco, com aquela *coisa* indo para cima de você?

— Sim. — Ela emoldurou o rosto dele com as mãos. — Era a única maneira, Sam. A única maneira que eu sabia e que tinha certeza de que daria certo. A única forma de acabar com tudo sem machucar ninguém.

— Responda-me então uma pergunta. E olhe direto nos meus olhos quando responder. Você teria sacrificado a sua vida?

— Não. — Quando os olhos dele se estreitaram, ela manteve a expressão no rosto. — Arriscar a vida é diferente de sacrificá-la. Eu me arrisquei? Sim, me arrisquei. Mas foi com consciência, porque sou uma mulher prática, com uma admiração saudável pela vida. Mas eu me arrisquei pela única mãe que eu tive. Por este lugar e por todas as pessoas que vivem nele. Por eles — disse, gesticulando em direção à casa. — Pelas crianças que estão sendo geradas por eles. Por você. Por nós dois. Mas eu tinha a intenção de viver e, como pode ver, consegui.

— Você tinha planejado abandonar o círculo daquela forma. Planejou levá-lo até a ponta do penhasco. Sozinha.

— Era necessário que terminasse ali. Eu me preparei de todas as formas que sabia, considerei todas as possibilidades. E, mesmo assim, não tive uma ideia que vocês tiveram. Quando olhei para a cidade, do alto do penhasco, e vi aquele círculo de luzes na cidade... Sam. — Cheia de amor, ela se recostou nele. — Quando senti aquela força, todo aquele amor e aquela fé subindo na minha direção, vi que era o maior presente que poderia receber. Quem sabe o que teria acontecido se não fosse aquilo? E vocês fizeram isso. Lembraram-se de pedir ajuda, algo que eu mesma não tinha pensado.

— Todos os moradores da ilha se reuniram. Espalhamos a ideia para algumas pessoas...

— E elas espalharam para outras — completou ela. — E todos eles se reuniram em volta do chalé e no bosque, esta noite. Todos aqueles corações e mentes sintonizados em direção a mim.

Ela apertou as mãos entre os seios, onde aquela canção ainda ecoava.

— Isto é Magia das mais poderosas. Você precisa me compreender — continuou ela, já mais à vontade. — Eu não poderia contar a você, a nenhum de vocês. Não podia me permitir uma abertura tão grande; não podia arriscar que o que estava no fundo da minha mente e do meu coração pudesse ser lido pela força contra a qual iríamos lutar. Tive que esperar até estar tudo no lugar.

— Estou digerindo tudo isso, Mia. Só que essa luta não era sua. Era nossa.

— Não tinha tanta certeza disso. Queria ter, mas não tinha, até que você pulou fora do círculo e ficou na minha frente. E o que você sentiu por mim... dizendo que me ama, fez empalidecer tudo com o sentimento que explodiu de dentro de você naquele instante. Eu sabia que você iria atrás de mim. Soube então, sem mais dúvidas, que tínhamos que dar fim àquilo juntos. Preciso lhe dizer uma coisa.

Ela balançou a cabeça, dando um passo para trás até ter certeza de que as palavras iam sair.

— Eu amei você uma vez, demais. Mas meu amor se espelhava nas minhas próprias necessidades, desejos e sonhos. Um amor de menina, que tem fronteiras. Quando você se foi, fiz questão de trancar aquele amor para sempre. Não poderia sobreviver com ele dentro do peito. Então você voltou.

Ela se virou para ele.

— Só olhar para você já machucava. Como disse, sou uma mulher prática e detesto a dor. Consegui lidar com aquilo. Queria ter você, mas não precisava destrancar aquele amor para ter você. Ou pelo menos pensei que não. — Ela afastou o cabelo da testa. — Pelo menos desejava que não. Só que a tranca não aguentou, e aquele amor transbordou. Estava diferente do que era no passado, mas eu não vi isso, não queria ver. Porque olhar machucava de novo. Cada vez que você dizia que me amava, sentia como uma faca enfiada no coração.

— Mia...

— Não. Deixe-me acabar. Lembra-se da noite em que nos sentamos aqui no jardim com a borboleta? Antes de você chegar, eu estava tentando acalmar a minha mente de uma vez por todas. Encarar tudo de forma racional, me preparar. Você se sentou, sorriu para mim, e tudo dentro de mim se remexeu. Como se estivesse esperando por aquele momento, por aquele olhar. E quando você me disse que me amava, não me machucou. Não machucou nem um pouco. Sabe como foi que eu me senti?

— Não. — Ele acariciou o rosto dela delicadamente com os nós dos dedos. — Conte-me.

— Feliz. Aquela felicidade que bate bem no fundo da alma, Sam. — Correu a mão pelos braços dele, sem conseguir parar de tocá-lo. — O que senti por você então, e o que sinto agora e sempre vou sentir, não é uma paixão de menina. Floresceu a partir daquilo, mas é algo novo. Não precisa de fantasias nem de desejos. Se você for embora agora...

— Eu não vou.

— Mas, se for, o que sinto por você não vai mudar nem vai ficar trancado. Eu tinha que ter certeza disso, sem uma sombra de dúvida. Vou acalentar e guardar para sempre este sentimento e tudo que compartilhamos. Sei que você me ama, e isso já é o bastante.

— E você acha que eu a abandonaria, agora?

— Isto não vem ao caso. — Sentindo-se como se estivesse com o coração levantando voo, ela deu mais um passo para trás e dançou, traçando um círculo. — O caso é que eu o amo o suficiente para deixá-lo ir embora. O caso é que não vou mais ficar temerosa, ou preocupada, ou olhar para você com aquela sombra no coração. Eu o amo o suficiente para ficar com você. Para viver com você. Sem arrependimentos e sem condições.

— Chegue aqui, venha, bem aqui — disse Sam, apontando para a frente dele.

Ela concordou e foi até ele.

— Pronto. Está perto o bastante?

— Você está vendo isto? — Ele levantou o cordão, colocando os dois anéis em frente a ela.

— O que é isto? São lindos. — Esticou o braço para tocá-los e ficou sem respiração ao sentir o calor e a luz que pulsavam deles. — Os anéis deles! — sussurrou ela. — O anel dele e o dela.

— Encontrei este aqui naquela caverna da qual lhe falei, na Irlanda. E encontrei o dela há poucos dias, aqui na ilha, bem na nossa caverna. Consegue ler o que está gravado neles, por dentro e por fora?

Ela traçou os dedos sobre os símbolos célticos e leu, com o coração aos pulos, as letras em idioma galês que o adornavam por dentro.

Sam tirou o cordão pela cabeça e pegou o anel menor, dizendo:

— Este é o seu.

Todo o Poder que ainda borbulhava dentro dela pareceu entrar em pausa. Como se um milhão de pessoas estivessem prendendo a respiração.

— Por que está me dando isto?

— Porque ele não cumpriu a promessa, mas eu vou cumprir. Quero conseguir isso com você. Quero que você consiga comigo. Agora e depois, quando nos casarmos. E a cada dia depois disso. Quero repetir este voto todas as vezes que um de nossos filhos nascer.

— Filhos. — O olhar dela subiu para encontrar o dele.

— Tive uma visão — começou ele, enxugando a primeira lágrima que desceu pelo rosto dela com a ponta do dedo. — Vi você trabalhando no jardim em um princípio de primavera. As folhas eram apenas um borrão verde ao fundo, e o sol estava morno e amarelo. Quando cheguei perto, você se levantou. Estava tão linda, Mia. Mais linda do que eu jamais a vi. E você estava plena, com o nosso filho dentro de você. Coloquei a mão em sua barriga e o senti se mover. Senti aquela vida que nós criamos simplesmente... se agitar, impaciente para nascer. Eu não fazia ideia.

Ele tomou o rosto dela em suas mãos.

— Não fazia ideia do que aquilo poderia significar. Não tinha ideia de que poderia querer, e tanto, tudo aquilo que vi e senti naquele rápido instante parado no tempo. Construa uma vida comigo, Mia. Nossa vida, e tudo o que vier com isso.

— Acho que agora a Magia desta noite está completa. Sim. — Ela pousou os lábios no rosto dele. — Sim. — E beijou o outro lado. — Sim a tudo — completou sorrindo, enquanto seus lábios se encontraram com os dele.

Ele a levantou no ar e a fez girar em um círculo para, em seguida, pegar a sua mão direita.

— Este é o dedo da mão errada — avisou ela.

— Não. Você só pode usar o anel na mão esquerda depois que nos casarmos. Vamos ser um pouco tradicionais agora. E, já que ficamos noivos, devo dizer que acho que as pessoas que estiveram apaixonadas por toda a vida deveriam ter um noivado bem curto.

Sam abriu a mão, e onde a lágrima dela caíra estava uma gota de luz. Sorrindo-lhe, atirou a gota para cima. Estrelas jorraram dela como um chafariz, descendo sobre ambos como pequenas fagulhas.

— Isto é um símbolo — disse ele, pegando uma das luzes no ar. — Uma promessa. Vou lhe dar as estrelas, Mia. — E, girando a mão, em um passe de mágica, ofereceu a ela uma aliança cravejada de brilhantes claros como a água e reluzentes como o fogo.

— Eu aceito. E aceito você. Ah, Sam, eu aceito você. — Ela esticou a mão, absorvendo a energia que surgiu no momento em que ele enfiou a promessa em forma de aliança em seu dedo. E ela começou a brilhar. — Quanta mágica vamos poder fazer!

— Então vamos começar logo.

E, rindo com ela, levantou-a no ar e dançou em volta do jardim, as flores se abrindo à passagem deles.

E as suas estrelas brilharam mais forte do que nunca contra a escuridão da noite.

Impresso no Brasil pelo
Sistema Cameron da Divisão Gráfica da
DISTRIBUIDORA RECORD DE SERVIÇOS DE IMPRENSA S.A.
Rua Argentina, 171 – Rio de Janeiro, RJ – 20921-380 – Tel.: (21)2585-2000